Har...
Dad.

This should keep
you occupied for
the next 60 years
or so!!

Lots l Love
Lindsay x

Friedrich Nietzsche
in der Taschenbuchreihe
Goldmann Klassiker:

Friedrich Nietzsche

Der Antichrist
Ecce Homo
Dionysos-
Dithyramben

Wilhelm Goldmann Verlag

Vollständige Texte

Nachwort: Professor Dr. Peter Pütz, Universität Bonn

1. Auflage Mai 1978   · 1.- 5. Tsd.
2. Auflage Mai 1979   · 6.-10. Tsd.
3. Auflage April 1981   · 11.-16. Tsd.
4. Auflage Februar 1984 · 17.-22. Tsd.

Made in Germany
Alle Rechte vorbehalten
Umschlagentwurf: Atelier Adolf & Angelika Bachmann, München
Umschlagbild: Bildarchiv Preußischer Kulturbesitz, Berlin
Satz und Druck: Presse-Druck Augsburg
Verlagsnummer: 7511
Lektorat: Martin Vosseler · Herstellung: Harry Heiß
ISBN 3-442-07511-4

Inhalt

Der Antichrist

Fluch
auf das Christentum

Dies Buch gehört den wenigsten. Vielleicht lebt selbst noch keiner von ihnen. Es mögen die sein, welche meinen Zarathustra verstehn: wie *dürfte* ich mich mit denen verwechseln, für welche heute schon Ohren wachsen? — Erst das Übermorgen gehört mir. Einige werden posthum geboren.

Die Bedingungen, unter denen man mich versteht und dann *mit Notwendigkeit* versteht — ich kenne sie nur zu genau. Man muß rechtschaffen sein in geistigen Dingen bis zur Härte, um auch nur meinen Ernst, meine Leidenschaft auszuhalten. Man muß geübt sein, auf Bergen zu leben — das erbärmliche Zeitgeschwätz von Politik und Völker-Selbstsucht *unter* sich zu sehn. Man muß gleichgültig geworden sein, man muß nie fragen, ob die Wahrheit nützt, ob sie einem Verhängnis wird ... Eine Vorliebe der Stärke für Fragen, zu denen niemand heute den Mut hat; der Mut zum *Verbotenen*; die Vorherbestimmung zum Labyrinth. Eine Erfahrung aus sieben Einsamkeiten. Neue Ohren für neue Musik. Neue Augen für das Fernste. Ein neues Gewissen für bisher stumm gebliebene Wahrheiten. *Und* der Wille zur Ökonomie großen Stils: seine Kraft, seine *Begeisterung* beisammenbehalten ... Die Ehrfurcht vor sich; die Liebe zu sich; die unbedingte Freiheit gegen sich ...

Wohlan! Das allein sind meine Leser, meine rechten Leser, meine vorherbestimmten Leser: was liegt am *Rest*? — Der Rest ist bloß die Menschheit. — Man muß der Menschheit überlegen sein durch Kraft, durch *Höhe* der Seele — durch Verachtung ...

Friedrich Nietzsche

1

— Sehen wir uns ins Gesicht. Wir sind Hyperboreer — wir wissen gut genug, wie abseits wir leben. »Weder zu Lande noch zu Wasser wirst du den Weg zu den Hyperboreern finden«: das hat schon Pindar von uns gewußt. Jenseits des Nordens, des Eises, des Todes — *unser* Leben, *unser* Glück ... Wir haben das Glück entdeckt, wir wissen den Weg, wir fanden den Ausgang aus ganzen Jahrtausenden des Labyrinths. Wer fand ihn *sonst*? — Der moderne Mensch etwa? — »Ich weiß nicht aus noch ein; ich bin alles, was nicht aus noch ein weiß« — seufzt der moderne Mensch ... An *dieser* Modernität waren wir krank — am faulen Frieden, am feigen Kompromiß, an der ganzen tugendhaften Unsauberkeit des modernen Ja und Nein. Diese Toleranz und *largeur* des Herzens, die alles »verzeiht«, weil sie alles »begreift«, ist Schirokko für uns. Lieber im Eise leben, als unter modernen Tugenden und andern Südwinden! ... Wir waren tapfer genug, wir schonten weder uns noch andere: aber wir wußten lange nicht, *wohin* mit unsrer Tapferkeit. Wir wurden düster, man hieß uns Fatalisten. *Unser* Fatum — das war die Fülle, die Spannung, die Stauung der Kräfte. Wir dürsteten nach Blitz und Taten, wir blieben am fernsten vom Glück der Schwächlinge, von der »Ergebung« ... Ein Gewitter war in unsrer Luft, die Natur, die wir sind, verfinsterte sich — *denn wir hatten keinen Weg.* Formel unsres Glücks: ein Ja, ein Nein, eine gerade Linie, ein *Ziel* ...

2

Was ist gut? — Alles, was das Gefühl der Macht, den Willen zur Macht, die Macht selbst im Menschen erhöht.

Was ist schlecht? — Alles, was aus der Schwäche stammt.

Was ist Glück? — Das Gefühl davon, daß die Macht *wächst* — daß ein Widerstand überwunden wird.

Nicht Zufriedenheit, sondern mehr Macht; *nicht* Friede überhaupt, sondern Krieg; *nicht* Tugend, sondern Tüchtigkeit (Tugend im Renaissance-Stile, *virtù*, moralinfreie Tugend).

Die Schwachen und Mißratenen sollen zugrunde gehn: erster
Satz *unsrer* Menschenliebe. Und man soll ihnen noch dazu helfen.

Was ist schädlicher als irgendein Laster? — Das Mitleiden der
Tat mit allen Mißratnen und Schwachen – das Christentum . . .

3

Nicht was die Menschheit ablösen soll in der Reihenfolge der
Wesen, ist das Problem, das ich hiermit stelle (— der Mensch ist
ein *Ende* —): sondern welchen Typus Mensch man *züchten* soll,
wollen soll, als den höherwertigeren, lebenswürdigeren, zu-
kunftsgewisseren.

Dieser höherwertigere Typus ist oft genug schon dagewesen:
aber als ein Glücksfall, als eine Ausnahme, niemals als *gewollt*.
Vielmehr ist *er* gerade am besten gefürchtet worden, er war bisher beinahe *das* Furchtbare — und aus der Furcht heraus wurde
der umgekehrte Typus gewollt, gezüchtet, *erreicht:* das Haustier,
das Herdentier, das kranke Tier Mensch — der Christ . . .

4

Die Menschheit stellt *nicht* eine Entwicklung zum Besseren oder
Stärkeren oder Höheren dar, in der Weise, wie dies heute geglaubt wird. Der »Fortschritt« ist bloß eine moderne Idee, das
heißt eine falsche Idee. Der Europäer von heute bleibt in seinem
Werte tief unter dem Europäer der Renaissance; Fortentwicklung
ist schlechterdings *nicht* mit irgendwelcher Notwendigkeit Erhöhung, Steigerung, Verstärkung.

In einem andern Sinne gibt es ein fortwährendes Gelingen einzelner Fälle an den verschiedensten Stellen der Erde und aus den
verschiedensten Kulturen heraus, mit denen in der Tat sich ein
höherer Typus darstellt: etwas, das im Verhältnis zur Gesamt-
Menschheit eine Art Übermensch ist. Solche Glücksfälle des großen Gelingens waren immer möglich und werden vielleicht immer

möglich sein. Und selbst ganze Geschlechter, Stämme, Völker
können unter Umständen einen solchen *Treffer* darstellen.

5

Man soll das Christentum nicht schmücken und herausputzen: es
hat einen *Todkrieg* gegen diesen *höheren* Typus Mensch gemacht,
es hat alle Grundinstinkte dieses Typus in Bann getan, es hat
aus diesen Instinkten das Böse, *den* Bösen herausdestilliert —
der starke Mensch als der typisch Verwerfliche, der »verworfene
Mensch«. Das Christentum hat die Partei alles Schwachen, Niedrigen, Mißratnen genommen, es hat ein Ideal aus dem *Widerspruch* gegen die Erhaltungs-Instinkte des starken Lebens gemacht; es hat die Vernunft selbst der geistig stärksten Naturen
verdorben, indem es die obersten Werte der Geistigkeit als
sündhaft, als irreführend, als *Versuchungen* empfinden lehrte.
Das jammervollste Beispiel: die Verderbnis Pascals, der an die
Verderbnis seiner Vernunft durch die Erbsünde glaubte, während sie nur durch sein Christentum verdorben war! —

6

Es ist ein schmerzliches, ein schauerliches Schauspiel, das mir aufgegangen ist: ich zog den Vorhang weg von der *Verdorbenheit*
des Menschen. Dies Wort, in meinem Munde, ist wenigstens gegen einen Verdacht geschützt: daß es eine moralische Anklage des
Menschen enthält. Es ist — ich möchte es nochmals unterstreichen —
moralinfrei gemeint: und dies bis zu dem Grade, daß jene Verdorbenheit gerade dort von mir am stärksten empfunden wird,
wo man bisher am bewußtesten zur »Tugend«, zur »Göttlichkeit«
aspirierte. Ich verstehe Verdorbenheit, man errät es bereits, im
Sinne von *décadence*: meine Behauptung ist, daß alle Werte, in
denen jetzt die Menschheit ihre oberste Wünschbarkeit zusam-
menfaßt, *décadence-Werte* sind.

Ich nenne ein Tier, eine Gattung, ein Individuum verdorben,
wenn es seine Instinkte verliert, wenn es wählt, wenn es *vorzieht,*
was ihm nachteilig ist. Eine Geschichte der »höheren Gefühle«,

der »Ideale der Menschheit« — und es ist möglich, daß ich sie erzählen muß — wäre beinahe auch die Erklärung dafür, *weshalb* der Mensch so verdorben ist. Das Leben selbst gilt mir als Instinkt für Wachstum, für Dauer, für Häufung von Kräften, für *Macht*: wo der Wille zur Macht fehlt, gibt es Niedergang. Meine Behauptung ist, daß allen obersten Werten der Menschheit dieser Wille *fehlt* — daß Niedergangs-Werte, nihilistische Werte unter den heiligsten Namen die Herrschaft führen.

7

Man nennt das Christentum die Religion des *Mitleidens*. — Das Mitleiden steht im Gegensatz zu den tonischen Affekten, welche die Energie des Lebensgefühls erhöhn: es wirkt depressiv. Man verliert Kraft, wenn man mitleidet. Durch das Mitleiden vermehrt und vervielfältigt sich die Einbuße an Kraft noch, die an sich schon das Leiden dem Leben bringt. Das Leiden selbst wird durch das Mitleiden ansteckend; unter Umständen kann mit ihm eine Gesamt-Einbuße an Leben und Lebens-Energie erreicht werden, die in einem absurden Verhältnis zum Quantum der Ursache steht (— der Fall vom Tode des Nazareners). Das ist der erste Gesichtspunkt; es gibt aber noch einen wichtigeren. Gesetzt, man mißt das Mitleiden nach dem Werte der Reaktionen, die es hervorzubringen pflegt, so erscheint sein lebensgefährlicher Charakter in einem noch viel helleren Lichte. Das Mitleiden kreuzt im ganzen großen das Gesetz der Entwicklung, welches das Gesetz der *Selektion* ist. Es erhält, was zum Untergange reif ist, es wehrt sich zugunsten der Enterbten und Verurteilten des Lebens, es gibt durch die Fülle des Mißratenen aller Art, das es im Leben *festhält,* dem Leben selbst einen düsteren und fragwürdigen Aspekt. Man hat gewagt, das Mitleiden eine Tugend zu nennen (— in jeder *vornehmen* Moral gilt es als Schwäche —); man ist weitergegangen, man hat aus ihm *die* Tugend, den Boden und Ursprung aller Tugenden gemacht — nur freilich, was man stets im Auge behalten muß, vom Gesichtspunkt einer Philosophie aus, welche nihilistisch war, welche die *Verneinung des Lebens* auf ihr Schild schrieb. Schopenhauer war in seinem Recht damit:

durch das Mitleid wird das Leben verneint, *verneinungswürdiger* gemacht — Mitleiden ist die *Praxis* des Nihilismus. Nochmals gesagt: dieser depressive und kontagiöse Instinkt kreuzt jene Instinkte, welche auf Erhaltung und Wert-Erhöhung des Lebens aus sind: er ist ebenso als *Multiplikator* des Elends wie als *Konservator* alles Elenden ein Hauptwerkzeug zur Steigerung der *décadence* — Mitleiden überredet zum *Nichts!* ... Man sagt nicht »Nichts«: man sagt dafür »Jenseits«: oder »Gott«; oder »das *wahre* Leben«; oder Nirvana, Erlösung, Seligkeit ... Diese unschuldige Rhetorik aus dem Reich der religiös-moralischen Idiosynkrasie erscheint sofort *viel weniger unschuldig,* wenn man begreift, *welche* Tendenz hier den Mantel sublimer Worte um sich schlägt: die *lebensfeindliche* Tendenz. Schopenhauer war lebensfeindlich: *deshalb* wurde ihm das Mitleid zur Tugend ... Aristoteles sah, wie man weiß, im Mitleiden einen krankhaften und gefährlichen Zustand, dem man gut täte, hier und da durch ein Purgativ beizukommen: er verstand die Tragödie als Purgativ. Vom Instinkte des Lebens aus müßte man in der Tat nach einem Mittel suchen, einer solchen krankhaften und gefährlichen Häufung des Mitleids, wie sie der Fall Schopenhauers (und leider auch unsre gesamte literarische und artistische *décadence* von St. Petersburg bis Paris, von Tolstoi bis Wagner) darstellt, einen Stich zu versetzen: damit sie *platzt* ... Nichts ist ungesunder, inmitten unsrer ungesunden Modernität, als das christliche Mitleid. *Hier* Arzt sein, *hier* unerbittlich sein, *hier* das Messer führen — das gehört zu *uns,* das ist *unsre* Art Menschenliebe, damit sind *wir* Philosophen, wir Hyperboreer! — —

8

Es ist notwendig zu sagen, *wen* wir als unsern Gegensatz fühlen — die Theologen und alles, was Theologen-Blut im Leibe hat — unsre ganze Philosophie ... Man muß das Verhängnis aus der Nähe gesehn haben, noch besser, man muß es an sich erlebt, man muß an ihm fast zugrunde gegangen sein, um hier keinen Spaß mehr zu verstehn — (die Freigeisterei unsrer Herren Naturforscher und Physiologen ist in meinen Augen ein *Spaß* — ihnen fehlt

die Leidenschaft in diesen Dingen, das *Leiden* an ihnen —). Jene
Vergiftung reicht viel weiter, als man denkt: ich fand den Theologen-Instinkt des Hochmuts überall wieder, wo man sich heute
als »Idealist« fühlt — wo man, vermöge einer höheren Abkunft,
ein Recht in Anspruch nimmt, zur Wirklichkeit überlegen und
fremd zu blicken . . . Der Idealist hat, ganz wie der Priester, alle
großen Begriffe in der Hand (— und nicht nur in der Hand!),
er spielt sie mit einer wohlwollenden Verachtung gegen den »Verstand«, die »Sinne«, die »Ehren«, das »Wohlleben«, die »Wissenschaft« aus, er sieht dergleichen *unter* sich, wie schädigende und
verführerische Kräfte, über denen »der Geist« in reiner Für-sich-
heit schwebt — als ob nicht Demut, Keuschheit, Armut, *Heiligkeit* mit einem Wort, dem Leben bisher unsäglich mehr Schaden
getan hätten, als irgendwelche Furchtbarkeiten und Laster . . .
Der reine Geist ist die reine Lüge . . . Solange der Priester noch
als eine *höhere* Art Mensch gilt, dieser Verneiner, Verleumder,
Vergifter des Lebens von *Beruf,* gibt es keine Antwort auf die
Frage: was *ist* Wahrheit? Man *hat* bereits die Wahrheit auf den
Kopf gestellt, wenn der bewußte Advokat des Nichts und der
Verneinung als Vertreter der »Wahrheit« gilt . . .

9

Diesem Theologen-Instinkte mache ich den Krieg: ich fand seine
Spur überall. Wer Theologen-Blut im Leibe hat, steht von vornherein zu allen Dingen schief und unehrlich. Das Pathos, das
sich daraus entwickelt, heißt sich *Glaube*: das Auge ein für alle
Mal vor sich schließen, um nicht am Aspekt unheilbarer Falschheit
zu leiden. Man macht bei sich eine Moral, eine Tugend, eine
Heiligkeit aus dieser fehlerhaften Optik zu allen Dingen, man
knüpft das gute Gewissen an das *Falsch*sehen — man fordert, daß
keine *andre* Art Optik mehr Wert haben dürfe, nachdem man
die eigne mit den Namen »Gott«, »Erlösung«, »Ewigkeit« sakro-
sankt gemacht hat. Ich grub den Theologen-Instinkt noch überall aus: er ist die verbreitetste, die eigentlich *unterirdische* Form
der Falschheit, die es auf Erden gibt. Was ein Theologe als wahr
empfindet, das *muß* falsch sein: man hat daran beinahe ein Kri-

terium der Wahrheit. Es ist sein unterster Selbsterhaltungs-In-
stinkt, der verbietet, daß die Realität in irgendeinem Punkte zu
Ehren oder auch nur zu Worte käme. So weit der Theologen-
Einfluß reicht, ist das *Wert-Urteil* auf den Kopf gestellt, sind
die Begriffe »wahr« und »falsch« notwendig umgekehrt: was
dem Leben am schädlichsten ist, das heißt hier »wahr«, was es
hebt, steigert, bejaht, rechtfertigt und triumphieren macht, das
heißt »falsch« ... Kommt es vor, daß Theologen durch das »Gewissen« der Fürsten (*oder* der Völker —) hindurch nach der
Macht die Hand ausstrecken, zweifeln wir nicht, *was* jedesmal
im Grunde sich begibt: der Wille zum Ende, der *nihilistische*
Wille will zur Macht ...

10

Unter Deutschen versteht man sofort, wenn ich sage, daß die
Philosophie durch Theologen-Blut verderbt ist. Der protestan-
tische Pfarrer ist Großvater der deutschen Philosophie, der Protestantismus selbst ihr *peccatum originale*. Definition des Protestantismus: die halbseitige Lähmung des Christentums — *und*
der Vernunft ... Man hat nur das Wort »Tübinger Stift« auszusprechen, um zu begreifen, *was* die deutsche Philosophie im
Grunde ist — eine *hinterlistige* Theologie ... Die Schwaben sind
die besten Lügner in Deutschland, sie lügen unschuldig ... Woher das Frohlocken, das beim Auftreten *Kants* durch die deutsche
Gelehrtenwelt ging, die zu drei Vierteln aus Pfarrer- und Lehrer-
Söhnen besteht — woher die deutsche Überzeugung, die auch
heute noch ihr Echo findet, daß mit Kant eine Wendung zum
Besseren beginne? Der Theologen-Instinkt im deutschen Gelehrten erriet, *was* nunmehr wieder möglich war ... Ein Schleichweg
zum alten Ideal stand offen, der Begriff »*wahre* Welt«, der
Begriff der Moral als *Essenz* der Welt (— diese zwei bösartigsten Irrtümer, die es gibt!) waren jetzt wieder, dank einer ver-
schmitzt-klugen Skepsis, wenn nicht beweisbar, so doch nicht
mehr *widerlegbar* ... Die Vernunft, das *Recht* der Vernunft
reicht nicht so weit ... Man hatte aus der Realität eine »Schein-
barkeit« gemacht; man hatte eine vollkommen *erlogne* Welt,

die des Seienden, zur Realität gemacht ... Der Erfolg Kants ist bloß ein Theologen-Erfolg: Kant war, gleich Luther, gleich Leibniz, ein Hemmschuh mehr in der an sich nicht taktfesten deutschen Rechtschaffenheit — —

11

Ein Wort noch gegen Kant als *Moralist.* Eine Tugend muß *unsre* Erfindung sein, *unsre* persönlichste Notwehr und Notdurft: in jedem andern Sinne ist sie bloß eine Gefahr. Was nicht unser Leben bedingt, *schadet* ihm: eine Tugend bloß aus einem Respekts-Gefühle vor dem Begriff »Tugend«, wie Kant es wollte, ist schädlich. Die »Tugend«, die »Pflicht«, das »Gute an sich«, das Gute mit dem Charakter der Unpersönlichkeit und Allgemeingültigkeit — Hirngespinste, in denen sich der Niedergang, die letzte Entkräftigung des Lebens, das Königsberger Chinesentum ausdrückt. Das Umgekehrte wird von den tiefsten Erhaltungs- und Wachstumsgesetzen geboten: daß jeder sich *seine* Tugend, *seinen* kategorischen Imperativ erfinde. Ein Volk geht zugrunde, wenn es *seine* Pflicht mit dem Pflichtbegriff überhaupt verwechselt. Nichts ruiniert tiefer, innerlicher als jede »unpersönliche« Pflicht, jede Opferung vor dem Moloch der Abstraktion. — Daß man den kategorischen Imperativ Kants nicht als *lebensgefährlich* empfunden hat! ... Der Theologen-Instinkt allein nahm ihn in Schutz! — Eine Handlung, zu der der Instinkt des Lebens zwingt, hat in der Lust ihren Beweis, eine *rechte* Handlung zu sein: und jener Nihilist mit christlich-dogmatischen Eingeweiden verstand die Lust als *Einwand* ... Was zerstört schneller, als ohne innere Notwendigkeit, ohne eine tief persönliche Wahl, ohne *Lust* arbeiten, denken, fühlen? als Automat der »Pflicht«? Es ist geradezu das *Rezept* zur *décadence,* selbst zum Idiotismus ... Kant wurde Idiot. — Und das war der Zeitgenosse *Goethes!* Dies Verhängnis von Spinne galt als der *deutsche* Philosoph — gilt es noch! ... Ich hüte mich zu sagen, was ich von den Deutschen denke ... Hat Kant nicht in der französischen Revolution den Übergang aus der unorganischen Form des Staats in die *organische* gesehn? Hat er sich nicht gefragt, ob es eine Begebenheit gibt, die gar nicht anders erklärt werden könne als durch eine moralische Anlage der Menschheit, so daß mit ihr, ein für allemal, die »Tendenz der Menschheit zum Guten« *bewiesen* sei? Antwort Kants: »das ist die Revolution.« Der fehlgreifende Instinkt in allem und jedem, die *Widernatur* als Instinkt, die deutsche *décadence* als Philosophie — *das ist Kant!* —

12

Ich nehme ein paar Skeptiker beiseite, den anständigen Typus in der Geschichte der Philosophie: aber der Rest kennt die ersten Forderungen der intellektuellen Rechtschaffenheit nicht. Sie machen es allesamt wie die Weiblein, alle diese großen Schwärmer und Wundertiere — sie halten die »schönen Gefühle« bereits für Argumente, den »gehobenen Busen« für einen Blasebalg der Gottheit, die Überzeugung für ein *Kriterium* der Wahrheit. Zuletzt hat noch Kant, in »deutscher« Unschuld, diese Form der Korruption, diesen Mangel an intellektuellem Gewissen unter dem Begriff »praktische Vernunft« zu verwissenschaftlichen versucht: er erfand eigens eine Vernunft dafür, in welchem Falle man sich nicht um die Vernunft zu kümmern habe, nämlich wenn die Moral, wenn die erhabne Forderung »du sollst« laut wird. Erwägt man, daß bei fast allen Völkern der Philosoph nur die Weiterentwicklung des priesterlichen Typus ist, so überrascht dieses Erbstück des Priesters, die *Falschmünzerei vor sich selbst,* nicht mehr. Wenn man heilige Aufgaben hat, zum Beispiel die Menschen zu bessern, zu retten, zu erlösen — wenn man die Gottheit im Busen trägt, Mundstück jenseitiger Imperative ist, so steht man mit einer solchen Mission bereits außerhalb aller bloß verstandesmäßigen Wertungen — *selbst* schon geheiligt durch eine solche Aufgabe, selbst schon der Typus einer höheren Ordnung!... Was geht einen Priester die *Wissenschaft* an! Er steht zu hoch dafür! — Und der Priester hat bisher *geherrscht!* — *Er bestimmte* den Begriff »wahr« und »unwahr«!...

13

Unterschätzen wir dies nicht: *wir selbst,* wir freien Geister, sind bereits eine »Umwertung aller Werte«, eine *leibhafte* Kriegs- und Siegs-Erklärung an alle alten Begriffe von »wahr« und »unwahr«. Die wertvollsten Einsichten werden am spätesten gefunden; aber die wertvollsten Einsichten sind die *Methoden.* Alle Methoden, *alle* Voraussetzungen unsrer jetzigen Wissenschaftlichkeit haben jahrtausendelang die tiefste Verachtung gegen sich gehabt: auf sie hin war man aus dem Verkehre mit »honetten« Menschen ausgeschlossen — man galt als »Feind Gottes«, als Verächter der Wahrheit, als »Besessener«. Als wissenschaftlicher Charakter war man Tschandala... Wir haben das ganze Pathos der Menschheit gegen uns gehabt — ihren Begriff von dem, was Wahrheit sein *soll,* was der Dienst der Wahrheit sein *soll*: jedes »du sollst« war bisher *gegen* uns gerichtet... Unsre Objekte, unsre Praktiken, unsre stille, vorsichtige, mißtrauische Art — alles das schien ihr vollkommen unwürdig und verächtlich. — Zuletzt dürfte man, mit einiger Billigkeit, sich fragen, ob es nicht eigentlich ein *ästhetischer* Geschmack war, was die Menschheit in so langer Blindheit gehalten hat: sie verlangte von der Wahrheit einen *pittoresken* Effekt, sie verlangte insgleichen vom Erkennenden, daß er stark auf die Sinne wirke. Unsre *Bescheidenheit* ging ihr am längsten wider den Geschmack... Oh, wie sie das errieten, diese Truthähne Gottes — —

14

Wir haben umgelernt. Wir sind in allen Stücken bescheidner geworden. Wir leiten den Menschen nicht mehr vom »Geist«, von der »Gottheit« ab, wir haben ihn unter die Tiere zurückgestellt. Er gilt uns als das stärkste Tier, weil er das listigste ist: eine Folge davon ist seine Geistigkeit. Wir wehren uns andrerseits gegen eine Eitelkeit, die auch hier wieder laut werden möchte: wie als ob der Mensch die große Hinterabsicht der tierischen Entwicklung gewesen sei. Er ist durchaus keine Krone der Schöpfung: jedes Wesen ist, neben ihm, auf einer gleichen Stufe der

Vollkommenheit... Und indem wir das behaupten, behaupten wir noch zuviel: der Mensch ist, relativ genommen, das mißratenste Tier, das krankhafteste, das von seinen Instinkten am gefährlichsten abgeirrte — freilich, mit alledem, auch das *interessanteste*! — Was die Tiere betrifft, so hat zuerst Descartes, mit verehrungswürdiger Kühnheit, den Gedanken gewagt, das Tier als *machina* zu verstehn: unsre ganze Physiologie bemüht sich um den Beweis dieses Satzes. Auch stellen wir logischerweise den Menschen nicht beiseite, wie noch Descartes tat: was überhaupt heute vom Menschen begriffen ist, geht genau so weit, als er machinal begriffen ist. Ehedem gab man dem Menschen, als seine Mitgift aus einer höheren Ordnung, den »freien Willen«: heute haben wir ihm selbst den Willen genommen, in dem Sinne, daß darunter kein Vermögen mehr verstanden werden darf. Das alte Wort »Wille« dient nur dazu, eine Resultante zu bezeichnen, eine Art individueller Reaktion, die notwendig auf eine Menge teils widersprechender, teils zusammenstimmender Reize folgt — der Wille »wirkt« nicht mehr, »bewegt« nicht mehr... Ehemals sah man im Bewußtsein des Menschen, im »Geist«, den Beweis seiner höheren Abkunft, seiner Göttlichkeit; um den Menschen zu *vollenden,* riet man ihm an, nach der Art der Schildkröte die Sinne in sich hineinzuziehn, den Verkehr mit dem Irdischen einzustellen, die sterbliche Hülle abzutun: dann blieb die Hauptsache von ihm zurück, der »reine Geist«. Wir haben uns auch hierüber besser besonnen: das Bewußtwerden, der »Geist«, gilt uns gerade als Symptom einer relativen Unvollkommenheit des Organismus, als ein Versuchen, Tasten, Fehlgreifen, als eine Mühsal, bei der unnötig viel Nervenkraft verbraucht wird, — wir leugnen, daß irgend etwas vollkommen gemacht werden kann, solange es noch bewußt gemacht wird. Der »reine Geist« ist eine reine Dummheit: rechnen wir das Nervensystem und die Sinne ab, die »sterbliche Hülle«, *so verrechnen wir uns —* weiter nichts!...

15

Weder die Moral noch die Religion berührt sich im Christentume mit irgendeinem Punkte der Wirklichkeit. Lauter imaginäre *Ursachen* (»Gott«, »Seele«, »Ich«, »Geist«, »der freie Wille« — oder auch »der unfreie«): lauter imaginäre *Wirkungen* (»Sünde«, »Erlösung«, »Gnade«, »Strafe«, »Vergebung der Sünde«). Ein Verkehr zwischen imaginären *Wesen* (»Gott«, »Geister«, »Seelen«); eine imaginäre *Natur*wissenschaft (anthropozentrisch; völliger Mangel des Begriffs der natürlichen Ursachen); eine imaginäre *Psychologie* (lauter Selbst-Mißverständnisse, Interpretationen angenehmer oder unangenehmer Allgemeingefühle, zum Beispiel der Zustände des *nervus sympathicus,* mit Hilfe der Zeichensprache religiös-moralischer Idiosynkrasie — »Reue«, »Gewissensbiß«, »Versuchung des Teufels«, »die Nähe Gottes«); eine imaginäre *Teleologie* (»das Reich Gottes«, »das Jüngste Gericht«, »das ewige Leben«). — Diese reine *Fiktions-Welt* unterscheidet sich dadurch sehr zu ihren Ungunsten von der Traumwelt, daß letztere die Wirklichkeit *widerspiegelt,* während *sie* die Wirklichkeit fälscht, entwertet, verneint. Nachdem erst der Begriff »Natur« als Gegenbegriff zu »Gott« erfunden war, mußte »natürlich« das Wort sein für »verwerflich« — jene ganze Fiktions-Welt hat ihre Wurzel im *Haß* gegen das Natürliche (— die Wirklichkeit! —), sie ist der Ausdruck eines tiefen Mißbehagens am Wirklichen... *Aber damit ist alles erklärt.* Wer allein hat Gründe, sich *wegzulügen* aus der Wirklichkeit? Wer an ihr *leidet.* Aber an der Wirklichkeit leiden heißt eine *verunglückte* Wirklichkeit sein... Das Übergewicht der Unlustgefühle über die Lustgefühle ist die *Ursache* einer fiktiven Moral und Religion: ein solches Übergewicht gibt aber die *Formel* ab für *décadence* ...

16

Zu dem gleichen Schlusse nötigt eine Krtik des *christlichen Gottesbegriffs.* — Ein Volk, das noch an sich selbst glaubt, hat auch noch seinen eignen Gott. In ihm verehrt es die Bedingungen, durch die es obenauf ist, seine Tugenden, — es projiziert seine Lust an sich, sein Machtgefühl in ein Wesen, dem man dafür danken kann. Wer reich ist, will abgeben; ein stolzes Volk braucht einen Gott, um zu *opfern* ... Religion, innerhalb solcher Voraussetzungen, ist eine Form der Dankbarkeit. Man ist für sich selber dankbar: dazu braucht man einen Gott. — Ein solcher Gott muß nützen und schaden können, muß Freund und Feind sein können — man bewundert ihn im Guten wie im Schlimmen. Die *widernatürliche* Kastration eines Gottes zu einem Gotte bloß des Guten läge hier außerhalb aller Wünschbarkeit. Man hat den bösen Gott so nötig als den guten: man verdankt ja die eigne Existenz nicht gerade der Toleranz, der Menschenfreundlichkeit ... Was läge an einem Gotte, der nicht Zorn, Rache, Neid, Hohn, List, Gewalttat kennte? dem vielleicht nicht einmal die entzückenden *ardeurs* des Siegs und der Vernichtung bekannt wären? Man würde einen solchen Gott nicht verstehn: wozu sollte man ihn haben? — Freilich: wenn ein Volk zugrunde geht; wenn es den Glauben an Zukunft, seine Hoffnung auf Freiheit endgültig schwinden fühlt; wenn ihm die Unterwerfung als erste Nützlichkeit, die Tugenden der Unterworfenen als Erhaltungsbedingungen ins Bewußtsein treten, dann *muß* sich auch sein Gott verändern. Er wird jetzt Duckmäuser, furchtsam, bescheiden, rät zum »Frieden der Seele«, zum Nicht-mehr-hassen, zur Nachsicht, zur »Liebe« selbst gegen Freund und Feind. Er moralisiert beständig, er kriecht in die Höhle jeder Privattugend, wird Gott für jedermann, wird Privatmann, wird Kosmopolit ... Ehemals stellte er ein Volk, die Stärke eines Volkes, alles Aggressive und Machtdurstige aus der Seele eines Volkes dar: jetzt ist er bloß noch der gute Gott ... In der Tat, es gibt keine andre Alternative für Götter: *entweder* sind sie der Wille zur Macht — und so lange werden sie Volksgötter sein —, *oder* aber die Ohnmacht zur Macht — und dann werden sie notwendig *gut* ...

17

Wo in irgendwelcher Form der Wille zur Macht niedergeht, gibt es jedesmal auch einen physiologischen Rückgang, eine *décadence*. Die Gottheit der *décadence*, beschnitten an ihren männlichsten

Tugenden und Trieben, wird nunmehr notwendig zum Gott der Physiologisch-Zurückgezogenen, der Schwachen. Sie heißen sich selbst *nicht* die Schwachen, sie heißen sich »die Guten« ... Man versteht, ohne daß ein Wink noch not täte, in welchen Augenblikken der Geschichte erst die dualistische Fiktion eines guten und eines bösen Gottes möglich wird. Mit demselben Instinkte, mit dem die Unterworfenen ihren Gott zum »Guten an sich« herunterbringen, streichen sie aus dem Gotte ihrer Überwinder die guten Eigenschaften aus; sie nehmen Rache an ihren Herren, dadurch daß sie deren Gott *verteufeln*. — *Der gute* Gott, ebenso wie der Teufel: beide Ausgeburten der *décadence*. — Wie kann man heute noch der Einfalt christlicher Theologen so viel nachgeben, um mit ihnen zu dekretieren, die Fortentwicklung des Gottesbegriffs vom »Gotte Israels«, vom Volksgotte zum christlichen Gotte, zum Inbegriff alles Guten, sei ein *Fortschritt*? — Aber selbst Renan tut es. Als ob Renan ein Recht auf Einfalt hätte! Das Gegenteil springt doch in die Augen. Wenn die Voraussetzungen des *aufsteigenden* Lebens, wenn alles Starke, Tapfere, Herrische, Stolze aus dem Gottesbegriffe eliminiert werden, wenn er Schritt für Schritt zum Symbol eines Stabs für Müde, eines Rettungsankers für alle Ertrinkenden heruntersinkt, wenn er Arme-Leute-Gott, Sünder-Gott, Kranken-Gott *par excellence* wird, und das Prädikat »Heiland«, »Erlöser« gleichsam *übrig*bleibt als göttliches Prädikat überhaupt: *wovon* redet eine solche Verwandlung? eine solche *Reduktion* des Göttlichen? — Freilich: »das Reich Gottes« ist damit größer geworden. Ehemals hatte er nur sein Volk, sein »auserwähltes« Volk. Inzwischen ging er, ganz wie sein Volk selber, in die Fremde, auf Wanderschaft, er saß seitdem nirgendswo mehr still: bis er endlich überall heimisch wurde, der große Kosmopolit — bis er »die große Zahl« und die halbe Erde auf seine Seite bekam. Aber der Gott der »großen Zahl«, der Demokrat unter den Göttern, wurde trotzdem kein stolzer Heidengott: er blieb Jude, er blieb der Gott der Winkel, der Gott aller dunklen Ecken und Stellen, aller ungesunden Quartiere der ganzen Welt! ... Sein Weltreich ist nach wie vor ein Unterwelts-Reich, ein Hospital, ein *souterrain*-Reich, ein Ghetto-Reich ... Und er selbst, so blaß, so schwach, so *décadent* ... Selbst die blassesten der Blassen wurden noch über ihn Herr, die Herrn Metaphysiker, die Begriffs-Albinos. Diese spannen so lange um ihn herum, bis er, hypnotisiert durch ihre Bewegungen, selbst Spinne, selbst Metaphysicus wurde. Nunmehr spann er wieder die Welt aus sich heraus — *sub specie Spinozae* —, nunmehr transfigurierte er sich ins immer Dünnere und Blässere, ward »Ideal«, ward »reiner Geist«, ward »*absolutum*«, ward »Ding an sich« ... *Verfall eines Gottes*: Gott ward »Ding an sich« ...

18

Der christliche Gottesbegriff — Gott als Krankengott, Gott als Spinne, Gott als Geist — ist einer der korruptesten Gottesbegriffe, die auf Erden erreicht worden sind; er stellt vielleicht selbst den Pegel des Tiefstands in der absteigenden Entwicklung des Götter-Typus dar. Gott zum *Widerspruch des Lebens* abgeartet, statt dessen Verklärung und ewiges *Ja* zu sein! In Gott dem Leben, der Natur, dem Willen zum Leben die Feindschaft angesagt! Gott die Formel für jede Verleumdung des »Diesseits«, für jede Lüge vom »Jenseits«! In Gott das Nichts vergöttlicht, der Wille zum Nichts heilig gesprochen! ...

19

Daß die starken Rassen des nördlichen Europa den christlichen Gott nicht von sich gestoßen haben, macht ihrer religiösen Begabung wahrlich keine Ehre — um nicht vom Geschmacke zu reden. Mit einer solchen krankhaften und altersschwachen Ausgeburt der *décadence* hätten sie fertig werden *müssen*. Aber es liegt ein Fluch dafür auf ihnen, daß sie nicht mit ihm fertig geworden sind: sie haben die Krankheit, das Alter, den Widerspruch in alle ihre Instinkte aufgenommen — sie haben seitdem keinen Gott mehr *geschaffen*! Zwei Jahrtausende beinahe und nicht ein einziger neuer Gott! Sondern immer noch und wie zu Recht bestehend, wie ein *ultimatum* und *maximum* der gottbildenden Kraft, des *creator spiritus* im Menschen, dieser erbar-

mungswürdige Gott des christlichen Monotono-Theismus! Dies
hybride Verfalls-Gebilde aus Null, Begriff und Widerspruch, in
dem alle *décadence*-Instinkte, alle Feigheiten und Müdigkeiten
der Seele ihre Sanktion haben! — —

20

Mit meiner Verurteilung des Christentums möchte ich kein Unrecht gegen eine verwandte Religion begangen haben, die der
Zahl der Bekenner nach sogar überwiegt: gegen den *Buddhismus.*
Beide gehören als nihilistische Religionen zusammen — sie sind
décadence-Religionen —, beide sind voneinander in der merk-
würdigsten Weise getrennt. Daß man sie jetzt *vergleichen* kann,
dafür ist der Kritiker des Christentums den indischen Gelehrten
tief dankbar. — Der Buddhismus ist hundertmal realistischer als
das Christentum — er hat die Erbschaft des objektiven und kühlen Probleme-Stellens im Leibe, er kommt *nach* einer Hunderte
von Jahren dauernden philosophischen Bewegung; der Begriff
»Gott« ist bereits abgetan, als er kommt. Der Buddhismus ist
die einzige eigentlich *positivistische* Religion, die uns die Geschichte zeigt, auch noch in seiner Erkenntnistheorie (einem strengen Phänomenalismus —), er sagt nicht mehr »Kampf gegen die
Sünde«, sondern, ganz der Wirklichkeit das Recht gebend,
»Kampf gegen das *Leiden*«. Er hat — dies unterscheidet ihn tief
vom Christentum — die Selbst-Betrügerei der Moral-Begriffe
bereits hinter sich — er steht, in meiner Sprache geredet, *jenseits*
von Gut und Böse. — Die *zwei* physiologischen Tatsachen, auf
denen er ruht und die er ins Auge faßt, sind: *einmal* eine übergroße Reizbarkeit der Sensibilität, welche sich als raffinierte
Schmerzfähigkeit ausdrückt, *sodann* eine Übergeistigung, ein
allzulanges Leben in Begriffen und logischen Prozeduren, unter
dem der Person-Instinkt zum Vorteil des »Unpersönlichen«
Schaden genommen hat (— beides Zustände, die wenigstens einige
meiner Leser, die »Objektiven«, gleich mir selbst, aus Erfahrung kennen werden). Auf Grund dieser physiologischen Bedingungen ist eine *Depression* entstanden: gegen diese geht Buddha
hygienisch vor. Er wendet dagegen das Leben im Freien an, das

Wanderleben; die Mäßigung und die Wahl in der Kost; die Vorsicht gegen alle Spirituosa; die Vorsicht insgleichen gegen alle Affekte, die Galle machen, die das Blut erhitzen; keine *Sorge,* weder für sich, noch für andre. Er fordert Vorstellungen, die entweder Ruhe geben oder erheitern — er erfindet Mittel, die anderen sich abzugewöhnen. Er versteht die Güte, das Gütig-sein als gesundheit-fördernd. *Gebet* ist ausgeschlossen, ebenso wie die *Askese;* kein kategorischer Imperativ, kein *Zwang* überhaupt, selbst nicht innerhalb der Klostergemeinschaft (— man kann wieder hinaus —). Das alles wären Mittel, um jene übergroße Reizbarkeit zu verstärken. Eben darum fordert er auch keinen Kampf gegen Andersdenkende; seine Lehre wehrt sich gegen nichts *mehr* als gegen das Gefühl der Rache, der Abneigung, des *ressentiment* (— »nicht durch Feindschaft kommt Feindschaft zu Ende«: der rührende Refrain des ganzen Buddhismus...). Und das mit Recht: gerade diese Affekte wären vollkommen *ungesund* in Hinsicht auf die diätetische Hauptabsicht. Die geistige Ermüdung, die er vorfindet und die sich in einer allzugroßen »Objektivität« (das heißt Schwächung des Individual-Interesses, Verlust an Schwergewicht, an »Egoismus«) ausdrückt, bekämpft er mit einer strengen Zurückführung auch der geistigsten Interessen auf die *Person.* In der Lehre Buddhas wird der Egoismus Pflicht: das »eins ist not«, das »wie kommst *du* vom Leiden los« reguliert und begrenzt die ganze geistige Diät (— man darf sich vielleicht an jenen Athener erinnern, der der reinen »Wissenschaftlichkeit« gleichfalls den Krieg machte, an Sokrates, der den Personal-Egoismus auch im Reich der Probleme zur Moral erhob).

21

Die Voraussetzung für den Buddhismus ist ein sehr mildes Klima, eine große Sanftmut und Liberalität in den Sitten, *kein* Militarismus; und daß es die höheren und selbst gelehrten Stände sind, in denen die Bewegung ihren Herd hat. Man will die Heiterkeit, die Stille, die Wunschlosigkeit als höchstes Ziel, und man *erreicht* sein Ziel. Der Buddhismus ist keine Religion, in der man bloß auf Vollkommenheit aspiriert: das Vollkommne ist der normale Fall. —

Im Christentume kommen die Instinkte Unterworfner und Unterdrückter in den Vordergrund: es sind die niedersten Stände, die in ihm ihr Heil suchen. Hier wird als *Beschäftigung*, als Mittel gegen die Langeweile die Kasuistik der Sünde, die Selbstkritik, die Gewissens-Inquisition geübt; hier wird der Affekt gegen einen *Mächtigen*, »Gott« genannt, beständig aufrecht erhalten (durch das Gebet); hier gilt das Höchste als unerreichbar, als Geschenk, als »Gnade«. Hier fehlt auch die Öffentlichkeit; der Versteck, der dunkle Raum ist christlich. Hier wird der Leib verachtet, die Hygiene als Sinnlichkeit abgelehnt; die Kirche wehrt sich selbst gegen die Reinlichkeit (— die erste christliche Maßregel nach Vertreibung der Mauren war die Schließung der öffentlichen Bäder, von denen Cordova allein 270 besaß). Christlich ist ein gewisser Sinn der Grausamkeit gegen sich und andre; der Haß gegen die Andersdenkenden; der Wille, zu verfolgen. Düstere und aufregende Vorstellungen sind im Vordergrunde; die höchstbegehrten, mit den höchsten Namen bezeichneten Zustände sind Epilepsoïden; die Diät wird so gewählt, daß sie morbide Erscheinungen begünstigt und die Nerven überreizt. Christlich ist die Todfeindschaft gegen die Herren der Erde, gegen die »Vornehmen« — und zugleich ein versteckter heimlicher Wettbewerb (— man läßt ihnen den »Leib«, man will *nur* die »Seele« ...). Christlich ist der Haß gegen den *Geist,* gegen Stolz, Mut, Freiheit, *libertinage* des Geistes; christlich ist der Haß gegen die *Sinne,* gegen die Freuden der Sinne, gegen die Freude überhaupt ...

22

Das Christentum, als es seinen ersten Boden verließ, die niedrigsten Stände, die *Unterwelt* der antiken Welt, als es unter Barbaren-Völkern nach Macht ausging, hatte hier nicht mehr *müde* Menschen zur Voraussetzung, sondern innerlich verwilderte und sich zerreißende — den starken Menschen, aber den mißratnen. Die Unzufriedenheit mit sich, das Leiden an sich ist hier *nicht* wie bei dem Buddhisten eine übermäßige Reizbarkeit und

Schmerzfähigkeit, vielmehr umgekehrt ein übermächtiges Verlangen nach Wehe-tun, nach Auslassung der inneren Spannung
in feindseligen Handlungen und Vorstellungen. Das Christentum hatte *barbarische* Begriffe und Werte nötig, um über Barbaren Herr zu werden: solche sind das Erstlingsopfer, das Bluttrinken im Abendmahl, die Verachtung des Geistes und der
Kultur; die Folterung in allen Formen, sinnlich und unsinnlich;
der große Pomp des Kultus. Der Buddhismus ist eine Religion
für *späte* Menschen, für gütige, sanfte, übergeistig gewordne
Rassen, die zu leicht Schmerz empfinden (— Europa ist noch
lange nicht reif für ihn —): er ist eine Rückführung derselben zu
Frieden und Heiterkeit, zur Diät im Geistigen, zu einer gewissen Abhärtung im Leiblichen. Das Christentum will über
Raubtiere Herr werden; sein Mittel ist, sie *krank* zu machen —
die Schwächung ist das christliche Rezept zur *Zähmung,* zur
»Zivilisation«. Der Buddhismus ist eine Religion für den Schluß
und die Müdigkeit der Zivilisation, das Christentum findet sie
noch nicht einmal vor — es begründet sie unter Umständen.

23

Der Buddhismus, nochmals gesagt, ist hundertmal kälter, wahr-
hafter, objektiver. Er hat nicht mehr nötig, sich sein Leiden,
seine Schmerzfähigkeit *anständig* zu machen durch die Interpretation der Sünde — er sagt bloß, was er denkt, »ich leide«.
Dem Barbaren dagegen ist Leiden an sich nichts Anständiges:
er braucht erst eine Auslegung, um es sich einzugestehn, *daß* er
leidet (sein Instinkt weist ihn eher auf Verleugnung des Leidens,
auf stilles Ertragen hin). Hier war das Wort »Teufel« eine
Wohltat: man hatte einen übermächtigen und furchtbaren Feind —
man brauchte sich nicht zu schämen, an einem solchen Feind zu
leiden. —

   Das Christentum hat einige Feinheiten auf dem Grunde, die
zum Orient gehören. Vor allem weiß es, daß es an sich ganz
gleichgültig ist, ob etwas wahr ist, aber von höchster Wichtigkeit, *sofern* es als wahr geglaubt wird. Die Wahrheit und der
Glaube, daß etwas wahr sei: zwei ganz auseinanderliegende

Interessen-Welten, fast *Gegensatz*-Welten — man kommt zum einen und zum andern auf grundverschiednen Wegen. Hierüber wissend zu sein — das *macht* im Orient beinahe den Weisen: so verstehen es die Brahmanen, so versteht es Plato, so jeder Schüler esoterischer Weisheit. Wenn zum Beispiel ein *Glück* darin liegt, sich von der Sünde erlöst zu glauben, so tut als Voraussetzung dazu *nicht* not, daß der Mensch sündig sei, sondern daß er sich sündig *fühlt*. Wenn aber überhaupt vor allem *Glaube* not tut, so muß man die Vernunft, die Erkenntnis, die Forschung in Miß-kredit bringen: der Weg zur Wahrheit wird zum *verbotnen* Weg. — Die starke *Hoffnung* ist ein viel größeres *Stimulans* des Lebens, als irgendein einzelnes wirklich eintretendes Glück. Man muß Leidende durch eine Hoffnung aufrecht erhalten, welcher durch keine Wirklichkeit widersprochen werden kann — welche nicht durch eine Erfüllung *abgetan* wird: eine Jenseits-Hoffnung. (Gerade wegen dieser Fähigkeit, den Unglücklichen hinzuhalten, galt die Hoffnung bei den Griechen als Übel der Übel, als das eigentlich *tückische* Übel: es blieb im Faß des Übels zurück.) — Damit *Liebe* möglich ist, muß Gott Person sein; damit die untersten Instinkte mitreden können, muß Gott jung sein. Man hat für die Inbrunst der Weiber einen schönen Heiligen, für die der Männer eine Maria in den Vordergrund zu rücken. Dies unter der Voraussetzung, daß das Christentum auf einem Boden Herr werden will, wo aphrodisische oder Adonis-Kulte den *Begriff* des Kultus bereits bestimmt haben. Die Forderung der *Keuschheit* verstärkt die Vehemenz und Innerlichkeit des reli-giösen Instinkts — sie macht den Kultus wärmer, schwärmeri-scher, seelenvoller. — Die Liebe ist der Zustand, wo der Mensch die Dinge am meisten so sieht, wie sie *nicht* sind. Die illusorische Kraft ist da auf ihrer Höhe, ebenso die versüßende, die *verklä-rende* Kraft. Man erträgt in der Liebe mehr als sonst, man duldet alles. Es galt eine Religion zu erfinden, in der geliebt werden kann: damit ist man über das Schlimmste am Leben hinaus — man sieht es gar nicht mehr. — Soviel über die drei christlichen Tugenden Glaube, Liebe, Hoffnung: ich nenne sie die drei christ-lichen *Klugheiten*. — Der Buddhismus ist zu spät, zu positivistisch dazu, um noch auf diese Weise klug zu sein. —

24

Ich berühre hier nur das Problem der *Entstehung* des Christentums. Der *erste* Satz zu dessen Lösung heißt: das Christentum ist einzig aus dem Boden zu verstehn, aus dem es gewachsen ist — es ist *nicht* eine Gegenbewegung gegen den jüdischen Instinkt, es ist dessen Folgerichtigkeit selbst, ein Schluß weiter in dessen furchteinflößender Logik. In der Formel des Erlösers: »Das Heil kommt von den Juden«. — Der *zweite* Satz heißt: der psychologische Typus des Galiläers ist noch erkennbar, aber erst in seiner vollständigen Entartung (die zugleich Verstümmlung und Überladung mit fremden Zügen ist —) hat er dazu dienen können, wozu er gebraucht worden ist, zum Typus eines *Erlösers* der Menschheit. —

Die Juden sind das merkwürdigste Volk der Weltgeschichte, weil sie, vor die Frage von Sein und Nichtsein gestellt, mit einer vollkommen unheimlichen Bewußtheit das Sein *um jeden Preis* vorgezogen haben: dieser Preis war die radikale *Fälschung* aller Natur, aller Natürlichkeit, aller Realität, der ganzen inneren Welt so gut als der äußeren. Sie grenzten sich ab *gegen* alle Bedingungen, unter denen bisher ein Volk leben konnte, leben *durfte*; sie schufen aus sich einen Gegensatz-Begriff zu *natürlichen* Bedingungen — sie haben, der Reihe nach, die Religion, den Kultus, die Moral, die Geschichte, die Psychologie auf eine unheilbare Weise in den *Widerspruch zu deren Natur-Werten* umgedreht. Wir begegnen demselben Phänomene noch einmal und in unsäglich vergrößerten Proportionen, trotzdem nur als Kopie — die christliche Kirche entbehrt, im Vergleich zum »Volk der Heiligen«, jedes Anspruchs auf Originalität. Die Juden sind, ebendamit, das *verhängnisvollste* Volk der Weltgeschichte: in ihrer Nachwirkung haben sie die Menschheit dermaßen falsch gemacht, daß heute noch der Christ antijüdisch fühlen kann, ohne sich als die *letzte jüdische Konsequenz* zu verstehn.

Ich habe in meiner »Genealogie der Moral« zum ersten Male den Gegensatz-Begriff einer *vornehmen* Moral und einer *ressentiment*-Moral psychologisch vorgeführt, letztere *aus dem Nein* gegen die erstere entsprungen: aber dies ist die jüdisch-christliche

Moral ganz und gar. Um Nein sagen zu können zu allem, was die *aufsteigende* Bewegung des Lebens, die Wohlgeratenheit, die Macht, die Schönheit, die Selbstbejahung auf Erden darstellt, mußte hier sich der Genie gewordne Instinkt des *ressentiment* eine *andre* Welt erfinden, von wo aus jene *Lebens-Bejahung* als das Böse, als das Verwerfliche an sich erschien. Psychologisch nachgerechnet, ist das jüdische Volk ein Volk der zähesten Lebenskraft, welches, unter unmögliche Bedingungen versetzt, freiwillig, aus der tiefsten Klugheit der Selbsterhaltung, die Partei aller *décadence*-Instinkte nimmt — *nicht* als von ihnen beherrscht, sondern weil es in ihnen eine Macht erriet, mit der man sich *gegen* »die Welt« durchsetzen kann. Die Juden sind das Gegenstück aller *décadents:* sie haben sie *darstellen* müssen bis zur Illusion, sie haben sich, mit einem *non plus ultra* des schauspielerischen Genies, an die Spitze aller *décadence*-Bewegungen zu stellen gewußt (— als Christentum des *Paulus* —), um aus ihnen etwas zu schaffen, das stärker ist als jede *Ja-sagende* Partei des Lebens. Die *décadence* ist, für die im Juden- und Christentum zur Macht verlangende Art von Mensch, eine *priesterliche* Art, nur *Mittel:* diese Art von Mensch hat ein Lebens-Interesse daran, die Menschheit *krank* zu machen und die Begriffe »gut« und »böse«, »wahr« und »falsch« in einen lebensgefährlichen und weltverleumderischen Sinn umzudrehn. —

25

Die Geschichte Israels ist unschätzbar als typische Geschichte aller *Entnatürlichung* der Natur-Werte: ich deute fünf Tatsachen derselben an. Ursprünglich, vor allem in der Zeit des Königtums, stand auch Israel zu allen Dingen in der *richtigen,* das heißt der natürlichen Beziehung. Sein Javeh war der Ausdruck des Macht-Bewußtseins, der Freude an sich, der Hoffnung auf sich: in ihm erwartete man Sieg und Heil, mit ihm vertraute man der Natur, daß sie gibt, was das Volk nötig hat — vor allem Regen. Javeh ist der Gott Israels und *folglich* Gott der Gerechtigkeit: die Logik jedes Volks, das in Macht ist und ein gutes Gewissen davon hat. Im Fest-Kultus drücken sich diese beiden

Seiten der Selbstbejahung eines Volkes aus: es ist dankbar für die großen Schicksale, durch die es obenauf kam, es ist dankbar im Verhältnis zum Jahreskreislauf und allem Glück in Viehzucht und Ackerbau. — Dieser Zustand der Dinge blieb noch lange das Ideal, auch als er auf eine traurige Weise abgetan war: die Anarchie im Innern, der Assyrer von außen. Aber das Volk hielt als höchste Wünschbarkeit jene Vision eines Königs fest, der ein guter Soldat und ein strenger Richter ist: vor allem jener typische Prophet (das heißt Kritiker und Satiriker des Augenblicks) Jesaja. — Aber jede Hoffnung blieb unerfüllt. Der alte Gott *konnte* nichts mehr von dem, was er ehemals konnte. Man hätte ihn fahren lassen sollen. Was geschah? Man *veränderte* seinen Begriff — man *entnatürlichte* seinen Begriff: um diesen Preis hielt man ihn fest. — Javeh der Gott der »Gerechtigkeit« — *nicht mehr* eine Einheit mit Israel, ein Ausdruck des Volks-Selbstgefühls: nur noch ein Gott unter Bedingungen... Sein Begriff wird ein Werkzeug in den Händen priesterlicher Agitatoren, welche alles Glück nunmehr als Lohn, alles Unglück als Strafe für Ungehorsam gegen Gott, für »Sünde« interpretieren: jene verlogenste Interpretations-Manier einer angeblich »sittlichen Weltordnung«, mit der, ein für allemal, der Naturbegriff »Ursache« und »Wirkung« auf den Kopf gestellt ist. Wenn man erst, mit Lohn und Strafe, die natürliche Kausalität aus der Welt geschafft hat, bedarf man einer *widernatürlichen* Kausalität: der ganze Rest von Unnatur folgt nunmehr. Ein Gott, der *fordert* — an Stelle eines Gottes, der hilft, der Rat schafft, der im Grunde das Wort ist für jede glückliche Inspiration des Muts und des Selbstvertrauens... Die *Moral* nicht mehr der Ausdruck der Lebens- und Wachstums-Bedingungen eines Volks, nicht mehr sein unterster Instinkt des Lebens, sondern abstrakt geworden, Gegensatz zum Leben geworden — Moral als grundsätzliche Verschlechterung der Phantasie, als »böser Blick« für alle Dinge. *Was* ist jüdische, *was* ist christliche Moral? Der Zufall um seine Unschuld gebracht; das Unglück mit dem Begriff »Sünde« beschmutzt; das Wohlbefinden als Gefahr, als »Versuchung«; das physiologische Übelbefinden mit dem Gewissens-Wurm vergiftet...

26

Der Gottesbegriff gefälscht; der Moralbegriff gefälscht — die
jüdische Priesterschaft blieb dabei nicht stehn. Man konnte die
ganze *Geschichte* Israels nicht brauchen: fort mit ihr! — Diese
Priester haben jenes Wunderwerk von Fälschung zustande gebracht, als deren Dokumente uns ein guter Teil der Bibel vor-
liegt: sie haben ihre eigne Volks-Vergangenheit mit einem Hohn
ohnegleichen gegen jede Überlieferung, gegen jede historische
Realität, *ins Religiöse übersetzt*, das heißt, aus ihr einen stupi-
den Heils-Mechanismus von Schuld gegen Javeh und Strafe, von
Frömmigkeit gegen Javeh und Lohn gemacht. Wir würden diesen schmachvollsten Akt der Geschichts-Fälschung viel schmerzhafter empfinden, wenn uns nicht die *kirchliche* Geschichts-Inter-
pretation von Jahrtausenden fast stumpf für die Forderungen der
Rechtschaffenheit *in historicis* gemacht hätte. Und der Kirche
sekundierten die Philosophen: die *Lüge* der »sittlichen Weltordnung« geht durch die ganze Entwicklung selbst der neueren
Philosophie. Was bedeutet »sittliche Weltordnung«? Daß es, ein
für allemal, einen Willen Gottes gibt, was der Mensch zu tun,
was er zu lassen habe; daß der Wert eines Volkes, eines einzelnen sich danach bemesse, wie sehr oder wie wenig dem Willen
Gottes gehorcht wird; daß in den Schicksalen eines Volkes, eines
einzelnen sich der Wille Gottes als *herrschend,* das heißt als
strafend und belohnend, je nach dem Grade des Gehorsams, beweist. — Die *Realität* an Stelle dieser erbarmungswürdigen Lüge
heißt: eine parasitische Art Mensch, die nur auf Kosten aller gesunden Bildungen des Lebens gedeiht, der *Priester,* mißbraucht
den Namen Gottes: er nennt einen Zustand der Gesellschaft, in
dem der Priester den Wert der Dinge bestimmt, »das Reich
Gottes«; er nennt die Mittel, vermöge deren ein solcher Zustand erreicht oder aufrechterhalten wird, »den Willen Gottes«;
er mißt, mit einem kaltblütigen Zynismus, die Völker, die Zeiten,
die einzelnen danach ab, ob sie der Priester-Übermacht nützten
oder widerstrebten. Man sehe sie am Werk: unter den Händen
der jüdischen Priester wurde die *große* Zeit in der Geschichte
Israels eine Verfalls-Zeit, das Exil, das lange Unglück verwan-

delte sich in eine ewige *Strafe* für die große Zeit — eine Zeit, in der der Priester noch nichts war. Sie haben aus den mächtigen, *sehr frei* geratenen Gestalten der Geschichte Israels, je nach Bedürfnis, armselige Ducker und Mucker oder »Gottlose« gemacht, sie haben die Psychologie jedes großen Ereignisses auf die Idioten-Formel »Gehorsam *oder* Ungehorsam gegen Gott« vereinfacht. — Ein Schritt weiter: der »Wille Gottes« (das heißt die Erhaltungs-Bedingungen für die Macht des Priesters) muß *bekannt* sein — zu diesem Zwecke bedarf es einer »Offenbarung«. Auf deutsch: eine große literarische Fälschung wird nötig, eine »heilige Schrift« wird entdeckt — unter allem hieratischen Pomp, mit Bußtagen und Jammergeschrei über die lange »Sünde« wird sie öffentlich gemacht. Der »Wille Gottes« stand längst fest: das ganze Unheil liegt darin, daß man sich der »heiligen Schrift« entfremdet hat... Moses schon war der »Wille Gottes« offenbart... Was war geschehn? Der Priester hatte, mit Strenge, mit Pedanterie, bis auf die großen und kleinen Steuern, die man ihm zu zahlen hatte (— die schmackhaftesten Stücke vom Fleisch nicht zu vergessen: denn der Priester ist ein Beefsteak-Fresser), ein für allemal formuliert, *was er haben will,* »was der Wille Gottes ist«... Von nun an sind die Dinge des Lebens so geordnet, daß der Priester *überall unentbehrlich* ist; in allen natürlichen Vorkommnissen des Lebens, bei der Geburt, der Ehe, der Krankheit, dem Tode, gar nicht vom »Opfer« (der Mahlzeit) zu reden, erscheint der heilige Parasit, um sie zu *entnatürlichen* — in seiner Sprache: zu »heiligen«... Denn dies muß man begreifen: jede natürliche Sitte, jede natürliche Institution (Staat, Gerichtsordnung, Ehe, Kranken- und Armenpflege), jede vom Instinkt des Lebens eingegebne Forderung, kurz alles, was seinen Wert *in sich* hat, wird durch den Parasitismus des Priesters (oder der »sittlichen Weltordnung«) grundsätzlich wertlos, wert-*widrig* gemacht: es bedarf nachträglich einer Sanktion — eine *wertverleihende* Macht tut not, welche die Natur darin verneint, welche eben damit erst einen Wert *schafft*... Der Priester entwertet, *entheiligt* die Natur: um diesen Preis besteht er überhaupt. — Der Ungehorsam gegen Gott, das heißt gegen den Priester, gegen »das Gesetz«, bekommt nun den Namen »Sünde«; die Mittel, sich wieder »mit Gott zu versöhnen«, sind, wie billig, Mittel, mit denen die Unterwerfung unter den Priester nur noch gründlicher gewährleistet ist: der Priester allein »erlöst«... Psychologisch nachgerechnet, werden in jeder priesterlich organisierten Gesellschaft die »Sünden« unentbehrlich: sie sind die eigentlichen Handhaben der Macht, der Priester *lebt* von den Sünden, er hat nötig, daß »gesündigt« wird... Oberster Satz: »Gott vergibt dem, der Buße tut« — auf deutsch: *der sich dem Priester unterwirft.* —

27

Auf einem dergestalt *falschen* Boden, wo jede Natur, jeder Naturwert, jede *Realität* die tiefsten Instinkte der herrschenden Klasse wider sich hatte, wuchs das *Christentum* auf, eine Todfeindschafts-Form gegen die Realität, die bisher nicht übertroffen worden ist. Das »heilige Volk«, das für alle Dinge nur Priester-Werte, nur Priester-Worte übrig behalten hatte und mit einer Schluß-Folgerichtigkeit, die Furcht einflößen kann, alles, was sonst noch an Macht auf Erden bestand, als »unheilig«, als »Welt«, als »Sünde« von sich abgetrennt hatte — dies Volk brachte für seinen Instinkt eine letzte Formel hervor, die logisch war bis zur Selbstverneinung: es verneinte, als *Christentum,* noch die letzte Form der Realität, das »heilige Volk«, das »Volk der Ausgewählten«, die *jüdische* Realität selbst. Der Fall ist ersten Rangs: die kleine aufständische Bewegung, die auf den Namen des Jesus von Nazareth getauft wird, ist der jüdische Instinkt *noch einmal* — anders gesagt, der Priester-Instinkt, der den Priester als Realität nicht mehr verträgt, die Erfindung einer noch *abgezogneren* Daseinsform, einer noch *unrealeren* Vision der Welt, als sie die Organisation einer Kirche bedingt. Das Christentum *verneint* die Kirche...

Ich sehe nicht ab, wogegen der Aufstand gerichtet war, als dessen Urheber Jesus verstanden oder *mißverstanden* worden ist, wenn es nicht der Aufstand gegen die jüdische Kirche war — »Kirche« genau in dem Sinn genommen, in dem wir heute das Wort nehmen. Es war ein Aufstand gegen »die Guten und Ge-

rechten«, gegen »die Heiligen Israels«, gegen die Hierarchie der
Gesellschaft — *nicht* gegen deren Verderbnis, sondern gegen die
Kaste, das Privilegium, die Ordnung, die Formel; es war der
Unglaube an die »höheren Menschen«, das *Nein* gesprochen
gegen alles, was Priester und Theologe war. Aber die Hierarchie,
die damit, wenn auch nur für einen Augenblick, in Frage gestellt wurde, war der Pfahlbau, auf dem das jüdische Volk, mitten im »Wasser«, überhaupt noch fortbestand — die mühsam er-
rungene *letzte* Möglichkeit, übrigzubleiben, das Residuum seiner
politischen Sonder-Existenz: ein Angriff auf sie war ein Angriff
auf den tiefsten Volks-Instinkt, auf den zähesten Volks-Lebens-
willen, der je auf Erden dagewesen ist. Dieser heilige Anarchist,
der das niedere Volk, die Ausgestoßnen und »Sünder«, die
Tschandala innerhalb des Judentums zum Widerspruch gegen die
herrschende Ordnung aufrief — mit einer Sprache, falls den
Evangelien zu trauen wäre, die auch heute noch nach Sibirien
führen würde, war ein politischer Verbrecher, so weit eben politische Verbrecher in einer *absurd-unpolitischen* Gemeinschaft
möglich waren. Dies brachte ihn ans Kreuz: der Beweis dafür
ist die Aufschrift des Kreuzes. Er starb für *seine* Schuld — es fehlt
jeder Grund dafür, so oft es auch behauptet worden ist, daß er
für die Schuld andrer starb. —

· 28

Eine vollkommen andre Frage ist es, ob er einen solchen Gegensatz überhaupt im Bewußtsein hatte — ob er nicht bloß als dieser
Gegensatz *empfunden* wurde. Und hier erst berühre ich das
Problem der *Psychologie des Erlösers.* — Ich bekenne, daß ich
wenige Bücher mit solchen Schwierigkeiten lese wie die Evangelien. Diese Schwierigkeiten sind andre als die, an deren Nach-
weis die gelehrte Neugierde des deutschen Geistes einen ihrer
unvergeßlichsten Triumphe gefeiert hat. Die Zeit ist fern, wo
auch ich, gleich jedem jungen Gelehrten, mit der klugen Langsamkeit eines raffinierten Philologen das Werk des unvergleichlichen Strauß auskostete. Damals war ich zwanzig Jahre alt: jetzt
bin ich zu ernst dafür. Was gehen mich die Widersprüche der

»Überlieferung« an? Wie kann man Heiligen-Legenden überhaupt »Überlieferung« nennen! Die Geschichten von Heiligen
sind die zweideutigste Literatur, die es überhaupt gibt: auf sie
die wissenschaftliche Methode anwenden, *wenn sonst keine Ur-
kunden vorliegen,* scheint mir von vornherein verurteilt — bloß
gelehrter Müßiggang . . .

29

Was *mich* angeht, ist der psychologische Typus des Erlösers. Derselbe *könnte* ja in den Evangelien enthalten sein trotz den Evangelien, wie sehr auch immer verstümmelt oder mit fremden
Zügen überladen: wie der des Franziskus von Assisi in seinen
Legenden erhalten ist trotz seinen Legenden. *Nicht* die Wahrheit
darüber, was er getan, was er gesagt, wie er eigentlich gestorben
ist: sondern die Frage, *ob* sein Typus überhaupt noch vorstellbar,
ob er »überliefert« ist? — Die Versuche, die ich kenne, aus den
Evangelien sogar die *Geschichte* einer »Seele« herauszulesen,
scheinen mir Beweise einer verabscheuungswürdigen psychologischen Leichtfertigkeit. Herr Renan, dieser Hanswurst *in psychologicis,* hat die zwei *ungehörigsten* Begriffe zu seiner Erklärung des Typus Jesus hinzugebracht, die es hierfür geben kann:
den Begriff *Genie* und den Begriff *Held* (»*héros*«). Aber wenn
irgend etwas unevangelisch ist, so ist es der Begriff Held. Gerade
der Gegensatz zu allem Ringen, zu allem Sich-in-Kampf-fühlen
ist hier Instinkt geworden: die Unfähigkeit zum Widerstand
wird hier Moral (»widerstehe nicht dem Bösen!« das tiefste Wort
der Evangelien, ihr Schlüssel in gewissem Sinne), die Seligkeit
im Frieden, in der Sanftmut, im Nicht-feind-sein-*können.* Was
heißt »frohe Botschaft«? Das wahre Leben, das ewige Leben ist
gefunden, — es wird nicht verheißen, es ist da, es ist *in euch:* als
Leben in der Liebe, in der Liebe ohne Abzug und Ausschluß, ohne
Distanz. Jeder ist das Kind Gottes — Jesus nimmt durchaus
nichts für sich allein in Anspruch —, als Kind Gottes ist jeder mit
jedem gleich . . . Aus Jesus einen *Helden* machen! — Und was
für ein Mißverständnis ist gar das Wort »Genie«! Unser ganzer
Begriff, unser Kultur-Begriff »Geist« hat in der Welt, in der

Jesus lebt, gar keinen Sinn. Mit der Strenge des Physiologen gesprochen, wäre hier ein ganz andres Wort eher noch am Platz: das Wort Idiot. Wir kennen einen Zustand krankhafter Reizbarkeit des *Tastsinns,* der dann vor jeder Berührung, vor jedem Anfassen eines festen Gegenstandes zurückschaudert. Man übersetze sich einen solchen physiologischen *habitus* in seine letzte Logik — als Instinkt-Haß gegen *jede* Realität, als Flucht ins »Unfaßliche«, ins »Unbegreifliche«, als Widerwille gegen jede Formel, jeden Zeit- und Raumbegriff, gegen alles, was fest, Sitte, Institution, Kirche ist, als Zu-Hause-sein in einer Welt, an die keine Art Realität mehr rührt, einer bloß noch »inneren« Welt, einer »wahren« Welt, einer »ewigen« Welt ... »Das Reich Gottes *ist in euch«* ...

30

Der Instinkt-Haß gegen die Realität: Folge einer extremen Leid- und Reizfähigkeit, welche überhaupt nicht mehr »berührt« werden will, weil sie jede Berührung zu tief empfindet.

Die Instinkt-Ausschließung aller Abneigung, aller Feindschaft, aller Grenzen und Distanzen im Gefühl: Folge einer extremen Leid- und Reizfähigkeit, welche jedes Widerstreben, Widerstreben-müssen bereits als unerträgliche *Unlust* (das heißt als *schädlich,* als vom Selbsterhaltungs-Instinkte *widerraten*) empfindet und die Seligkeit (die Lust) allein darin kennt, nicht mehr, niemandem mehr, weder dem Übel noch dem Bösen, Widerstand zu leisten — die Liebe als einzige, als *letzte* Lebens-Möglichkeit ...

Dies sind die zwei *physiologischen Realitäten,* auf denen, aus denen die Erlösungs-Lehre gewachsen ist. Ich nenne sie eine sublime Weiter-Entwicklung des Hedonismus auf durchaus morbider Grundlage. Nächstverwandt, wenn auch mit einem großen Zuschuß von griechischer Vitalität und Nervenkraft, bleibt ihr der Epikureismus, die Erlösungs-Lehre des Heidentums. Epikur ein *typischer décadent*: zuerst von mir als solcher erkannt. — Die Furcht vor Schmerz, selbst vor dem Unendlich-Kleinen im Schmerz — sie *kann* gar nicht anders enden als in einer *Religion der Liebe* ...

31

Ich habe meine Antwort auf das Problem vorweg gegeben. Die
Voraussetzung für sie ist, daß der Typus des Erlösers uns nur
in einer starken Entstellung erhalten ist. Diese Entstellung hat an
sich viel Wahrscheinlichkeit: ein solcher Typus konnte aus meh-
reren Gründen nicht rein, nicht ganz, nicht frei von Zutaten
bleiben. Es muß sowohl das Milieu, in dem sich diese fremde
Gestalt bewegte, Spuren an ihm hinterlassen haben, als noch
mehr die Geschichte, das *Schicksal* der ersten christlichen Gemeinde: aus ihm wurde, rückwirkend, der Typus mit Zügen bereichert, die erst aus dem Kriege und zu Zwecken der Propaganda
verständlich werden. Jene seltsame und kranke Welt, in die uns
die Evangelien einführen — eine Welt, wie aus einem russischen
Romane, in der sich Auswurf der Gesellschaft, Nervenleiden und
»kindliches« Idiotentum ein Stelldichein zu geben scheinen —,
muß unter allen Umständen den Typus *vergröbert* haben: die
ersten Jünger insonderheit übersetzten ein ganz in Symbolen
und Unfaßlichkeiten schwimmendes Sein erst in die eigne Krudität, um überhaupt etwas davon zu verstehn, — für sie war der
Typus erst nach einer Einformung in bekanntere Formen *vorhanden* ... Der Prophet, der Messias, der zukünftige Richter, der
Morallehrer, der Wundermann, Johannes der Täufer — ebensoviele Gelegenheiten, den Typus zu verkennen ... Unterschätzen
wir endlich das *proprium* aller großen, namentlich sektiererischen
Verehrung nicht: sie löscht die originalen, oft peinlich-fremden
Züge und Idiosynkrasien an dem verehrten Wesen aus — *sie
sieht sie selbst nicht.* Man hätte zu bedauern, daß nicht ein Dosto-
jewskij in der Nähe dieses interessantesten *décadent* gelebt hat,
ich meine, jemand, der gerade den ergreifenden Reiz einer solchen Mischung von Sublimem, Krankem und Kindlichem zu
empfinden wußte. Ein letzter Gesichtspunkt: der Typus *könnte*
als *décadence*-Typus, tatsächlich von einer eigentümlichen Vielheit und Widersprüchlichkeit gewesen sein: eine solche Möglichkeit ist nicht völlig auszuschließen. Trotzdem rät alles ab von
ihr: gerade die Überlieferung würde für diesen Fall eine merkwürdig treue und objektive sein müssen: wovon wir Gründe

haben das Gegenteil anzunehmen. Einstweilen klafft ein Widerspruch zwischen dem Berg-, See- und Wiesenprediger, dessen Erscheinung wie ein Buddha auf einem sehr wenig indischen Boden anmutet, und jenem Fanatiker des Angriffs, dem Theologen- und Priester-Todfeind, den Renans Bosheit als »*le grand maître en ironie*« verherrlicht hat. Ich selber zweifle nicht daran, daß das reichliche Maß Galle (und selbst von *esprit*) erst aus dem erregten Zustand der christlichen Propaganda auf den Typus des Meisters übergeflossen ist: man kennt ja reichlich die Unbedenklichkeit aller Sektierer, aus ihrem Meister sich ihre *Apologie* zurecht zu machen. Als die erste Gemeinde einen richtenden, hadernden, zürnenden, bösartig spitzfindigen Theologen nötig hatte, *gegen* Theologen, *schuf* sie sich ihren »Gott« nach ihrem Bedürfnisse: wie sie ihm auch jene völlig unevangelischen Begriffe, die sie jetzt nicht entbehren konnte, »Wiederkunft«, »Jüngstes Gericht«, jede Art zeitlicher Erwartung und Verheißung, ohne Zögern in den Mund gab. —

32

Ich wehre mich, nochmals gesagt, dagegen, daß man den Fanatiker in den Typus des Erlösers einträgt: das Wort *impérieux*, das Renan gebraucht, *annulliert* allein schon den Typus. Die »gute Botschaft« ist eben, daß es keine Gegensätze mehr gibt; das Himmelreich gehört den *Kindern*; der Glaube, der hier laut wird, ist kein erkämpfter Glaube — er ist da, er ist von Anfang, er ist gleichsam eine ins Geistige zurücktretende Kindlichkeit. Der Fall der verzögerten und im Organismus unausgebildeten Pubertät, als Folgeerscheinung der Degenereszenz, ist wenigstens den Physiologen vertraut. — Ein solcher Glaube zürnt nicht, tadelt nicht, wehrt sich nicht: er bringt nicht »das Schwert« — er ahnt gar nicht, inwiefern er einmal trennen könnte. Er beweist sich nicht, weder durch Wunder, noch durch Lohn und Verheißung, noch gar »durch die Schrift«: er selbst ist jeden Augenblick sein Wunder, sein Lohn, sein Beweis, sein »Reich Gottes«. Dieser Glaube formuliert sich auch nicht — er *lebt,* er wehrt sich gegen Formeln. Freilich bestimmt der Zufall der Umgebung, der

Sprache, der Vorbildung einen gewissen Kreis von Begriffen:
das erste Christentum handhabt *nur* jüdisch-semitische Begriffe
(— das Essen und Trinken beim Abendmahl gehört dahin, jener
von der Kirche, wie alles Jüdische, so schlimm mißbrauchte Begriff). Aber man hüte sich, darin mehr als eine Zeichenrede, eine
Semiotik, eine Gelegenheit zu Gleichnissen zu sehn. Gerade, daß
kein Wort wörtlich genommen wird, ist diesem Anti-Realisten
die Vorbedingung, um überhaupt reden zu können. Unter Indern
würde er sich der Sânkhyam-Begriffe, unter Chinesen der des
Laotse bedient haben — und keinen Unterschied dabei fühlen. —
Man könnte, mit einiger Toleranz im Ausdruck, Jesus einen
»freien Geist« nennen — er macht sich aus allem Festen nichts:
das Wort *tötet,* alles, was fest ist, *tötet.* Der Begriff, die *Erfahrung* »Leben«, wie er sie allein kennt, widerstrebt bei ihm jeder
Art Wort, Formel, Gesetz, Glaube, Dogma. Er redet bloß vom
Innersten: »Leben« oder »Wahrheit« oder »Licht« ist sein Wort
für das Innerste — alles Übrige, die ganze Realität, die ganze
Natur, die Sprache selbst, hat für ihn bloß den Wert eines Zei-
chens, eines Gleichnisses. — Man darf sich an dieser Stelle durchaus nicht vergreifen, so groß auch die Verführung ist, welche im
christlichen, will sagen *kirchlichen* Vorurteil liegt: ein solcher
Symbolist *par excellence* steht außerhalb aller Religion, aller
Kult-Begriffe, aller Historie, aller Naturwissenschaft, aller Welt-
Erfahrung, aller Kenntnisse, aller Politik, aller Psychologie, aller
Bücher, aller Kunst — sein »Wissen« ist eben die *reine Torheit*
darüber, *daß* es etwas dergleichen gibt. Die *Kultur* ist ihm nicht
einmal vom Hörensagen bekannt, er hat keinen Kampf gegen
sie nötig — er verneint sie nicht ... Dasselbe gilt vom *Staat,* von
der ganzen bürgerlichen Ordnung und Gesellschaft, von der
Arbeit, vom Kriege — er hat nie einen Grund gehabt, »die Welt«
zu verneinen, er hat den kirchlichen Begriff »Welt« nie geahnt ...
Das *Verneinen* ist eben das ihm ganz Unmögliche —. Insgleichen
fehlt die Dialektik, es fehlt die Vorstellung davon, daß ein
Glaube, eine »Wahrheit« durch Gründe bewiesen werden könnte (— *seine* Beweise sind innere »Lichter«, innere Lustgefühle und
Selbstbejahungen, lauter »Beweise der Kraft« —). Eine solche
Lehre *kann* auch nicht widersprechen: sie begreift gar nicht, daß

es andre Lehren gibt, geben *kann,* sie weiß sich ein gegenteiliges Urteilen gar nicht vorzustellen ... Wo sie es antrifft, wird sie aus innerstem Mitgefühle über »Blindheit« trauern — denn sie sieht das »Licht« —, aber keinen Einwand machen ...

33

In der ganzen Psychologie des »Evangeliums« fehlt der Begriff Schuld und Strafe; insgleichen der Begriff Lohn. Die »Sünde«, jedwedes Distanz-Verhältnis zwischen Gott und Mensch ist abgeschafft — *eben das ist die »frohe Botschaft«.* Die Seligkeit wird nicht verheißen, sie wird nicht an Bedingungen geknüpft: sie ist die *einzige* Realität — der Rest ist Zeichen, um von ihr zu reden ...

Die *Folge* eines solchen Zustandes projiziert sich in eine neue *Praktik,* die eigentlich evangelische Praktik. Nicht ein »Glaube« unterscheidet den Christen: der Christ handelt, er unterscheidet sich durch ein *andres* Handeln. Daß er dem, der böse gegen ihn ist, weder durch Wort, noch im Herzen Widerstand leistet. Daß er keinen Unterschied zwischen Fremden und Einheimischen, zwischen Juden und Nicht-Juden macht (»der Nächste« eigentlich der Glaubensgenosse, der Jude). Daß er sich gegen niemanden erzürnt, niemanden geringschätzt. Daß er sich bei Gerichtshöfen weder sehn läßt, noch in Anspruch nehmen läßt (»nicht schwören«). Daß er sich unter keinen Umständen, auch nicht im Falle bewiesener Untreue des Weibes, von seinem Weibe scheidet. — Alles im Grunde *ein* Satz, alles Folgen *eines* Instinkts. —

Das Leben des Erlösers war nichts andres als *diese* Praktik — sein Tod war auch nichts andres ... Er hatte keine Formeln, keinen Ritus für den Verkehr mit Gott mehr nötig — nicht einmal das Gebet. Er hat mit der ganzen jüdischen Buß- und Versöhnungslehre abgerechnet; er weiß, wie es allein die *Praktik* des Lebens ist, mit der man sich »göttlich«, »selig«, »evangelisch«, jederzeit ein »Kind Gottes« fühlt. *Nicht* »Buße«, *nicht* »Gebet um Vergebung« sind Wege zu Gott: die *evangelische Praktik allein* führt zu Gott, sie eben *ist* »Gott«! — Was mit dem Evangelium *abgetan* war, das war das Judentum der Begriffe »Sünde«, »Vergebung der Sünde«, »Glaube«, »Erlösung durch den Glauben« — die ganze jüdische *Kirchen*-Lehre war in der »frohen Botschaft« verneint.

Der tiefe Instinkt dafür, wie man *leben* müsse, um sich »im Himmel« zu fühlen, um sich »ewig« zu fühlen, während man sich bei jedem andern Verhalten durchaus *nicht* »im Himmel« fühlt: dies allein ist die psychologische Realität der »Erlösung«. — Ein neuer Wandel, *nicht* ein neuer Glaube . . .

34

Wenn ich irgend etwas von diesem großen Symbolisten verstehe, so ist es das, daß er nur *innere* Realitäten als Realitäten, als »Wahrheiten« nahm — daß er den Rest, alles Natürliche, Zeitliche, Räumliche, Historische nur als Zeichen, als Gelegenheit zu Gleichnissen verstand. Der Begriff »des Menschen Sohn« ist nicht eine konkrete Person, die in die Geschichte gehört, irgend etwas einzelnes, einmaliges, sondern eine »ewige« Tatsächlichkeit, ein von dem Zeitbegriff erlöstes psychologisches Symbol. Dasselbe gilt noch einmal, und im höchsten Sinne, von dem *Gott* dieses typischen Symbolisten, vom »Reich Gottes«, vom »Himmelreich«, von der »Kindschaft Gottes«. Nichts ist unchristlicher als die *kirchlichen Kruditäten* von einem Gott als *Person*, von einem »Reich Gottes«, welches *kommt*, von einem »Himmelreich« *jenseits*, von einem »Sohne Gottes«, der *zweiten Person* der Trinität. Dies alles ist — man vergebe mir den Ausdruck — die *Faust* auf dem Auge — oh auf was für einem Auge! — des Evangeliums: ein *welthistorischer Zynismus* in der Verhöhnung des Symbols . . . Aber es liegt ja auf der Hand, was mit dem Zeichen »Vater« und »Sohn« angerührt wird — nicht auf jeder Hand, ich gebe es zu: mit dem Wort »Sohn« ist der *Eintritt* in das Gesamt-Verklärungs-Gefühl aller Dinge (die Seligkeit) ausgedrückt, mit dem Wort »Vater« *dieses Gefühl selbst,* das Ewigkeits-, das Vollendungs-Gefühl. — Ich schäme mich daran zu erinnern, was die Kirche aus diesem Symbolismus gemacht hat: hat sie nicht eine Amphitryon-Geschichte an die Schwelle des christlichen »Glaubens« gesetzt? Und ein Dogma von der »un-

befleckten Empfängnis« noch obendrein? ... *Aber damit hat sie
die Empfängnis befleckt — —*

Das »Himmelreich« ist ein Zustand des Herzens — nicht etwas,
das »über der Erde« oder »nach dem Tode« kommt. Der ganze
Begriff des natürlichen Todes *fehlt* im Evangelium: der Tod ist
keine Brücke, kein Übergang, er fehlt, weil einer ganz andern,
bloß scheinbaren, bloß zu Zeichen nützlichen Welt zugehörig.
Die »Todesstunde« ist *kein* christlicher Begriff — die »Stunde«,
die Zeit, das physische Leben und seine Krisen sind gar nicht vorhanden für den Lehrer der »frohen Botschaft« ... das »Reich
Gottes« ist nichts, was man erwartet; es hat kein Gestern und
kein Übermorgen, es kommt nicht in »tausend Jahren« — es ist
eine Erfahrung an einem Herzen; es ist überall da, es ist nirgends
da ...

35

Dieser »frohe Botschafter« starb, wie er lebte, wie er *lehrte* —
nicht um »die Menschen zu erlösen«, sondern um zu zeigen, wie
man zu leben hat. Die *Praktik* ist es, welche er der Menschheit
hinterließ: sein Verhalten vor den Richtern, vor den Häschern,
vor den Anklägern und aller Art Verleumdung und Hohn —
sein Verhalten am *Kreuz.* Er widersteht nicht, er verteidigt nicht
sein Recht, er tut keinen Schritt, der das Äußerste von ihm
abwehrt, mehr noch, *er fordert es heraus* ... Und er bittet, er
leidet, er liebt *mit* denen, *in* denen, die ihm Böses tun. Die Worte
zum *Schächer* am Kreuz enthalten das ganze Evangelium. »Das
ist wahrlich ein *göttlicher* Mensch gewesen, ein Kind Gottes!« —
sagt der Schächer. »Wenn du dies fühlst« — antwortet der Erlöser — »*so bist du im Paradiese*, so bist du ein Kind Gottes.«
Nicht sich wehren, *nicht* zürnen, *nicht* verantwortlich-machen ...
Sondern auch nicht dem Bösen widerstehen — ihn *lieben* ...

36

— Erst wir, wir *freigewordenen* Geister, haben die Voraussetzung dafür, etwas zu verstehn, das neunzehn Jahrhunderte miß-

verstanden haben — jene Instinkt und Leidenschaft gewordene Rechtschaffenheit, welche der »heiligen Lüge« noch mehr als jeder andern Lüge den Krieg macht... Man war unsäglich entfernt von unsrer liebevollen und vorsichtigen Neutralität, von jener Zucht des Geistes, mit der allein das Erraten so fremder, so zarter Dinge ermöglicht wird: man wollte jederzeit, mit einer unverschämten Selbstsucht, nur *seinen* Vorteil darin, man hat aus dem Gegensatz zum Evangelium die *Kirche* aufgebaut...

Wer nach Zeichen dafür suchte, daß hinter dem großen Welten-Spiel eine ironische Göttlichkeit die Finger handhabe, er fände keinen kleinen Anhalt in dem *ungeheuren Fragezeichen,* das Christentum heißt. Daß die Menschheit vor dem Gegensatz dessen auf den Knien liegt, was der Ursprung, der Sinn, das *Recht* des Evangeliums war, daß sie in dem Begriff »Kirche« gerade das heilig gesprochen hat, was der »frohe Botschafter« als *unter* sich, als *hinter* sich empfand — man sucht vergebens nach einer größeren Form *welthistorischer Ironie* — —

37

— Unser Zeitalter ist stolz auf seinen historischen Sinn: wie hat es sich den Unsinn glaublich machen können, daß an dem Anfange des Christentums die *grobe Wundertäter- und Erlöser-Fabel* steht — und daß alles Spirituale und Symbolische erst eine spätere Entwicklung ist? Umgekehrt: die Geschichte des Christentums — und zwar vom Tode am Kreuze an — ist die Geschichte des schrittweise immer gröberen Mißverstehns eines *ursprünglichen* Symbolismus. Mit jeder Ausbreitung des Christentums über noch breitere, noch rohere Massen, denen die Voraussetzungen immer mehr abgingen, aus denen es geboren ist, wurde es nötiger, das Christentum zu *vulgarisieren,* zu *barbarisieren* — es hat Lehren und Riten aller *unterirdischen* Kulte des *imperium Romanum,* es hat den Unsinn aller Arten kranker Vernunft in sich eingeschluckt. Das Schicksal des Christentums liegt in der Notwendigkeit, daß sein Glaube selbst so krank, so niedrig und vulgär werden mußte, als die Bedürfnisse krank, niedrig und vulgär waren, die mit ihm befriedigt werden sollten. Als Kirche summiert sich endlich die *kranke Barbarei* selbst zur Macht — die Kirche, diese Todfeindschaftsform zu jeder Rechtschaffenheit, zu jeder *Höhe* der Seele, zu jeder Zucht des Geistes, zu jeder freimütigen und gütigen Menschlichkeit. — Die *christlichen* — die *vornehmen* Werte: erst wir, wir *freigewordnen* Geister, haben diesen größten Wert-Gegensatz, den es gibt, wiederhergestellt! —

38

— Ich unterdrücke an dieser Stelle einen Seufzer nicht. Es gibt Tage, wo mich ein Gefühl heimsucht, schwärzer als die schwärzeste Melancholie — die *Menschen-Verachtung*. Und damit ich keinen Zweifel darüber lasse, *was* ich verachte, *wen* ich verachte: der Mensch von heute ist es, der Mensch, mit dem ich verhängnisvoll gleichzeitig bin. Der Mensch von heute — ich ersticke an seinem unreinen Atem... Gegen das Vergangne bin ich, gleich allen Erkennenden, von einer großen Toleranz, das heißt *großmütigen* Selbstbezwingung: ich gehe durch die Irrenhaus-Welt ganzer Jahrtausende, heiße sie nun »Christentum«, »christlicher Glaube«, »christliche Kirche«, mit einer düsteren Vorsicht hindurch — ich hüte mich, die Menschheit für ihre Geisteskrankheiten verantwortlich zu machen. Aber mein Gefühl schlägt um, bricht heraus, sobald ich in die neuere Zeit, in *unsre* Zeit eintrete. Unsre Zeit ist *wissend*... Was ehemals bloß krank war, heute ward es unanständig — es ist unanständig, heute Christ zu sein. *Und hier beginnt mein Ekel.* — Ich sehe mich um: es ist kein Wort von dem mehr übriggeblieben, was ehemals »Wahrheit« hieß, wir halten es nicht mehr aus, wenn ein Priester das Wort »Wahrheit« auch nur in den Mund nimmt. Selbst bei dem bescheidensten Anspruch auf Rechtschaffenheit *muß* man heute wissen, daß ein Theologe, ein Priester, ein Papst mit jedem Satz, den er spricht, nicht nur irrt, sondern *lügt* — daß es ihm nicht mehr freisteht, aus »Unschuld«, aus »Unwissenheit« zu lügen. Auch der Priester weiß, so gut es jedermann weiß, daß es keinen »Gott« mehr gibt, keinen »Sünder«, keinen »Erlöser« — daß »freier Wille«, »sittliche Weltordnung« *Lügen* sind — der Ernst, die tiefe Selbstüberwindung des Geistes *erlaubt* niemandem mehr, hierüber *nicht* zu wissen ... *Alle* Begriffe der Kirche sind erkannt als das, was sie sind, als die bösartigste Falschmünzerei, die es gibt, zum Zweck, die Natur, die Natur-Werte zu *entwerten*; der Priester selbst ist erkannt als das, was er ist, als die gefährlichste Art Parasit, als die eigentliche Giftspinne des Lebens ... Wir wissen, unser *Gewissen* weiß es heute —, *was* überhaupt jene unheimlichen Erfindungen der Priester und der Kirche wert sind, *wozu sie dienten,* mit denen jener Zustand von Selbstschändung der Menschheit erreicht worden ist, der Ekel vor ihrem Anblick machen kann — die Begriffe »Jenseits«, »Jüngstes Gericht«, »Unsterblichkeit der Seele«, die »Seele« selbst: es sind Folter-Instrumente, es sind Systeme von Grausamkeiten, vermöge deren der Priester Herr wurde, Herr blieb ... Jedermann weiß das: *und trotzdem bleibt alles beim alten.* Wohin kam das letzte Gefühl von Anstand, von Achtung vor sich selbst, wenn unsre Staatsmänner sogar, eine sonst sehr unbefangne Art Mensch und Antichristen der Tat durch und durch, sich heute noch Christen nennen und zum Abendmahl gehn? ... Ein junger Fürst an der Spitze seiner Regimenter, prachtvoll als Ausdruck der Selbstsucht und Selbstüberhebung seines Volks — aber, *ohne* jede Scham, sich als Christen bekennend! ... *Wen* verneint denn *das* Christentum? *was* heißt es »Welt«? Daß man Soldat, daß man Richter, daß man Patriot ist; daß man sich wehrt; daß man auf seine Ehre hält; daß man seinen Vorteil will; daß man *stolz* ist ... Jede Praktik jedes Augenblicks, jeder Instinkt, jede zur *Tat* werdende Wertschätzung ist heute antichristlich: was für eine *Mißgeburt von Falschheit* muß der moderne Mensch sein, daß er sich trotzdem *nicht schämt,* Christ noch zu heißen!

39

— Ich kehre zurück, ich erzähle die *echte* Geschichte des Christentums. — Das Wort schon »Christentum« ist ein Mißverständnis —, im Grunde gab es nur einen Christen, und der starb am Kreuz. Das »Evangelium« *starb* am Kreuz. Was von diesem Augenblick an »Evangelium« heißt, war bereits der Gegensatz dessen, was *er* gelebt: eine *»schlimme* Botschaft«, ein *Dysangelium.* Es ist falsch bis zum Unsinn, wenn man in einem »Glauben«, etwa im Glauben an die Erlösung durch Christus das Abzeichen des Christen sieht: bloß die christliche *Praktik*, ein Leben so wie der, der am Kreuze starb, es *lebte,* ist christlich... Heute noch ist ein *solches* Leben möglich, für *gewisse* Menschen sogar notwendig: das echte, das ursprüngliche Christentum wird zu allen Zeiten möglich sein... *Nicht* ein Glauben, sondern ein Tun, ein Vieles-*nicht*-tun vor allem, ein andres *Sein* . . . Bewußtseins-Zustände, irgendein Glauben, ein Für-wahr-halten zum Beispiel — jeder Psycholog weiß das — sind ja vollkommen gleichgültig und fünften Ranges gegen den Wert der Instinkte: strenger geredet, der ganze Begriff geistiger Ursächlichkeit ist falsch. Das Christsein, die Christlichkeit auf ein Für-wahr-halten, auf eine bloße Bewußtseins-Phänomenalität reduzieren, heißt die Christlichkeit negieren. *In der Tat gab es gar keine Christen.* Der »Christ«, das, was seit zwei Jahrtausenden Christ heißt, ist bloß ein psychologisches Selbst-Mißverständnis. Genauer zugesehn, herrschten in ihm, *trotz* allem »Glauben«, *bloß* die Instinkte — und *was für Instinkte!* — Der »Glaube« war zu allen Zeiten, beispielsweise bei Luther, nur ein Mantel, ein Vorwand, ein *Vorhang,* hinter dem die Instinkte ihr Spiel spielten —, eine kluge *Blindheit* über die Herrschaft *gewisser* Instinkte... Der »Glaube« — ich nannte ihn schon die eigentliche christliche *Klugheit,* — man *sprach* immer vom »Glauben«, man *tat* immer nur vom Instinkte... In der Vorstellungswelt des Christen kommt nichts vor, was die Wirklichkeit auch nur anrührte: dagegen erkannten wir im Instinkt-Haß *gegen* jede Wirklichkeit das treibende, das einzig treibende Element in der Wurzel des Christentums. Was folgt daraus? Daß auch *in psychologicis* hier der Irrtum radikal, das heißt wesen-bestimmend, das heißt *Substanz* ist. *Ein* Begriff hier weg, eine einzige Realität an dessen Stelle — und das ganze Christentum rollt ins Nichts! — Aus der Höhe gesehn, bleibt diese fremdartigste aller Tatsachen, eine durch Irrtümer nicht nur bedingte, sondern *nur* in schädlichen, *nur* in leben- und herzvergiftenden Irrtümern erfinderische und selbst geniale Religion ein *Schauspiel für Götter* — für jene Gottheiten, welche zugleich Philosophen sind, und denen ich zum Beispiel bei jenen berühmten Zwiegesprächen auf Naxos begegnet bin. Im Augenblick, wo der *Ekel* von ihnen weicht (— *und* von uns!), werden sie dankbar für das Schauspiel des Christen: das erbärmliche kleine Gestirn, das Erde heißt, verdient vielleicht allein um *dieses* kuriosen Falls willen einen göttlichen Blick, eine göttliche Anteilnahme... Unterschätzen wir nämlich den Christen nicht: der Christ, falsch *bis zur Unschuld,* ist weit über dem Affen — in Hinsicht auf Christen wird eine bekannte Herkunfts-Theorie zur bloßen Artigkeit...

40

— Das Verhängnis des Evangeliums entschied sich mit dem Tode — es hing am »Kreuz«... Erst der Tod, dieser unerwartete schmähliche Tod, erst das Kreuz, das im allgemeinen bloß für die Kanaille aufgespart blieb — erst diese schauerlichste Paradoxie brachte die Jünger vor das eigentliche Rätsel: *»wer war das? was war das?«* — Das erschütterte und im Tiefsten beleidigte Gefühl, der Argwohn, es möchte ein solcher Tod die *Widerlegung* ihrer Sache sein, das schreckliche Fragezeichen »warum gerade so?« — dieser Zustand begreift sich nur zu gut. Hier *mußte* alles notwendig sein, Sinn, Vernunft, höchste Vernunft haben; die Liebe eines Jüngers kennt keinen Zufall. Erst jetzt trat die Kluft auseinander: *»wer* hat ihn getötet? *wer* war sein natürlicher Feind?« — diese Frage sprang wie ein Blitz hervor. Antwort: das *herrschende* Judentum, sein oberster Stand. Man empfand sich von diesem Augenblick im Aufruhr *gegen* die Ordnung, man verstand hinterdrein Jesus als *im Aufruhr gegen die Ordnung.* Bis dahin *fehlte* dieser kriegerische, dieser Nein-sagende, Nein-tuende Zug in seinem Bilde; mehr noch, er war dessen Widerspruch. Offenbar hat die kleine Gemeinde gerade die Hauptsache *nicht* verstanden, das Vorbildliche in dieser Art zu sterben, die Freiheit, die Überlegenheit *über* jedes Gefühl von *ressentiment*: — ein Zeichen dafür, wie wenig überhaupt sie von ihm verstand! An sich konnte Jesus mit seinem Tode nichts wollen, als öffentlich die stärkste Probe, den *Beweis* seiner Lehre zu geben... Aber seine Jünger waren ferne davon, diesen Tod zu *verzeihen* —

was evangelisch im höchsten Sinne gewesen wäre; oder gar sich zu einem gleichen Tode in sanfter und lieblicher Ruhe des Herzens *anzubieten* ... Gerade das am meisten unevangelische Gefühl, die *Rache*, kam wieder obenauf. Unmöglich konnte die Sache mit diesem Tode zu Ende sein: man brauchte »Vergeltung«, »Gericht« (— und doch, was kann noch unevangelischer sein, als »Vergeltung«, »Strafe«, »Gericht-halten«!). Noch einmal kam die populäre Erwartung eines Messias in den Vordergrund; ein historischer Augenblick wurde ins Auge gefaßt: das »Reich Gottes« kommt zum Gericht über seine Feinde ... Aber damit ist alles mißverstanden: das »Reich Gottes« als Schlußakt, als Verheißung! Das Evangelium war doch gerade das Dasein, das Erfülltsein, die *Wirklichkeit* dieses »Reichs« gewesen. Gerade ein solcher Tod *war* eben dieses »Reich Gottes«. Jetzt erst trug man die ganze Verachtung und Bitterkeit gegen Pharisäer und Theologen in den Typus des Meisters ein — man *machte* damit aus ihm einen Pharisäer und Theologen! Andrerseits hielt die wildgewordne Verehrung dieser ganz aus den Fugen geratenen Seelen jene evangelische Gleichberechtigung von jedermann zum Kind Gottes, die Jesus gelehrt hatte, nicht mehr aus, ihre Rache war, auf eine ausschweifende Weise Jesus *emporzuheben,* von sich abzulösen: ganz so, wie ehedem die Juden aus Rache an ihren Feinden ihren Gott von sich losgetrennt und in die Höhe gehoben haben. Der *eine* Gott und der *eine* Sohn Gottes: beides Erzeugnisse des *ressentiment* ...

41

— Und von nun an tauchte ein absurdes Problem auf: »wie *konnte* Gott das zulassen!« Darauf fand die gestörte Vernunft der kleinen Gemeinschaft eine geradezu schrecklich absurde Antwort: Gott gab seinen Sohn zur Vergebung der Sünden, als *Opfer.* Wie war es mit einem Male zu Ende mit dem Evangelium! Das *Schuldopfer,* und zwar in seiner widerlichsten, barbarischsten Form, das Opfer des *Unschuldigen* für die Sünden der Schuldigen! Welches schauderhafte Heidentum! — Jesus hatte ja den Begriff »Schuld« selbst abgeschafft — er hat jede Kluft zwischen

Gott und Mensch geleugnet, er *lebte* diese Einheit von Gott und Mensch als *seine* »frohe Botschaft« ... Und *nicht* als Vorrecht! — Von nun an tritt schrittweise in den Typus des Erlösers hinein: die Lehre vom Gericht und von der Wiederkunft, die Lehre vom Tod als einem Opfertode, die Lehre von der *Auferstehung,* mit der der ganze Begriff »Seligkeit«, die ganze und einzige Realität des Evangeliums, eskamotiert ist — zugunsten eines Zustandes *nach* dem Tode! ... Paulus hat diese Auffassung, diese *Unzucht* von Auffassung mit jener rabbinerhaften Frechheit, die ihn in allen Stücken auszeichnet, dahin logisiert: »*wenn* Christus nicht auferstanden ist von den Toten, so ist unser Glaube eitel«. — Und mit einem Male wurde aus dem Evangelium die verächtlichste aller unerfüllbaren Versprechungen, die *unverschämte* Lehre von der Personal-Unsterblichkeit ... Paulus selbst lehrte sie noch als *Lohn!* ...

42

Man sieht, *was* mit dem Tode am Kreuz zu Ende war: ein neuer, ein durchaus ursprünglicher Ansatz zu einer buddhistischen Friedensbewegung, zu einem tatsächlichen, *nicht* bloß verheißenen *Glück auf Erden.* Denn dies bleibt — ich hob es schon hervor — der Grundunterschied zwischen den beiden *décadence*-Religionen: der Buddhismus verspricht nicht, sondern hält, das Christentum verspricht alles, aber *hält nichts.* — Der »frohen Botschaft« folgte auf dem Fuß die *allerschlimmste:* die des Paulus. In Paulus verkörpert sich der Gegensatz-Typus zum »frohen Botschafter«, das Genie im Haß, in der Vision des Hasses, in der unerbittlichen Logik des Hasses. *Was* hat dieser Dysangelist alles dem Hasse zum Opfer gebracht! Vor allem den Erlöser: er schlug ihn an *sein* Kreuz. Das Leben, das Beispiel, die Lehre, der Tod, der Sinn und das Recht des ganzen Evangeliums — nichts war mehr vorhanden, als dieser Falschmünzer aus Haß begriff, was allein er brauchen konnte. *Nicht* die Realität, *nicht* die historische Wahrheit! ... Und noch einmal verübte der Priester-Instinkt des Juden das gleiche große Verbrechen an der Historie — er strich das Gestern, das Vorgestern des Christentums einfach

durch, er *erfand sich eine Geschichte des ersten Christentums.*
Mehr noch: er fälschte die Geschichte Israels nochmals um, um
als Vorgeschichte für *seine* Tat zu erscheinen: alle Propheten
haben von *seinem* »Erlöser« geredet... Die Kirche fälschte später sogar die Geschichte der Menschheit zur Vorgeschichte des
Christentums... Der Typus des Erlösers, die Lehre, die Praktik,
der Tod, der Sinn des Todes, selbst das Nachher des Todes —
nichts blieb unangetastet, nichts blieb auch nur ähnlich der Wirklichkeit. Paulus verlegte einfach das Schwergewicht jenes ganzen
Daseins *hinter* dies Dasein — in die *Lüge* vom »wiederauferstan-
denen« Jesus. Er konnte im Grunde das Leben des Erlösers überhaupt nicht brauchen — er hatte den Tod am Kreuz nötig *und*
etwas mehr noch... Einen Paulus, der seine Heimat an dem
Hauptsitz der stoischen Aufklärung hatte, für ehrlich halten,
wenn er sich aus einer Halluzination den *Beweis* vom *Noch-*
Leben des Erlösers zurechtmacht, oder auch nur seiner Erzäh-
lung, *daß* er diese Halluzination gehabt hat, Glauben schenken,
wäre eine wahre *niaiserie* seitens eines Psychologen: Paulus wollte
den Zweck, *folglich* wollte er auch die Mittel... Was er selbst
nicht glaubte, die Idioten, unter die er *seine* Lehre warf, glaubten es. — *Sein* Bedürfnis war die *Macht*; mit Paulus wollte nochmals der Priester zur Macht — er konnte nur Begriffe, Lehren,
Symbole brauchen, mit denen man Massen tyrannisiert, Her-
den bildet. *Was* allein entlehnte später Mohammed dem Christentum? Die Erfindung des Paulus, sein Mittel zur Priester-
Tyrannei, zur Herden-Bildung: den Unsterblichkeits-Glauben —
das heißt die Lehre vom »Gericht« ...

43

Wenn man das Schwergewicht des Lebens *nicht* ins Leben, sondern ins »Jenseits« verlegt — ins *Nichts* —, so hat man dem Leben
überhaupt das Schwergewicht genommen. Die große Lüge von
der Personal-Unsterblichkeit zerstört jede Vernunft, jede Natur
im Instinkte — alles, was wohltätig, was lebenfördernd, was
zukunftverbürgend in den Instinkten ist, erregt nunmehr Mißtrauen. *So* zu leben, daß es keinen *Sinn* mehr hat zu leben, *das*

wird jetzt zum »Sinn« des Lebens ... Wozu Gemeinsinn, wozu
Dankbarkeit noch für Herkunft und Vorfahren, wozu mitarbei-
ten, zutrauen, irgendein Gesamtwohl fördern und im Auge
haben? ... Ebenso viele »Versuchungen«, ebenso viele Ablen-
kungen vom »rechten Weg« — »*eins* ist not« ... Daß jeder als
»unsterbliche Seele« mit jedem gleichen Rang hat, daß in der
Gesamtheit aller Wesen das »Heil« *jedes* einzelnen eine ewige
Wichtigkeit in Anspruch nehmen darf, daß kleine Mucker und
Dreiviertels-Verrückte sich einbilden dürfen, daß um ihretwillen
die Gesetze der Natur beständig *durchbrochen* werden — eine
solche Steigerung jeder Art Selbstsucht ins Unendliche, ins
Unverschämte kann man nicht mit genug Verachtung brandmar-
ken. Und doch verdankt das Christentum *dieser* erbarmungswürdigen Schmeichelei vor der Personal-Eitelkeit seinen *Sieg* —
gerade alles Mißratene, Aufständisch-Gesinnte, Schlechtweg-
gekommne, den ganzen Auswurf und Abhub der Menschheit hat
es damit zu sich überredet. Das »Heil der Seele« — auf deutsch:
»die Welt dreht sich um *mich*« ... Das Gift der Lehre »*gleiche*
Rechte für alle« — das Christentum hat es am grundsätzlichsten
ausgesät; das Christentum hat jedem Ehrfurchts- und Distanz-
Gefühl zwischen Mensch und Mensch, das heißt der *Voraussetzung* zu jeder Erhöhung, zu jedem Wachstum der Kultur einen
Todkrieg aus den heimlichsten Winkeln schlechter Instinkte gemacht — es hat aus dem *ressentiment* der Massen sich seine *Haupt-
waffe* geschmiedet gegen *uns,* gegen alles Vornehme, Frohe,
Hochherzige auf Erden, gegen unser Glück auf Erden ... Die
»Unsterblichkeit« jedem Petrus und Paulus zugestanden, war
bisher das größte, das bösartigste Attentat auf die *vornehme*
Menschlichkeit. — *Und* unterschätzen wir das Verhängnis nicht,
das vom Christentum aus sich bis in die Politik eingeschlichen
hat! Niemand hat heute mehr den Mut zu Sonderrechten, zu
Herrschaftsrechten, zu einem Ehrfurchtsgefühl vor sich und seinesgleichen — zu einem *Pathos der Distanz* ... Unsre Politik ist
krank an diesem Mangel an Mut! — Der Aristokratismus der
Gesinnung wurde durch die Seelen-Gleichheits-Lüge am unter-
irdischsten untergraben; und wenn der Glaube an das »Vorrecht
der Meisten« Revolutionen macht und *machen wird* — das Chri-

stentum ist es, man zweifle nicht daran, *christliche* Werturteile sind es, welche jede Revolution bloß in Blut und Verbrechen übersetzt! Das Christentum ist ein Aufstand alles Am-Boden-Kriechenden gegen das, was *Höhe* hat: das Evangelium der »Niedrigen« *macht* niedrig ...

44

— Die Evangelien sind unschätzbar als Zeugnis für die bereits unaufhaltsame Korruption *innerhalb* der ersten Gemeinde. Was Paulus später mit dem Logiker-Zynismus eines Rabbiners zu Ende führte, war trotzdem bloß der Verfalls-Prozeß, der mit dem Tode des Erlösers begann. — Diese Evangelien kann man nicht behutsam genug lesen; sie haben ihre Schwierigkeiten hinter jedem Wort. Ich bekenne, man wird es mir zugute halten, daß sie ebendamit für einen Psychologen ein Vergnügen ersten Ranges sind — als *Gegensatz* aller naiven Verderbnis, als das Raffinement *par excellence,* als Künstlerschaft in der psychologischen Verderbnis. Die Evangelien stehn für sich. Die Bibel überhaupt verträgt keinen Vergleich. Man ist unter Juden: *erster* Gesichtspunkt, um hier nicht völlig den Faden zu verlieren. Die hier geradezu Genie werdende Selbstverstellung ins »Heilige«, unter Büchern und Menschen nie annähernd sonst erreicht, diese Wort- und Gebärden-Falschmünzerei als *Kunst* ist nicht der Zufall irgendwelcher Einzel-Begabung, irgendwelcher Ausnahme-Natur. Hierzu gehört *Rasse.* Im Christentum, als der Kunst, heilig zu lügen, kommt das ganze Judentum, eine mehrhundertjährige jüdische allerernsthafteste Vorübung und Technik zur letzten Meisterschaft. Der Geist, diese *ultima ratio* der Lüge, ist der Jude noch einmal — *dreimal* selbst ... Der grundsätzliche Wille, nur Begriffe, Symbole, Attitüden anzuwenden, welche aus der Praxis des Priesters bewiesen sind, die Instinkt-Ablehnung jeder *andren* Praxis, jeder *andren* Art Wert- und Nützlichkeits-Perspektive — das ist nicht nur Tradition, das ist *Erbschaft:* nur als Erbschaft wirkt es wie Natur. Die ganze Menschheit, die besten Köpfe der besten Zeiten sogar (einen ausgenommen, der vielleicht bloß ein Unmensch ist —) haben sich täuschen lassen.

Man hat das Evangelium als *Buch der Unschuld* gelesen ... kein kleiner Fingerzeig dafür, mit welcher Meisterschaft hier geschauspielert worden ist. — Freilich bekämen wir sie zu *sehen,* auch nur im Vorübergehn, alle diese wunderlichen Mucker und Kunst-Heiligen, so wäre es am Ende — und genau deshalb, weil *ich* keine Worte lese, ohne Gebärden zu sehn, *mache ich mit ihnen ein Ende* ... Ich halte eine gewisse Art, die Augen aufzuschlagen, an ihnen nicht aus. — Zum Glück sind Bücher für die allermeisten bloß *Literatur* — — Man muß sich nicht irreführen lassen: »Richtet nicht!« sagen sie, aber sie schicken alles in die Hölle, was ihnen im Wege steht. Indem sie Gott richten lassen, richten sie selber; indem sie Gott verherrlichen, verherrlichen sie sich selber; indem sie die Tugenden *fordern,* deren sie gerade fähig sind — mehr noch, die sie nötig haben, um überhaupt oben zu bleiben —, geben sie sich den großen Anschein eines Ringens um die Tugend, eines Kampfes um die Herrschaft der Tugend. »Wir leben, wir sterben, wir opfern uns *für das Gute*« (— »die Wahrheit«, »das Licht«, das »Reich Gottes«): in Wahrheit tun sie, was sie nicht lassen können. Indem sie nach Art von Duckmäusern sich durchdrücken, im Winkel sitzen, im Schatten schattenhaft dahinleben, machen sie sich eine *Pflicht* daraus: als Pflicht erscheint ihr Leben der Demut, als Demut ist es ein Beweis mehr für Frömmigkeit ... Ah diese demütige, keusche, barmherzige Art von Verlogenheit! »Für uns soll die Tugend selbst Zeugnis ablegen« ... Man lese die Evangelien als Bücher der Verführung mit *Moral:* die Moral wird von diesen kleinen Leuten mit Beschlag belegt — sie wissen, was es auf sich hat mit der Moral! Die Menschheit wird am besten *genasführt* mit der Moral! — Die Realität ist, daß hier der bewußteste *Auserwählten-Dünkel* die Bescheidenheit spielt: man hat *sich,* die »Gemeinde«, die »Guten und Gerechten« ein für allemal auf die eine Seite gestellt, auf die »der Wahrheit« — und den Rest, »die Welt«, auf die andre ... *Das* war die verhängnisvollste Art Größenwahn, die bisher auf Erden dagewesen ist: kleine Mißgeburten von Muckern und Lügnern fingen an, die Begriffe »Gott«, »Wahrheit«, »Licht«, »Geist«, »Liebe«, »Weisheit«, »Leben« für sich in Anspruch zu nehmen, gleichsam als Synonyma von sich, um damit die »Welt« gegen sich abzugrenzen, kleine Superlativ-Juden, reif für jede Art Irrenhaus, drehten die Werte überhaupt nach *sich* um, wie als ob erst der »Christ« der Sinn, das Salz, das Maß, auch das *letzte Gericht* vom ganzen Rest wäre ... Das ganze Verhängnis wurde dadurch allein ermöglicht, daß schon eine verwandte, rassenverwandte Art von Größenwahn in der Welt war, der *jüdische*: sobald einmal die Kluft zwischen Juden und Judenchristen sich aufriß, blieb letzteren gar keine Wahl, als dieselben Prozeduren der Selbsterhaltung, die der jüdische Instinkt anriet, *gegen* die Juden selber anzuwenden, während die Juden sie bisher bloß gegen alles *Nicht*-Jüdische angewendet hatten. Der Christ ist nur ein Jude *»freieren«* Bekenntnisses. —

45

— Ich gebe ein paar Proben von dem, was sich diese kleinen Leute in den Kopf gesetzt, was sie ihrem Meister *in den Mund gelegt haben*: lauter Bekenntnisse »schöner Seelen«. —

»Und welche euch nicht aufnehmen noch hören, da gehet von dannen hinaus und schüttelt den Staub ab von euren Füßen, zu einem Zeugnis über sie. Ich sage euch: Wahrlich, es wird Sodom und Gomorrha am Jüngsten Gericht erträglicher ergehn, denn solcher Stadt« (Markus 6, 11). — Wie *evangelisch!* . . .

»Und wer der Kleinen einen ärgert, die an mich glauben, dem wäre es besser, daß ihm ein Mühlstein an seinen Hals gehängt würde und er in das Meer geworfen würde« (Markus 9, 42). — Wie *evangelisch!* . . .

»Ärgert dich dein Auge, so wirf es von dir. Es ist dir besser, daß du einäugig in das Reich Gottes gehest, denn daß du zwei Augen habest und werdest in das höllische Feuer geworfen; da ihr Wurm nicht stirbt und ihr Feuer nicht erlischt« (Markus 9, 47). — Es ist nicht gerade das Auge gemeint . . .

»Wahrlich, ich sage euch, es stehen etliche hier, die werden den Tod nicht schmecken, bis daß sie sehen das Reich Gottes mit Kraft kommen« (Markus 9, 1). — Gut *gelogen*, Löwe . . .

»Wer mir will nachfolgen, der verleugne sich selbst und nehme sein Kreuz auf sich und folge mir nach. *Denn* . . .« (*Anmerkung eines Psychologen.* Die christliche Moral wird durch ihre *Denns* widerlegt: ihre »Gründe« widerlegen — so ist es christlich.) Markus 8, 34. —

»Richtet nicht, *auf daß* ihr nicht gerichtet werdet. Mit welcherlei Maß ihr messet, wird *euch* gemessen werden« (Matthäus 7, 1). — Welcher Begriff von Gerechtigkeit, von einem »gerechten« Richter! . . .

»Denn so ihr liebet, die euch lieben, *was werdet ihr für Lohn haben?* Tun nicht dasselbe auch die Zöllner? Und so ihr nur zu euren Brüdern freundlich tut, *was tut ihr Sonderliches?* Tun nicht die Zöllner auch also?« (Matthäus 5, 46.) — Prinzip der »christlichen Liebe«: sie will zuletzt gut *bezahlt* sein . . .

»Wo *ihr* aber den Menschen ihre Fehler nicht vergebet, so wird euch euer Vater eure Fehler auch nicht vergeben« (Matthäus 6, 15). — Sehr kompromittierend für den genannten »Vater« . . .

»Trachtet am ersten nach dem Reiche Gottes und nach seiner Gerechtigkeit, so wird euch solches alles zufallen« (Matthäus 6, 33). — Solches alles: nämlich Nahrung, Kleidung, die ganze Notdurft des Lebens. Ein *Irrtum,* bescheiden ausgedrückt . . . Kurz vorher erscheint Gott als Schneider, wenigstens in gewissen Fällen . . .

»Freuet euch alsdann und hüpfet: *denn* siehe, euer Lohn ist groß im Himmel. Desgleichen taten ihre Väter den Propheten auch« (Lukas 6, 23). — *Unverschämtes* Gesindel! Es vergleicht sich bereits mit den Propheten . . .

»Wisset ihr nicht, daß ihr Gottes Tempel seid und der Geist Gottes in euch wohnet? So jemand den Tempel Gottes verderbet, *den wird Gott verderben*: denn der Tempel Gottes ist heilig, *der seid ihr*« (Paulus 1. Korinther 3, 16). — Dergleichen kann man nicht genug verachten . . .

»Wisset ihr nicht, daß die Heiligen die Welt richten werden? So denn nun die Welt soll von *euch* gerichtet werden: seid ihr denn nicht gut genug, geringere Sachen zu richten?« (Paulus 1. Korinther 6, 2). — Leider nicht bloß die Rede eines Irrenhäuslers . . . Dieser *fürchterliche Betrüger* fährt wörtlich fort: »Wisset ihr nicht, daß *wir* über die Engel richten werden? Wie viel mehr über die zeitlichen Güter!« . . .

»Hat nicht Gott die Weisheit dieser Welt zur Torheit gemacht? Denn dieweil die Welt durch ihre Weisheit Gott in seiner Weisheit nicht erkannte, gefiel es Gott wohl, durch törichte Predigt selig zu machen die, so daran glauben...; nicht viel Weise nach dem Fleisch, nicht viel Gewaltige, nicht viel Edle sind berufen. Sondern was töricht ist vor der Welt, *das hat Gott erwählet,* daß er die Weisen zuschanden mache; und was schwach ist vor der Welt, das hat Gott erwählet, daß er zuschanden mache, was stark ist; und das Unedle vor der Welt und das Verachtete hat Gott erwählet, und das da nichts ist, daß er zunichte mache, was etwas ist. Auf daß sich vor ihm kein Fleisch rühme« (Paulus 1. Korinther 1, 20 ff.). — Um diese Stelle, ein Zeugnis allerersten Ranges für die Psychologie jeder Tschandala-Moral, zu *verstehn,* lese man die erste Abhandlung meiner *Genealogie der Moral:* in ihr wurde zum erstenmal der Gegensatz einer *vornehmen* und einer aus *ressentiment* und ohnmächtiger Rache gebornen Tschandala-Moral ans Licht gestellt. Paulus war der größte aller Apostel der Rache ...

46

— *Was folgt daraus?* Daß man gut tut, Handschuhe anzuziehn, wenn man das Neue Testament liest. Die Nähe von so viel Unreinlichkeit zwingt beinahe dazu. Wir würden uns »erste Christen« so wenig wie polnische Juden zum Umgang wählen: nicht daß man gegen sie auch nur einen Einwand nötig hätte... Sie riechen beide nicht gut. — Ich habe vergebens im Neuen Testamente auch nur nach einem sympathischen Zuge ausgespäht; nichts ist darin, was frei, gütig, offenherzig, rechtschaffen wäre. Die Menschlichkeit hat hier noch nicht ihren ersten Anfang gemacht — die Instinkte der *Reinlichkeit* fehlen... Es gibt nur *schlechte* Instinkte im Neuen Testament, es gibt keinen Mut selbst zu diesen schlechten Instinkten. Alles ist Feigheit, alles ist Augenschließen und Selbstbetrug darin. Jedes Buch wird reinlich, wenn man eben das Neue Testament gelesen hat: ich las, um ein Beispiel zu geben, mit Entzücken unmittelbar nach Paulus jenen anmutigsten, übermütigsten Spötter Petronius, von dem man sagen könnte, was Domenico Boccaccio über Cesare Borgia an den Herzog von Parma schrieb: »è tutto festo« — unsterblich gesund, unsterblich heiter und wohlgeraten ... Diese kleinen Mukker verrechnen sich nämlich in der Hauptsache. Sie greifen an, aber alles, was von ihnen angegriffen wird, ist damit *ausgezeichnet*. Wen ein »erster Christ« angreift, den besudelt er *nicht* ... Umgekehrt: es ist eine Ehre, »erste Christen« gegen sich zu haben. Man liest das Neue Testament nicht ohne eine Vorliebe für das, was darin mißhandelt wird, — nicht zu reden von der »Weisheit dieser Welt«, welche ein frecher Windmacher »durch törichte Predigt« umsonst zuschanden zu machen sucht ... Aber selbst die Pharisäer und Schriftgelehrten haben ihren Vorteil von einer solchen Gegnerschaft: sie müssen schon etwas wert gewesen sein, um auf eine so unanständige Weise gehaßt zu werden. Heuchelei — das wäre ein Vorwurf, den »erste Christen« machen *dürften*! — Zuletzt waren es die *Privilegierten*: dies genügt, der Tschandala-Haß braucht keine Gründe mehr. Der »erste Christ« — ich fürchte, auch der »letzte Christ«, *den ich vielleicht noch erleben werde* — ist Rebell gegen alles Privilegierte aus unterstem Instinkte — er lebt, er kämpft immer für *»gleiche Rechte«* ... Genauer zugesehn, hat er keine Wahl. Will man, für seine Person, ein »Auserwählter Gottes« sein — oder ein »Tempel Gottes«, oder ein »Richter der Engel« —, so ist jedes *andre* Prinzip der Auswahl, zum Beispiel nach Rechtschaffenheit, nach Geist, nach Männlichkeit und Stolz, nach Schönheit und Freiheit des Herzens, einfach »Welt« — *das Böse an sich* ... Moral: jedes Wort im Munde eines »ersten Christen« ist eine Lüge, jede Handlung, die er tut, eine Instinkt-Falschheit — alle seine Werte, alle seine Ziele sind schädlich, aber *wen* er haßt, *was* er haßt, *das hat Wert* ... Der Christ, der Priester-Christ insonderheit, ist ein *Kriterium für Werte* — — Habe ich noch zu sagen, daß im ganzen Neuen Testament bloß eine *einzige* Figur vorkommt, die man ehren muß? Pilatus, der römische Statthalter. Einen Judenhandel *ernst* zu nehmen — dazu überredet er sich nicht. Ein Jude mehr oder weniger — was liegt daran? ... Der vornehme Hohn eines Römers, vor dem ein unverschämter Mißbrauch mit dem Wort »Wahrheit« getrieben wird, hat das Neue

Testament mit dem einzigen Wort bereichert, *das Wert hat* — das seine Kritik, seine *Vernichtung* selbst ist: »was ist Wahrheit!« ...

47

— Das ist es nicht, was *uns* abscheidet, daß wir keinen Gott wiederfinden, weder in der Geschichte, noch in der Natur, noch hinter der Natur — sondern daß wir, was als Gott verehrt wurde, nicht als »göttlich«, sondern als erbarmungswürdig, als absurd, als schädlich empfinden, nicht nur als Irrtum, sondern als *Verbrechen am Leben* ... Wir leugnen Gott als Gott ... Wenn man uns diesen Gott der Christen *bewiese*, wir würden ihn noch weniger zu glauben wissen. — In Formel: *deus, qualem Paulus creavit, dei negatio.* — Eine Religion, wie das Christentum, die sich an keinem Punkte mit der Wirklichkeit berührt, die sofort dahinfällt, sobald die Wirklichkeit auch nur an einem Punkte zu Rechte kommt, muß billigerweise der »Weisheit der Welt«, will sagen *der Wissenschaft*, todfeind sein — sie wird alle Mittel gut heißen, mit denen die Zucht des Geistes, die Lauterkeit und Strenge in Gewissenssachen des Geistes, die vornehme Kühle und Freiheit des Geistes vergiftet, verleumdet, *verrufen* gemacht werden kann. Der »Glaube« als Imperativ ist das *Veto* gegen die Wissenschaft — *in praxi* die Lüge um jeden Preis ... Paulus *begriff*, daß die Lüge — daß »der Glaube« nottat; die Kirche begriff später wieder Paulus. — Jener »Gott«, den Paulus sich erfand, ein Gott, der »die Weisheit der Welt« (im engern Sinn die beiden großen Gegnerinnen alles Aberglaubens, Philologie und Medizin) »zuschanden macht«, ist in Wahrheit nur der resolute *Entschluß* des Paulus selbst dazu: »Gott« seinen eignen Willen zu nennen, *thora,* das ist urjüdisch. Paulus *will* »die Weisheit der Welt« zuschanden machen: seine Feinde sind die *guten* Philologen und Ärzte alexandrinischer Schulung —, ihnen macht er den Krieg. In der Tat, man ist nicht Philolog und Arzt, ohne nicht zugleich auch *Antichrist* zu sein. Als Philolog schaut man nämlich *hinter* die »heiligen Bücher«, als Arzt *hinter* die physiologische Verkommenheit des typischen Christen. Der Arzt sagt »unheilbar«, der Philolog »Schwindel« ...

48

— Hat man eigentlich die berühmte Geschichte verstanden, die
am Anfang der Bibel steht — von der Höllenangst Gottes vor der
Wissenschaft? . . . Man hat sie nicht verstanden. Dies Priesterbuch
par excellence beginnt, wie billig, mit der großen inneren Schwierigkeit des Priesters: *er* hat nur *eine* große Gefahr, *folglich* hat
»Gott« nur *eine* große Gefahr. —

Der alte Gott, ganz »Geist«, ganz Hoherpriester, ganz Vollkommenheit, lustwandelt in seinen Gärten: nur daß er sich
langweilt. Gegen die Langeweile kämpfen Götter selbst vergebens. Was tut er? Er erfindet den Menschen — der Mensch ist
unterhaltend . . . Aber siehe da, auch der Mensch langweilt sich.
Das Erbarmen Gottes mit der einzigen Not, die alle Paradiese
an sich haben, kennt keine Grenzen: er schuf alsbald noch andre
Tiere. *Erster* Fehlgriff Gottes: der Mensch fand die Tiere nicht
unterhaltend — er herrschte über sie, er wollte nicht einmal
»Tier« sein. — Folglich schuf Gott das Weib. Und in der Tat,
mit der Langeweile hatte es nun ein Ende — aber auch mit ande-
rem noch! Das Weib war der *zweite* Fehlgriff Gottes. — »Das
Weib ist seinem Wesen nach Schlange, Heva« — das weiß jeder
Priester; »vom Weib kommt *jedes* Unheil in der Welt« — das
weiß ebenfalls jeder Priester. »*Folglich* kommt von ihm auch die
Wissenschaft« . . . Erst durch das Weib lernte der Mensch vom
Baume der Erkenntnis kosten. — Was war geschehn? Den alten
Gott ergriff eine Höllenangst. Der Mensch selbst war sein *größter*
Fehlgriff geworden, er hatte sich einen Rivalen geschaffen, die
Wissenschaft macht *gottgleich*, — es ist mit Priestern und Göttern
zu Ende, wenn der Mensch wissenschaftlich wird! — *Moral:* die
Wissenschaft ist das Verbotene an sich — sie allein ist verboten.
Die Wissenschaft ist die *erste* Sünde, der Keim aller Sünde, die
*Erb*sünde. *Dies allein ist Moral.* — »Du sollst *nicht* erkennen« —
der Rest folgt daraus. — Die Höllenangst Gottes verhinderte ihn
nicht, klug zu sein. Wie *wehrt* man sich gegen die Wissenschaft?
das wurde für lange sein Hauptproblem. Antwort: fort mit dem
Menschen aus dem Paradiese! Das Glück, der Müßiggang bringt
auf Gedanken — alle Gedanken sind schlechte Gedanken . . . Der

Mensch *soll* nicht denken. — Und der »Priester an sich« erfindet die Not, den Tod, die Lebensgefahr der Schwangerschaft, jede Art von Elend, Alter, Mühsal, die *Krankheit* vor allem — lauter Mittel im Kampfe mit der Wissenschaft! Die Not *erlaubt* dem Menschen nicht, zu denken... Und trotzdem! entsetzlich! Das Werk der Erkenntnis türmt sich auf, himmelstürmend, götterandämmernd — was tun! — Der alte Gott erfindet den *Krieg,* er trennt die Völker, er macht, daß die Menschen sich gegenseitig vernichten (— die Priester haben immer den Krieg nötig gehabt...). Der Krieg — unter anderem ein großer Störenfried der Wissenschaft! — Unglaublich! Die Erkenntnis, die *Emanzipation vom Priester,* nimmt selbst trotz Kriegen zu. — Und ein letzter Entschluß kommt dem alten Gotte: »der Mensch ward wissenschaftlich — *es hilft nichts, man muß ihn ersäufen!*«...

49

— Man hat mich verstanden. Der Anfang der Bibel enthält die *ganze* Psychologie des Priesters. — Der Priester kennt nur *eine* große Gefahr: das ist die Wissenschaft — der gesunde Begriff von Ursache und Wirkung. Aber die Wissenschaft gedeiht im ganzen nur unter glücklichen Verhältnissen — man muß Zeit, man muß Geist *überflüssig* haben, um zu »erkennen«... »*Folglich* muß man den Menschen unglücklich machen« — dies war zu jeder Zeit die Logik des Priesters. — Man errät bereits, *was,* dieser Logik gemäß, damit erst in die Welt gekommen ist — die »*Sünde*«... Der Schuld- und Strafbegriff, die ganze »sittliche Weltordnung« ist erfunden *gegen* die Wissenschaft — *gegen* die Ablösung des Menschen vom Priester... Der Mensch soll *nicht* hinaus-, er soll in sich hineinsehn; er soll *nicht* klug und vorsichtig, als Lernender, in die Dinge sehn, er soll überhaupt gar nicht sehn: er soll *leiden*... Und er soll so leiden, daß er jederzeit den Priester nötig hat. — Weg mit den Ärzten! *Man hat einen Heiland nötig.* — Der Schuld- und Straf-Begriff, eingerechnet die Lehre von der »Gnade«, von der »Erlösung«, von der »Vergebung« — *Lügen* durch und durch und ohne jede psychologische Realität — sind erfunden, um den *Ursachen-Sinn* des Menschen zu zerstören: sie

sind das Attentat gegen den Begriff Ursache und Wirkung! —
Und *nicht* ein Attentat mit der Faust, mit dem Messer, mit der
Ehrlichkeit in Haß und Liebe! Sondern aus den feigsten, listig-
sten, niedrigsten Instinkten heraus! Ein *Priester*-Attentat! Ein
Parasiten-Attentat! Ein Vampyrismus bleicher unterirdischer
Blutsauger! . . . Wenn die natürlichen Folgen einer Tat nicht mehr
»natürlich« sind, sondern durch Begriffs-Gespenster des Aber-
glaubens, durch »Gott«, durch »Geister«, durch »Seelen« bewirkt
gedacht werden, als bloß »moralische« Konsequenzen, als Lohn,
Strafe, Wink, Erziehungsmittel, so ist die Voraussetzung zur
Erkenntnis zerstört — *so hat man das größte Verbrechen an der
Menschheit begangen.* — Die Sünde, nochmals gesagt, diese Selbst-
schändungs-Form des Menschen *par excellence,* ist erfunden, um
Wissenschaft, um Kultur, um jede Erhöhung und Vornehmheit
des Menschen unmöglich zu machen; der Priester *herrscht* durch
die Erfindung der Sünde. —

50

— Ich erlasse mir an dieser Stelle eine Psychologie des »Glaubens«,
der »Gläubigen« nicht, zum Nutzen, wie billig, gerade der
»Gläubigen«. Wenn es heute noch an solchen nicht fehlt, die es
nicht wissen, inwiefern es *unanständig* ist, »gläubig« zu sein —
oder ein Abzeichen von *décadence,* von gebrochnem Willen zum
Leben —, morgen schon werden sie es wissen. Meine Stimme erreicht auch die Harthörigen. — Es scheint, wenn anders ich mich
nicht verhört habe, daß es unter Christen eine Art Kriterium
der Wahrheit gibt, das man den »Beweis der Kraft« nennt. »Der
Glaube macht selig: *also* ist er wahr.« — Man dürfte hier zunächst
einwenden, daß gerade das Seligmachen nicht bewiesen, sondern
nur *versprochen* ist: die Seligkeit an die Bedingung des »Glaubens« geknüpft — man *soll* selig werden, *weil* man glaubt . . .
Aber *daß* tatsächlich eintritt, was der Priester dem Gläubigen
für das jeder Kontrolle unzugängliche »Jenseits« verspricht,
womit bewiese sich *das*? — Der angebliche »Beweis der Kraft«
ist also im Grunde wieder nur ein Glaube daran, daß die Wirkung nicht ausbleibt, welche man sich vom Glauben verspricht.

In Formel: »Ich glaube, daß der Glaube selig macht — *folglich* ist er wahr.« — Aber damit sind wir schon am Ende. Dies »folglich« wäre das *absurdum* selbst als Kriterium der Wahrheit. — Setzen wir aber, mit einiger Nachgiebigkeit, daß das Seligmachen durch den Glauben bewiesen sei (— *nicht* nur gewünscht, *nicht* nur durch den etwas verdächtigen Mund eines Priesters versprochen): wäre Seligkeit — technischer geredet, *Lust* — jemals ein Beweis der Wahrheit? So wenig, daß es beinahe den Gegenbeweis, jedenfalls den höchsten Argwohn gegen »Wahrheit« abgibt, wenn Lustempfindungen über die Frage »was ist wahr?« mitreden. Der Beweis der »Lust« ist ein Beweis *für* »Lust« — nichts mehr; woher um alles in der Welt stünde es fest, daß gerade *wahre* Urteile mehr Vergnügen machten als falsche und, gemäß einer prästabilierten Harmonie, angenehme Gefühle mit Notwendigkeit hinter sich dreinzögen? — Die Erfahrung aller strengen, aller tief gearteten Geister lehrt *das Umgekehrte.* Man hat jeden Schrittbreit Wahrheit sich abringen müssen, man hat fast alles dagegen preisgeben müssen, woran sonst das Herz, woran unsre Liebe, unser Vertrauen zum Leben hängt. Es bedarf Größe der Seele dazu: der Dienst der Wahrheit ist der härteste Dienst. — Was heißt denn *rechtschaffen* sein in geistigen Dingen? Daß man streng gegen sein Herz ist, daß man die »schönen Gefühle« verachtet, daß man sich aus jedem Ja und Nein ein Gewissen macht! — — — Der Glaube macht selig: *folglich* lügt er . . .

51

Daß der Glaube unter Umständen selig macht, daß Seligkeit aus einer fixen Idee noch nicht eine *wahre* Idee macht, daß der Glaube keine Berge versetzt, wohl aber Berge *hinsetzt,* wo es keine gibt: ein flüchtiger Gang durch ein *Irrenhaus* klärt zur Genüge darüber auf. *Nicht* freilich einen Priester: denn der leugnet aus Instinkt, daß Krankheit Krankheit, daß Irrenhaus Irrenhaus ist. Das Christentum hat die Krankheit *nötig,* ungefähr wie das Griechentum einen Überschuß von Gesundheit nötig hat — krank-*machen* ist die eigentliche Hinterabsicht des ganzen Heilsprozeduren-Systems der Kirche. Und die Kirche selbst —

ist sie nicht das katholische Irrenhaus als letztes Ideal? — Die Erde überhaupt als Irrenhaus? — Der religiöse Mensch, wie ihn die Kirche *will,* ist ein typischer *décadent*; der Zeitpunkt, wo eine religiöse Krisis über ein Volk Herr wird, ist jedesmal durch Nerven-Epidemien gekennzeichnet; die »innere Welt« des religiösen Menschen sieht der »inneren Welt« der Überreizten und Erschöpften zum Verwechseln ähnlich; die »höchsten« Zustände, welche das Christentum als Wert aller Werte über der Menschheit aufgehängt hat, sind epileptoide Formen — die Kirche hat nur Verrückte *oder* große Betrüger in *majorem dei honorem* heilig gesprochen... Ich habe mir einmal erlaubt, den ganzen christlichen Buß- und Erlösungs-*training* (den man heute am besten in England studiert) als eine methodisch erzeugte *folie circulaire* zu bezeichnen, wie billig, auf einem bereits dazu vorbereiteten, das heißt gründlich morbiden Boden. Es steht niemandem frei, Christ zu werden: man wird zum Christentum nicht »bekehrt« — man muß krank genug dazu sein... Wir anderen, die wir den *Mut* zur Gesundheit *und* auch zur Verachtung haben, wie dürfen *wir* eine Religion verachten, die den Leib mißverstehn lehrte! die den Seelen-Aberglauben nicht loswerden will! die aus der unzureichenden Ernährung ein »Verdienst« macht! die in der Gesundheit eine Art Feind, Teufel, Versuchung bekämpft! die sich einredete, man könne eine »vollkommne Seele« in einem Kadaver von Leib herumtragen, und dazu nötig hatte, einen neuen Begriff der »Vollkommenheit« sich zurechtzumachen, ein bleiches, krankhaftes, idiotisch-schwärmerisches Wesen, die sogenannte »Heiligkeit« — Heiligkeit, selbst bloß eine Symptomen-Reihe des verarmten, entnervten, unheilbar verdorbenen Leibes!... Die christliche Bewegung, als eine europäische Bewegung, ist von vornherein eine Gesamt-Bewegung der Ausschuß- und Abfalls-Elemente aller Art (— diese wollen mit dem Christentum zur Macht). Sie drückt *nicht* den Niedergang einer Rasse aus, sie ist eine Aggregat-Bildung sich zusammendrängender und sich suchender *décadence*-Formen von überall. Es ist *nicht,* wie man glaubt, die Korruption des Altertums selbst, des *vornehmen* Altertums, was das Christentum ermöglichte: man kann dem gelehrten Idiotismus, der auch heute noch so etwas aufrechterhält, nicht hart genug widersprechen. In der Zeit, wo die kranken, verdorbenen Tschandala-Schichten im ganzen *imperium* sich christianisierten, war gerade der *Gegentypus,* die Vornehmheit, in ihrer schönsten und reifsten Gestalt vorhanden. Die große Zahl wurde Herr; der Demokratismus der christlichen Instinkte *siegte* ... Das Christentum war nicht »national«, nicht rassebedingt — es wendete sich an jede Art von Enterbten des Lebens, es hatte seine Verbündeten überall. Das Christentum hat die Ranküne der Kranken auf dem Grunde, den Instinkt *gegen* die Gesunden, *gegen* die Gesundheit gerichtet. Alles Wohlgeratene, Stolze, Übermütige, die Schönheit vor allem tut ihm in Ohren und Augen weh. Nochmals erinnre ich an das unschätzbare Wort des Paulus: »Was *schwach* ist vor der Welt, was *töricht* ist vor der Welt, das *Unedle* und *Verachtete* vor der Welt hat Gott erwählet«: *das* war die Formel, *in hoc signo* siegte die *décadence.* — *Gott am Kreuze* — versteht man immer noch die furchtbare Hintergedanklichkeit dieses Symbols nicht? — Alles was leidet, alles was am Kreuze hängt, ist *göttlich* ... Wir alle hängen am Kreuze, folglich sind *wir* göttlich ... Wir allein sind göttlich ... Das Christentum war ein Sieg, eine *vornehmere* Gesinnung ging an ihm zugrunde — das Christentum war bisher das größte Unglück der Menschheit. — —

52

Das Christentum steht auch im Gegensatz zu aller *geistigen* Wohlgeratenheit — es *kann* nur die kranke Vernunft als christliche Vernunft brauchen, es nimmt die Partei alles Idiotischen, es spricht den Fluch aus gegen den »Geist«, gegen die *superbia* des gesunden Geistes. Weil die Krankheit zum Wesen des Christentums gehört, *muß* auch der typisch-christliche Zustand, »der Glaube«, eine Krankheitsform sein, *müssen* alle geraden, rechtschaffnen, wissenschaftlichen Wege zur Erkenntnis von der Kirche als *verbotene* Wege abgelehnt werden. Der Zweifel bereits ist eine Sünde ... Der vollkommne Mangel an psychologischer Reinlichkeit beim Priester — im Blick sich verratend — ist eine *Folge*erscheinung der *décadence* — man hat die hysterischen Frau-

enzimmer, andrerseits rachitisch angelegte Kinder darauf hin
zu beobachten, wie regelmäßig Falschheit aus Instinkt, Lust zu
lügen, um zu lügen, Unfähigkeit zu geraden Blicken und Schritten der Ausdruck von *décadence* ist. »Glaube« heißt Nicht-
wissen-*wollen*, was wahr ist. Der Pietist, der Priester beiderlei
Geschlechts, ist falsch, *weil* er krank ist: sein Instinkt *verlangt,*
daß die Wahrheit an keinem Punkt zu Rechte kommt. »Was
krank macht, ist *gut*; was aus der Fülle, aus dem Überfluß, aus
der Macht kommt, ist *böse*«: so empfindet der Gläubige. Die
Unfreiheit zur Lüge — daran errate ich jeden vorherbestimmten
Theologen. — Ein andres Abzeichen des Theologen ist sein *Un-
vermögen zur Philologie.* Unter Philologie soll hier, in einem
sehr allgemeinen Sinne, die Kunst, gut zu lesen, verstanden werden — Tatsachen ablesen können, *ohne* sie durch Interpretation
zu fälschen, *ohne* im Verlangen nach Verständnis die Vorsicht,
die Geduld, die Feinheit zu verlieren. Philologie als *Ephexis* in
der Interpretation: handle es sich nun um Bücher, um Zeitungs-
Neuigkeiten, um Schicksale oder Wetter-Tatsachen — nicht zu
reden vom »Heil der Seele«... Die Art, wie ein Theolog,
gleichgültig ob in Berlin oder in Rom, ein »Schriftwort« aus-
legt oder ein Erlebnis, einen Sieg des vaterländischen Heers zum
Beispiel unter der höheren Beleuchtung der Psalmen Davids, ist
immer dergestalt *kühn*, daß ein Philolog dabei an allen Wänden
emporläuft. Und was soll er gar anfangen, wenn Pietisten und
andre Kühe aus dem Schwabenlande den armseligen Alltag und
Stubenrauch ihres Daseins mit dem »Finger Gottes« zu einem
Wunder von »Gnade«, von »Vorsehung«, von »Heilserfahrun-
gen« zurecht machen! Der bescheidenste Aufwand von Geist,
um nicht zu sagen von *Anstand,* müßte diese Interpreten doch
dazu bringen, sich des vollkommen Kindischen und Unwürdigen
eines solchen Mißbrauchs der göttlichen Fingerfertigkeit zu über-
führen. Mit einem noch so kleinen Maße von Frömmigkeit im
Leibe sollte uns ein Gott, der zur rechten Zeit vom Schnupfen
kuriert, oder der uns in einem Augenblick in die Kutsche steigen
läßt, wo gerade ein großer Regen losbricht, ein so absurder Gott
sein, daß man ihn abschaffen müßte, selbst wenn er existierte.
Ein Gott als Dienstbote, als Briefträger, als Kalendermann —

im Grunde ein Wort für die dümmste Art aller Zufälle ... Die
»göttliche Vorsehung«, wie sie heute noch ungefähr jeder dritte
Mensch im »gebildeten Deutschland« glaubt, wäre ein Einwand
gegen Gott, wie er stärker gar nicht gedacht werden könnte.
Und in jedem Fall ist er ein Einwand gegen Deutsche! ...

53

— Daß *Märtyrer* etwas für die Wahrheit einer Sache beweisen,
ist so wenig wahr, daß ich leugnen möchte, es habe je ein Märtyrer überhaupt etwas mit der Wahrheit zu tun gehabt. In dem
Tone, mit dem ein Märtyrer sein Für-wahr-halten der Welt an
den Kopf wirft, drückt sich bereits ein so niedriger Grad intellek-
tueller Rechtschaffenheit, eine solche *Stumpfheit* für die Frage
»Wahrheit« aus, daß man einen Märtyrer nie zu widerlegen
braucht. Die Wahrheit ist nichts, was einer hätte und ein andrer
nicht hätte: so können höchstens Bauern oder Bauern-Apostel
nach Art Luthers über die Wahrheit denken. Man darf sicher
sein, daß je nach dem Grade der Gewissenhaftigkeit in Dingen
des Geistes die Bescheidenheit, die *Bescheidung* in diesem Punkte
immer größer wird. In fünf Sachen *wissen,* und mit zarter Hand
es ablehnen, *sonst* zu wissen ... »Wahrheit«, wie das Wort jeder
Prophet, jeder Sektierer, jeder Freigeist, jeder Sozialist, jeder
Kirchenmann versteht, ist ein vollkommner Beweis dafür, daß
auch noch nicht einmal der Anfang mit jener Zucht des Geistes
und Selbstüberwindung gemacht ist, die zum Finden irgendeiner
kleinen, noch so kleinen Wahrheit not tut. — Die Märtyrer-Tode,
anbei gesagt, sind ein großes Unglück in der Geschichte gewesen:
sie *verführten* ... Der Schluß aller Idioten, Weib und Volk
eingerechnet, daß es mit einer Sache, für die jemand in den Tod
geht (oder die gar, wie das erste Christentum, todsüchtige Epi-
demien erzeugt), etwas auf sich habe — dieser Schluß ist der
Prüfung, dem Geist der Prüfung und Vorsicht unsäglich zum
Hemmschuh geworden. Die Märtyrer *schadeten* der Wahrheit ...
Auch heute noch bedarf es nur einer Krudität der Verfolgung,
um einer an sich noch so gleichgültigen Sektiererei einen *ehrenhaften* Namen zu schaffen. — Wie? ändert es am Werte einer

Sache etwas, daß jemand für sie sein Leben läßt? — Ein Irrtum, der ehrenhaft wird, ist ein Irrtum, der einen Verführungsreiz mehr besitzt: glaubt ihr, daß wir euch Anlaß geben würden, ihr Herrn Theologen, für eure Lüge die Märtyrer zu machen? — Man widerlegt eine Sache, indem man sie achtungsvoll aufs Eis legt — ebenso widerlegt man auch Theologen ... Gerade das war die welthistorische Dummheit aller Verfolger, daß sie der gegnerischen Sache den Anschein des Ehrenhaften gaben — daß sie ihr die Faszination des Martyriums zum Geschenk machten ... Das Weib liegt heute noch auf den Knien vor einem Irrtum, weil man ihm gesagt hat, daß jemand dafür am Kreuze starb. *Ist denn das Kreuz ein Argument?* — — Aber über alle diese Dinge hat einer allein das Wort gesagt, das man seit Jahrtausenden nötig gehabt hätte — *Zarathustra.*

Blutzeichen schrieben sie auf den Weg, den sie gingen, und ihre Torheit lehrte, daß man mit Blut Wahrheit beweise.

Aber Blut ist der schlechteste Zeuge der Wahrheit; Blut vergiftet die reinste Lehre noch zu Wahn und Haß der Herzen.

Und wenn einer durchs Feuer ginge für seine Lehre — was beweist dies! Mehr ist's wahrlich, daß aus eignem Brande die eigne Lehre kommt.

54

Man lasse sich nicht irreführen: große Geister sind Skeptiker. Zarathustra ist ein Skeptiker. Die Stärke, die *Freiheit* aus der Kraft und Überkraft des Geistes *beweist* sich durch Skepsis. Menschen der Überzeugung kommen für alles Grundsätzliche von Wert und Unwert gar nicht in Betracht. Überzeugungen sind Gefängnisse. Das sieht nicht weit genug, das sieht nicht *unter* sich: aber um über Wert und Unwert mitreden zu dürfen, muß man fünfhundert Überzeugungen *unter* sich sehn — *hinter* sich sehn ... Ein Geist, der Großes will, der auch die Mittel dazu will, ist mit Notwendigkeit Skeptiker. Die Freiheit von jeder Art Überzeugungen *gehört* zur Stärke, das Frei-Blicken-*können* ... Die große Leidenschaft, der Grund und die Macht seines Seins, noch aufgeklärter, noch despotischer, als er selbst es ist,

nimmt seinen ganzen Intellekt in Dienst; sie macht unbedenk-
lich; sie gibt ihm Mut sogar zu unheiligen Mitteln; sie *gönnt* ihm
unter Umständen Überzeugungen. Die Überzeugung als *Mittel*:
vieles erreicht man nur mittelst einer Überzeugung. Die große
Leidenschaft braucht, verbraucht Überzeugungen, sie unterwirft
sich ihnen nicht — sie weiß sich souverän. — Umgekehrt: das
Bedürfnis nach Glauben, nach irgend etwas Unbedingtem von
Ja und Nein, der Carlylismus, wenn man mir dies Wort nach-
sehn will, ist ein Bedürfnis der *Schwäche*. Der Mensch des Glaubens, der »Gläubige« jeder Art ist notwendig ein abhängiger
Mensch — ein solcher, der *sich* nicht als Zweck, der von sich aus
überhaupt nicht Zwecke ansetzen kann. Der »Gläubige« gehört
sich nicht, er kann nur Mittel sein, er muß *verbraucht* werden,
er hat jemand nötig, der ihn verbraucht. Sein Instinkt gibt einer
Moral der Entselbstung die höchste Ehre: zu ihr überredet ihn
alles, seine Klugheit, seine Erfahrung, seine Eitelkeit. Jede Art
Glaube ist selbst ein Ausdruck von Entselbstung, von Selbst-
Entfremdung... Erwägt man, wie notwendig den allermeisten
ein Regulativ ist, das sie von außen her bindet und fest macht,
wie der Zwang, in einem höheren Sinn die *Sklaverei,* die einzige
und letzte Bedingung ist, unter der der willensschwächere
Mensch, zumal das Weib, gedeiht: so versteht man auch die
Überzeugung, den »Glauben«. Der Mensch der Überzeugung
hat in ihr sein Rückgrat. Viele Dinge *nicht* sehn, in keinem Punkte
unbefangen sein, Partei sein durch und durch, eine strenge und
notwendige Optik in allen Werten haben — das allein bedingt
es, daß eine solche Art Mensch überhaupt besteht. Aber damit
ist sie der Gegensatz, der *Antagonist* des Wahrhaftigen — der
Wahrheit... Dem Gläubigen steht es nicht frei, für die Frage
»wahr« und »unwahr« überhaupt ein Gewissen zu haben: rechtschaffen sein an *dieser* Stelle wäre sofort sein Untergang. Die
pathologische Bedingtheit seiner Optik macht aus dem Über-
zeugten den Fanatiker — Savonarola, Luther, Rousseau, Robes-
pierre, Saint-Simon —, den Gegensatz-Typus des starken, des
*frei*gewordnen Geistes. Aber die große Attitüde dieser *kranken*
Geister, dieser Epileptiker des Begriffs, wirkt auf die große Mas-

se — die Fanatiker sind pittoresk, die Menschheit sieht Gebärden lieber, als daß sie *Gründe* hört . . .

55

— Einen Schritt weiter in der Psychologie der Überzeugung, des »Glaubens«. Es ist schon lange von mir zur Erwägung anheimgegeben worden, ob nicht die Überzeugungen gefährlichere Feinde der Wahrheit sind als die Lügen (Menschliches, Allzumenschliches I, Aphorismus 54 und 483). Diesmal möchte ich die entscheidende Frage tun: besteht zwischen Lüge und Überzeugung überhaupt ein Gegensatz? — Alle Welt glaubt es; aber was glaubt nicht alle Welt! — Eine jede Überzeugung hat ihre Geschichte, ihre Vorformen, ihre Tentativen und Fehlgriffe: sie *wird* Überzeugung, nachdem sie es lange *nicht* ist, nachdem sie es noch länger *kaum* ist. Wie? könnte unter diesen Embryonal-Formen der Überzeugung nicht auch die Lüge sein? — Mitunter bedarf es bloß eines Personen-Wechsels: im Sohn wird Überzeugung, was im Vater noch Lüge war. — Ich nenne Lüge: etwas *nicht* sehn wollen, das man sieht, etwas nicht *so* sehn wollen, wie man es sieht: ob die Lüge vor Zeugen oder ohne Zeugen statthat, kommt nicht in Betracht. Die gewöhnlichste Lüge ist die, mit der man sich selbst belügt; das Belügen andrer ist relativ der Ausnahmefall. — Nun ist dies *Nicht*-sehn-wollen, was man sieht, dies Nicht-so-sehn-wollen, wie man es sieht, beinahe die erste Bedingung für alle, die *Partei* sind, in irgendwelchem Sinne: der Parteimensch wird mit Notwendigkeit Lügner. Die deutsche Geschichtsschreibung zum Beispiel ist überzeugt, daß Rom der Despotismus war, daß die Germanen den Geist der Freiheit in die Welt gebracht haben: welcher Unterschied ist zwischen dieser Überzeugung und einer Lüge? Darf man sich noch darüber wundern, wenn, aus Instinkt, alle Parteien, auch die deutschen Historiker, die großen Worte der Moral im Munde haben — daß die Moral beinahe dadurch *fortbesteht*, daß der Parteimensch jeder Art jeden Augenblick sie nötig hat? — »Dies ist *unsre* Überzeugung: wir bekennen sie vor aller Welt, wir leben und sterben für sie — Respekt vor allem, was Überzeugungen hat!« — dergleichen habe ich sogar aus dem Mund von Antisemiten gehört.

Im Gegenteil, meine Herrn! Ein Antisemit wird dadurch durchaus nicht anständiger, daß er aus Grundsatz lügt ... Die Priester, die in solchen Dingen feiner sind und den Einwand sehr gut verstehn, der im Begriff einer Überzeugung, das heißt einer grundsätzlichen, *weil* zweckdienlichen Verlogenheit liegt, haben von den Juden her die Klugheit überkommen, an dieser Stelle den Begriff »Gott«, »Wille Gottes«, »Offenbarung Gottes« einzuschieben. Auch Kant, mit seinem kategorischen Imperativ, war auf dem gleichen Wege: seine Vernunft wurde hierin *praktisch*. — Es gibt Fragen, wo über Wahrheit und Unwahrheit dem Menschen die Entscheidung *nicht* zusteht; alle obersten Fragen, alle obersten Wert-Probleme sind jenseits der menschlichen Vernunft ... Die Grenzen der Vernunft begreifen — *das* erst ist wahrhaft Philosophie ... Wozu gab Gott dem Menschen die Offenbarung? Würde Gott etwas Überflüssiges getan haben? Der Mensch *kann* von sich nicht selber wissen, was gut und böse ist, darum lehrte ihn Gott seinen Willen ... Moral: der Priester lügt *nicht* — die Frage »wahr« oder »unwahr« *gibt* es nicht in solchen Dingen, von denen Priester reden; diese Dinge erlauben gar nicht zu lügen. Denn um zu lügen, müßte man entscheiden können, *was* hier wahr ist. Aber das *kann* eben der Mensch nicht; der Priester ist damit nur das Mundstück Gottes. — Ein solcher Priester-Syllogismus ist durchaus nicht bloß jüdisch und christlich; das Recht zur Lüge und die *Klugheit* der »Offenbarung« gehört dem Typus Priester an, den *décadence*-Priestern so gut als den Heidentum-Priestern (— Heiden sind alle, die zum Leben ja sagen, denen »Gott« das Wort für das große Ja zu allen Dingen ist). — Das »Gesetz«, der »Wille Gottes«, das »heilige Buch«, die »Inspiration« — alles nur Worte für die Bedingungen, *unter* denen der Priester zur Macht kommt, *mit* denen er seine Macht aufrecht erhält — diese Begriffe finden sich auf dem Grunde aller Priester-Organisationen, aller priesterlichen oder philosophisch-priesterlichen Herrschaftsgebilde. Die »heilige Lüge« — dem Konfuzius, dem Gesetzbuch des Manu, dem Mohammed, der christlichen Kirche gemeinsam —: sie fehlt nicht bei Plato. »Die Wahrheit ist da«: dies bedeutet, wo nur es laut wird, *der Priester lügt* ...

56

— Zuletzt kommt es darauf an, zu welchem *Zweck* gelogen wird. Daß im Christentum die »heiligen« Zwecke fehlen, ist *mein* Einwand gegen seine Mittel. Nur *schlechte* Zwecke: Vergiftung, Verleumdung, Verneinung des Lebens, die Verachtung des Leibes, die Herabwürdigung und Selbstschändung des Menschen durch den Begriff Sünde — *folglich* sind auch seine Mittel schlecht. — Ich lese mit einem entgegengesetzten Gefühle das Gesetzbuch des *Manu,* ein unvergleichlich geistiges und überlegenes Werk, das mit der Bibel auch nur in einem Atem *nennen* eine Sünde wider den *Geist* wäre. Man errät sofort: es hat eine wirkliche Philosophie hinter sich, *in* sich, nicht bloß ein übelriechendes Judain von Rabbinismus und Aberglauben — es gibt selbst dem verwöhntesten Psychologen etwas zu beißen. *Nicht* die Hauptsache zu vergessen, *der* Grundunterschied von jeder Art von Bibel: die *vornehmen* Stände, die Philosophen und die Krieger, halten mit ihm ihre Hand über der Menge; vornehme Werte überall, ein Vollkommenheits-Gefühl, ein Jasagen zum Leben, ein triumphierendes Wohlgefühl an sich und am Leben — die *Sonne* liegt auf dem ganzen Buch. — Alle die Dinge, an denen das Christentum seine unergründliche Gemeinheit ausläßt, die Zeugung zum Beispiel, das Weib, die Ehe, werden hier ernst, mit Ehrfurcht, mit Liebe und Zutrauen behandelt. Wie kann man eigentlich ein Buch in die Hände von Kindern und Frauen legen, das jenes niederträchtige Wort enthält: »Um der Hurerei willen habe ein jeglicher sein eignes Weib und eine jegliche ihren eignen Mann ... es ist besser freien denn Brunst leiden«? Und *darf* man Christ sein, solange mit dem Begriff der *immaculata conceptio* die Entstehung des Menschen verchristlicht, das heißt *beschmutzt* ist? ... Ich kenne kein Buch, wo dem Weibe so viele zarte und gütige Dinge gesagt würden, wie im Gesetzbuch des Manu; diese alten Graubärte und Heiligen haben eine Art, gegen Frauen artig zu sein, die vielleicht nicht übertroffen ist. »Der Mund einer Frau« — heißt es einmal —, »der Busen eines Mädchens, das Gebet eines Kindes, der Rauch des Opfers sind immer rein.« Eine andre Stelle: »es gibt gar nichts Reineres als das Licht der Sonne, den Schatten einer Kuh, die Luft, das Wasser, das Feuer und den Atem eines Mädchens.« Eine letzte Stelle — vielleicht auch eine heilige Lüge —: »alle Öffnungen des Leibes oberhalb des Nabels sind rein, alle unterhalb sind unrein. Nur beim Mädchen ist der ganze Körper rein.«

57

Man ertappt die *Unheiligkeit* der christlichen Mittel *in flagranti,* wenn man den *christlichen* Zweck einmal an dem Zweck des Manu-Gesetzbuches mißt — wenn man diesen größten Zweck-Gegensatz unter starkes Licht bringt. Es bleibt dem Kritiker des Christentums nicht erspart, das Christentum *verächtlich* zu machen. — Ein solches Gesetzbuch, wie das des Manu, entsteht wie jedes gute Gesetzbuch: es resümiert die Erfahrung, Klugheit und Experimental-Moral von langen Jahrhunderten, es schließt ab, es schafft nichts mehr. Die Voraussetzung zu einer Kodifikation seiner Art ist die Einsicht, daß die Mittel, einer langsam und kostspielig erworbenen *Wahrheit* Autorität zu schaffen, grundverschieden von denen sind, mit denen man sie beweisen würde. Ein Gesetzbuch erzählt niemals den Nutzen, die Gründe, die Kasuistik in der Vorgeschichte eines Gesetzes: eben damit würde es den imperativischen Ton einbüßen, das »du sollst«, die Voraussetzung dafür, daß gehorcht wird. Das Problem liegt genau hierin. — An einem gewissen Punkte der Entwicklung eines Volks erklärt die einsichtigste, das heißt rück- und hinausblickendste Schicht desselben die Erfahrung, nach der gelebt werden soll — das heißt *kann* —, für abgeschlossen. Ihr Ziel geht dahin, die Ernte möglichst reich und vollständig von den Zeiten des Experiments und der *schlimmen* Erfahrung heimzubringen. Was folglich vor allem jetzt zu verhüten ist, das ist das Noch-Fort-Experimentieren, die Fortdauer des flüssigen Zustands der Werte, das Prüfen, Wählen, Kritik-Üben der Werte *in infinitum.* Dem stellt man eine doppelte Mauer entgegen: einmal die *Offenbarung,* das ist die Behauptung, die Vernunft jener Gesetze sei *nicht* menschlicher Herkunft, *nicht* langsam und unter Fehlgriffen gesucht und gefunden, sondern, als göttlichen Ursprungs, ganz,

vollkommen, ohne Geschichte, ein Geschenk, ein Wunder, bloß
mitgeteilt... Sodann die *Tradition,* das ist die Behauptung, daß
das Gesetz bereits seit uralten Zeiten bestanden habe, daß es
pietätlos, ein Verbrechen an den Vorfahren sei, es in Zweifel
zu ziehn. Die Autorität des Gesetzes begründet sich mit den
Thesen: Gott *gab* es, die Vorfahren *lebten* es. — Die höhere Vernunft einer solchen Prozedur liegt in der Absicht, das Bewußtsein Schritt für Schritt von dem als richtig erkannten (das heißt
durch eine ungeheure und scharf durchgesiebte Erfahrung *bewiesenen*) Leben zurückzudrängen: so daß der vollkommne
Automatismus des Instinkts erreicht wird — diese Voraussetzung zu jeder Art Meisterschaft, zu jeder Art Vollkommenheit
in der Kunst des Lebens. Ein Gesetzbuch nach Art des Manu
aufstellen, heißt einem Volke fürderhin zugestehn, Meister zu
werden, vollkommen zu werden — die höchste Kunst des Lebens
zu ambitionieren. *Dazu muß es unbewußt gemacht werden:* dies
der Zweck jeder heiligen Lüge. — Die *Ordnung der Kasten,* das
oberste, das dominierende Gesetz, ist nur die Sanktion einer
Natur-Ordnung, Natur-Gesetzlichkeit ersten Ranges, über die
keine Willkür, keine »moderne Idee« Gewalt hat. Es treten in
jeder gesunden Gesellschaft, sich gegenseitig bedingend, drei
physiologisch verschieden-gravitierende Typen auseinander, von
denen jeder seine eigne Hygiene, sein eignes Reich von Arbeit,
seine eigne Art Vollkommenheits-Gefühl und Meisterschaft hat.
Die Natur, *nicht* Manu, trennt die vorwiegend Geistigen, die
vorwiegend Muskel- und Temperaments-Starken und die weder
im einen, noch im andern ausgezeichneten dritten, die Mittelmäßigen, voneinander ab — die letzteren als die große Zahl,
die ersteren als die Auswahl. Die oberste Kaste — ich nenne sie
die Wenigsten — hat als die vollkommne auch die Vorrechte der
wenigsten: dazu gehört es, das Glück, die Schönheit, die Güte
auf Erden darzustellen. Nur die geistigsten Menschen haben die
Erlaubnis zur Schönheit, *zum* Schönen: nur bei ihnen ist Güte
nicht Schwäche. *Pulchrum est paucorum hominum:* das Gute ist
ein Vorrecht. Nichts kann ihnen dagegen weniger zugestanden
werden als häßliche Manieren oder ein pessimistischer Blick, ein
Auge, das *verhäßlicht* —, oder gar eine Entrüstung über den

Gesamt-Aspekt der Dinge. Die Entrüstung ist das Vorrecht der Tschandala; der Pessimismus desgleichen. *»Die Welt ist vollkommen«* — so redet der Instinkt der Geistigsten, der ja-sagende Instinkt —: »die Unvollkommenheit, das *Unter*-uns jeder Art, die Distanz, das Pathos der Distanz, der Tschandala selbst gehört noch zu dieser Vollkommenheit.« Die geistigsten Menschen, als die *Stärksten,* finden ihr Glück, worin andre ihren Untergang finden würden: im Labyrinth, in der Härte gegen sich und andre, im Versuch; ihre Lust ist die Selbstbezwingung: der Asketismus wird bei ihnen Natur, Bedürfnis, Instinkt. Die schwere Aufgabe gilt ihnen als Vorrecht; mit Lasten zu spielen, die andre erdrücken, eine *Erholung* ... Erkenntnis — eine Form des Asketismus. — Sie sind die ehrwürdigste Art Mensch: das schließt nicht aus, daß sie die heiterste, die liebenswürdigste sind. Sie herrschen, nicht weil sie wollen, sondern weil sie *sind*; es steht ihnen nicht frei, die zweiten zu sein. — Die *zweiten*: das sind die Wächter des Rechts, die Pfleger der Ordnung und der Sicherheit, das sind die vornehmen Krieger, das ist der *König* vor allem als die höchste Formel von Krieger, Richter und Aufrechterhalter des Gesetzes. Die zweiten sind die Exekutive der Geistigsten, das Nächste, was zu ihnen gehört, das was ihnen alles *Grobe* in der Arbeit des Herrschens abnimmt — ihr Gefolge, ihre rechte Hand, ihre beste Schülerschaft. — In dem allem, nochmals gesagt, ist nichts von Willkür, nichts »gemacht«; was *anders* ist, ist gemacht — die Natur ist dann zuschanden gemacht ... Die Ordnung der Kasten, die *Rangordnung,* formuliert nur das oberste Gesetz des Lebens selbst; die Abscheidung der drei Typen ist nötig zur Erhaltung der Gesellschaft, zur Ermöglichung höherer und höchster Typen — die *Ungleichheit* der Rechte ist erst die Bedingung dafür, daß es überhaupt Rechte gibt. — Ein Recht ist ein Vorrecht. In seiner Art Sein hat jeder auch sein Vorrecht. Unterschätzen wir die Vorrechte der *Mittelmäßigen* nicht. Das Leben nach der *Höhe* zu wird immer härter — die Kälte nimmt zu, die Verantwortlichkeit nimmt zu. Eine hohe Kultur ist eine Pyramide: sie kann nur auf einem breiten Boden stehn, sie hat zu allererst eine stark und gesund konsolidierte Mittelmäßigkeit zur Voraussetzung. Das Handwerk, der Handel, der Ackerbau, die *Wissenschaft,* der größte Teil der Kunst, der ganze Inbegriff der *Beruf*stätigkeit mit einem Wort, verträgt sich durchaus nur mit einem Mittelmaß im Können und Begehren; dergleichen wäre deplaziert unter Ausnahmen, der dazugehörige Instinkt widerspräche sowohl dem Aristokratismus als dem Anarchismus. Daß man ein öffentlicher Nutzen ist, ein Rad, eine Funktion, dazu gibt es eine Naturbestimmung: *nicht* die Gesellschaft, die Art *Glück,* deren die allermeisten bloß fähig sind, macht aus ihnen intelligente Maschinen. Für den Mittelmäßigen ist mittelmäßig sein ein Glück; die Meisterschaft in einem, die Spezialität ein natürlicher Instinkt. Es würde eines tieferen Geistes vollkommen unwürdig sein, in der Mittelmäßigkeit an sich schon einen Einwand zu sehn. Sie ist selbst die *erste* Notwendigkeit dafür, daß es Ausnahmen geben darf: eine hohe Kultur ist durch sie bedingt. Wenn der Ausnahme-Mensch gerade die Mittelmäßigen mit zarteren Fingern handhabt, als sich und seinesgleichen, so ist dies nicht bloß Höflichkeit des Herzens — es ist einfach seine *Pflicht* ... Wen hasse ich unter dem Gesindel von heute am besten? Das Sozialisten-Gesindel, die Tschandala-Apostel, die den Instinkt, die Lust, das Genügsamkeits-Gefühl des Arbeiters mit seinem kleinen Sein untergraben — die ihn neidisch machen, die ihn Rache lehren ... Das Unrecht liegt niemals in ungleichen Rechten, es liegt im Anspruch auf »*gleiche*« Rechte ... Was ist *schlecht*? Aber ich sagte es schon: alles, was aus Schwäche, aus Neid, aus *Rache* stammt. — Der Anarchist und der Christ sind einer Herkunft ...

58

In der Tat, es macht einen Unterschied, zu welchem Zweck man lügt: ob man damit erhält oder *zerstört.* Man darf zwischen *Christ* und *Anarchist* eine vollkommne Gleichung aufstellen: ihr Zweck, ihr Instinkt geht nur auf Zerstörung. Den Beweis für diesen Satz hat man aus der Geschichte nur abzulesen: sie enthält ihn in entsetzlicher Deutlichkeit. Lernten wir eben eine religiöse Gesetzgebung kennen, deren Zweck war, die oberste Bedingung dafür, daß das Leben *gedeiht,* eine große Organisation der Gesellschaft zu »verewigen« — das Christentum hat seine Mission darin gefunden, mit eben einer solchen Organisation, *weil in ihr das Leben gedieh,* ein Ende zu machen. Dort sollte der Vernunft-Ertrag von langen Zeiten des Experiments und der Unsicherheit zum fernsten Nutzen angelegt und die Ernte so groß, so reichlich, so vollständig wie möglich heimgebracht werden: hier wurde, umgekehrt, über Nacht die Ernte *vergiftet*... Das, was *aere perennius* dastand, das *imperium Romanum,* die großartigste Organisations-Form unter schwierigen Bedingungen, die bisher erreicht worden ist, im Vergleich zu der alles Vorher, alles Nachher Stückwerk, Stümperei, Dilettantismus ist — jene heiligen Anarchisten haben sich eine »Frömmigkeit« daraus gemacht, »die Welt«, *das heißt* das *imperium Romanum* zu zerstören, bis kein Stein auf dem andern blieb — bis selbst Germanen und andre Rüpel darüber Herr werden konnten... Der Christ und der Anarchist: beide *décadents,* beide unfähig, anders als auflösend, vergiftend, verkümmernd, *blutaussaugend* zu wirken, beide der Instinkt des *Todhasses* gegen alles, was steht, was groß dasteht, was Dauer hat, was dem Leben Zukunft verspricht... Das Christentum war der Vampyr des *imperium Romanum* — es hat die ungeheure Tat der Römer, den Boden für eine große Kultur zu gewinnen, *die Zeit hat,* über Nacht ungetan gemacht. — Versteht man es immer noch nicht? Das *imperium Romanum,* das wir kennen, das uns die Geschichte der römischen Provinz immer besser kennen lehrt, dies bewunderungswürdigste Kunstwerk des großen Stils, war ein Anfang, sein Bau war berechnet, sich mit Jahrtausenden zu *beweisen* — es ist bis heute nie so gebaut, nie auch nur geträumt worden, in gleichem Maße *sub specie aeterni* zu bauen! — Diese Organisation war fest genug, schlechte Kaiser auszuhalten: der Zufall von Personen darf nichts in solchen Dingen zu tun haben — *erstes* Prinzip aller großen Architektur. Aber sie war nicht fest genug gegen die *korrupteste* Art Korruption, gegen den *Christen...* Dies heimliche Gewürm, das sich in Nacht, Nebel und Zweideutigkeit an alle einzelnen heranschlich und jedem einzelnen den Ernst für *wahre* Dinge, den Instinkt überhaupt für *Realitäten* aussog, diese feige, femininische und zuckersüße Bande hat

Schritt für Schritt die »Seelen« diesem ungeheuren Bau entfremdet — jene wertvollen, jene männlich-vornehmen Naturen, die
in der Sache Roms ihre eigne Sache, ihren eignen Ernst, ihren
eignen Stolz empfanden. Diese Mucker-Schleicherei, die Kon-
ventikel-Heimlichkeit, düstere Begriffe wie Hölle, wie Opfer
des Unschuldigen, wie *unio mystica* im Bluttrinken, vor allem
das langsam aufgeschürte Feuer der Rache, der Tschandala-
Rache — *das* wurde Herr über Rom, dieselbe Art von Religion,
der in ihrer Präexistenz-Form schon Epikur den Krieg gemacht
hatte. Man lese Lukrez, um zu begreifen, *was* Epikur bekämpft
hat, *nicht* das Heidentum, sondern »das Christentum«, will
sagen die Verderbnis der Seelen durch den Schuld-, durch den
Straf- und Unsterblichkeits-Begriff. — Er bekämpfte die *unterirdischen* Kulte, das ganze latente Christentum — die Unsterblichkeit zu leugnen war damals schon eine wirkliche *Erlösung.* —
Und Epikur hätte gesiegt, jeder achtbare Geist im römischen
Reich war Epikureer: *da erschien Paulus* ... Paulus, der Fleisch-,
der Genie-gewordne Tschandala-Haß gegen Rom, gegen »die
Welt«, der Jude, der *ewige* Jude *par excellence* ... Was er erriet,
das war, wie man mit Hilfe der kleinen sektiererischen Christen-
Bewegung abseits des Judentums einen »Weltbrand« entzünden
könne, wie man mit dem Symbol »Gott am Kreuze« alles Unten-
Liegende, alles Heimlich-Aufrührerische, die ganze Erbschaft
anarchistischer Umtriebe im Reich, zu einer ungeheuren Macht
aufsummieren könne. »Das Heil kommt von den Juden.« — Das
Christentum als Formel, um die unterirdischen Kulte aller Art,
die des Osiris, der großen Mutter, des Mithras zum Beispiel, zu
überbieten — *und* zu summieren: in dieser Einsicht besteht das
Genie des Paulus. Sein Instinkt war darin so sicher, daß er die
Vorstellungen, mit denen jene Tschandala-Religionen faszinierten, mit schonungsloser Gewalttätigkeit an der Wahrheit dem
»Heilande« seiner Erfindung in den Mund legte, und nicht nur
in den Mund — daß er aus ihm etwas *machte,* das auch ein
Mithras-Priester verstehn konnte ... Dies war sein Augenblick
von Damaskus: er begriff, daß er den Unsterblichkeits-Glauben
nötig hatte, um »die Welt« zu entwerten, daß der Begriff
»Hölle« über Rom noch Herr wird — daß man mit dem »Jen-

seits« *das Leben tötet* . . . Nihilist und Christ: das reimt sich, das
reimt sich nicht bloß . . .

59

Die ganze Arbeit der antiken Welt *umsonst*: ich habe kein Wort
dafür, das mein Gefühl über etwas so Ungeheures ausdrückt. —
Und in Anbetracht, daß ihre Arbeit eine Vorarbeit war, daß eben
erst der Unterbau zu einer Arbeit von Jahrtausenden mit granit-
nem Selbstbewußtsein gelegt war, der ganze *Sinn* der antiken
Welt umsonst! . . . Wozu Griechen? wozu Römer? — Alle Voraussetzungen zu einer gelehrten Kultur, alle wissenschaftlichen
Methoden waren bereits da, man hatte die große, die unvergleich-
liche Kunst, gut zu lesen, bereits festgestellt — diese Voraussetzung zur Tradition der Kultur, zur Einheit der Wissenschaft;
die Naturwissenschaft, im Bunde mit Mathematik und Mechanik,
war auf dem allerbesten Wege — der *Tatsachen-Sinn,* der letzte
und wertvollste aller Sinne, hatte seine Schulen, seine bereits
Jahrhunderte alte Tradition! Versteht man das? Alles *Wesentliche* war gefunden, um an die Arbeit gehn zu können — die
Methoden, man muß es zehnmal sagen, *sind* das Wesentliche, auch
das Schwierigste, auch das, was am längsten die Gewohnheiten
und Faulheiten gegen sich hat. Was wir heute, mit unsäglicher
Selbstbezwingung — denn wir haben alle die schlechten Instinkte,
die christlichen, irgendwie noch im Leibe — uns zurückerobert
haben, den freien Blick vor der Realität, die vorsichtige Hand,
die Geduld und den Ernst im Kleinsten, die ganze *Rechtschaffenheit* der Erkenntnis — sie war bereits da! vor mehr als zwei
Jahrtausenden bereits! *Und,* dazu gerechnet, der gute, der feine
Takt und Geschmack! *Nicht* als Gehirn-Dressur! *Nicht* als
»deutsche« Bildung mit Rüpel-Manieren! Sondern als Leib, als
Gebärde, als Instinkt — als Realität mit einem Wort . . . *Alles
umsonst!* Über Nacht bloß noch eine Erinnerung! — Griechen!
Römer! die Vornehmheit des Instinkts, der Geschmack, die
methodische Forschung, das Genie der Organisation und Ver-
waltung, der Glaube, der *Wille* zur Menschen-Zukunft, das große
Ja zu allen Dingen als *imperium Romanum* sichtbar, für alle

Sinne sichtbar, der große Stil nicht mehr bloß Kunst, sondern Realität, Wahrheit, *Leben* geworden ... — Und nicht durch ein Natur-Ereignis über Nacht verschüttet! Nicht durch Germanen und andre Schwerfüßler niedergetreten! Sondern von listigen, heimlichen, unsichtbaren, blutarmen Vampyren zuschanden gemacht! Nicht besiegt — nur ausgesogen! ... Die versteckte Rachsucht, der kleine Neid *Herr* geworden! Alles Erbärmliche, An-sich-Leidende, Von-schlechten-Gefühlen-Heimgesuchte, die ganze *Ghetto-Welt* der Seele mit einem Male *obenauf*! — — Man lese nur irgendeinen christlichen Agitator, den heiligen Augustin zum Beispiel, um zu begreifen, um zu *riechen*, was für unsaubere Gesellen damit obenauf gekommen sind. Man würde sich ganz und gar betrügen, wenn man irgendwelchen Mangel an Verstand bei den Führern der christlichen Bewegung voraussetzte — o sie sind klug, klug, bis zur Heiligkeit, diese Herren Kirchenväter! Was ihnen abgeht, ist etwas ganz anderes. Die Natur hat sie vernachlässigt — sie vergaß, ihnen eine bescheidne Mitgift von achtbaren, von anständigen, von *reinlichen* Instinkten mitzugeben ... Unter uns, es sind nicht einmal Männer ... Wenn der Islam das Christentum verachtet, so hat er tausendmal recht dazu: der Islam hat *Männer* zur Voraussetzung ...

60

Das Christentum hat uns um die Ernte der antiken Kultur gebracht, es hat uns später wieder um die Ernte der *Islam*-Kultur gebracht. Die wunderbare maurische Kultur-Welt Spaniens, *uns* im Grunde verwandter, zu Sinn und Geschmack redender als Rom und Griechenland, wurde *niedergetreten* (— ich sage nicht von was für Füßen —), warum? weil sie vornehmen, weil sie Männer-Instinkten ihre Entstehung verdankte, weil sie zum Leben ja sagte auch noch mit den seltnen und raffinierten Kostbarkeiten des maurischen Lebens! ... Die Kreuzritter bekämpften später etwas, vor dem sich in den Staub zu legen ihnen besser angestanden hätte — eine Kultur, gegen die sich selbst unser neunzehntes Jahrhundert sehr arm, sehr »spät« vorkommen dürfte. — Freilich, sie wollten Beute machen: der Orient war

reich ... Man sei doch unbefangen! Kreuzzüge — die höhere See-
räuberei, weiter nichts! Der deutsche Adel, Wikinger-Adel im
Grunde, war damit in seinem Elemente: die Kirche wußte nur
zu gut, womit man deutschen Adel *hat* ... Der deutsche Adel,
immer die »Schweizer« der Kirche, immer im Dienste aller
schlechten Instinkte der Kirche — aber *gut bezahlt* ... Daß die
Kirche gerade mit Hilfe deutscher Schwerter, deutschen Blutes
und Mutes ihren Todfeindschafts-Krieg gegen alles Vornehme
auf Erden durchgeführt hat! Es gibt an dieser Stelle eine Menge
schmerzlicher Fragen. Der deutsche Adel *fehlt* beinahe in der
Geschichte der höheren Kultur: man errät den Grund ... Christentum, Alkohol — die beiden *großen* Mittel der Korruption ...
An sich sollte es ja keine Wahl geben, angesichts von Islam und
Christentum, so wenig als angesichts eines Arabers und eines
Juden. Die Entscheidung ist gegeben; es steht niemandem frei,
hier noch zu wählen. Entweder *ist* man ein Tschandala, oder man
ist es *nicht* ... »Krieg mit Rom aufs Messer! Friede, Freundschaft mit dem Islam«: so empfand, so *tat* jener große Freigeist,
das Genie unter den deutschen Kaisern, Friedrich der Zweite.
Wie? muß ein Deutscher erst Genie, erst Freigeist sein, um *anständig* zu empfinden? Ich begreife nicht, wie ein Deutscher je
christlich empfinden konnte ...

61

Hier tut es not, eine für Deutsche noch hundertmal peinlichere
Erinnerung zu berühren. Die Deutschen haben Europa um die
letzte große Kultur-Ernte gebracht, die es für Europa heimzubringen gab — um die der *Renaissance.* Versteht man endlich, *will*
man verstehn, *was* die Renaissance war? Die *Umwertung der
christlichen Werte,* der Versuch, mit allen Mitteln, mit allen Instinkten, mit allem Genie unternommen, die *Gegen*-Werte, die
vornehmen Werte zum Sieg zu bringen ... Es gab bisher nur
diesen großen Krieg, es gab bisher keine entscheidendere Fragestellung als die der Renaissance — *meine* Frage ist ihre Frage —:
es gab auch nie eine grundsätzlichere, eine geradere, eine strenger
in ganzer Front und auf das Zentrum losgeführte Form des

Angriffs! An der entscheidenden Stelle, im Sitz des Christentums selbst angreifen, hier die *vornehmen* Werte auf den Thron bringen, will sagen in die Instinkte, in die untersten Bedürfnisse und Begierden der daselbst Sitzenden *hinein*bringen... Ich sehe eine *Möglichkeit* vor mir von einem vollkommen überirdischen Zauber und Farbenreiz — es scheint mir, daß sie in allen Schaudern raffinierter Schönheit erglänzt, daß eine Kunst in ihr am Werke ist, so göttlich, so teufelsmäßig-göttlich, daß man Jahrtausende umsonst nach einer zweiten solchen Möglichkeit durchsucht; ich sehe ein Schauspiel, so sinnreich, so wunderbar paradox zugleich, daß alle Gottheiten des Olymps einen Anlaß zu einem unsterblichen Gelächter gehabt hätten — *Cesare Borgia als Papst* ... Versteht man mich?... Wohlan, *das* wäre der Sieg gewesen, nach dem *ich* heute allein verlange —: damit war das Christentum *abgeschafft*! — Was geschah? Ein deutscher Mönch, Luther, kam nach Rom. Dieser Mönch, mit allen rachsüchtigen Instinkten eines verunglückten Priesters im Leibe, empörte sich in Rom *gegen* die Renaissance... Statt mit tiefster Dankbarkeit das Ungeheure zu verstehn, das geschehen war, die Überwindung des Christentums an seinem *Sitz* —, verstand sein Haß aus diesem Schauspiel nur seine Nahrung zu ziehn. Ein religiöser Mensch denkt nur an sich. — Luther sah die *Verderbnis* des Papsttums, während gerade das Gegenteil mit Händen zu greifen war: die alte Verderbnis, das *peccatum originale,* das Christentum saß *nicht* mehr auf dem Stuhl des Papstes! Sondern das Leben! Sondern der Triumph des Lebens! Sondern das große Ja zu allen hohen, schönen, verwegenen Dingen!... Und Luther *stellte die Kirche wieder her*: er griff sie an... Die Renaissance — ein Ereignis ohne Sinn, ein großes *Umsonst*! — Ah diese Deutschen, was sie uns schon gekostet haben! Umsonst — das war immer das *Werk* der Deutschen. — Die Reformation; Leibniz; Kant und die sogenannte deutsche Philosophie; die »Freiheits«-Kriege; das Reich — jedesmal ein Umsonst für etwas, das bereits da war, für etwas *Unwiederbringliches* ... Es sind *meine* Feinde, ich bekenne es, diese Deutschen: ich verachte in ihnen jede Art von Begriffs- und Wert-Unsauberkeit, von *Feigheit* vor jedem rechtschaffnen Ja und Nein. Sie haben, seit einem Jahrtausend beinahe, alles

verfilzt und verwirrt, woran sie mit ihren Fingern rührten, sie
haben alle Halbheiten — Drei-Achtelsheiten! — auf dem Gewissen, an denen Europa krank ist — sie haben auch die unsauberste
Art Christentum, die es gibt, die unheilbarste, die unwiderleg-
barste, den Protestantismus auf dem Gewissen . . . Wenn man
nicht fertig wird mit dem Christentum, die *Deutschen* werden
daran schuld sein . . .

62

— Hiermit bin ich am Schluß und spreche mein Urteil. Ich *ver-
urteile* das Christentum, ich erhebe gegen die christliche Kirche
die furchtbarste aller Anklagen, die je ein Ankläger in den Mund
genommen hat. Sie ist mir die höchste aller denkbaren Korrup-
tionen, sie hat den Willen zur letzten auch nur möglichen Korruption gehabt. Die christliche Kirche ließ nichts mit ihrer Verderbnis unberührt, sie hat aus jedem Wert einen Unwert, aus
jeder Wahrheit eine Lüge, aus jeder Rechtschaffenheit eine See-
len-Niedertracht gemacht. Man wage es noch, mir von ihren
»humanitären« Segnungen zu reden! Irgendeinen Notstand *abschaffen* ging wider ihre tiefste Nützlichkeit: sie lebte von Not-
ständen, sie *schuf* Notstände, um *sich* zu verewigen . . . Der Wurm
der Sünde zum Beispiel: mit diesem Notstande hat erst die
Kirche die Menschheit bereichert! — Die »Gleichheit der Seelen
vor Gott«, diese Falschheit, dieser *Vorwand* für die *rancunes*
aller Niedriggesinnten, dieser Sprengstoff von Begriff, der endlich
Revolution, moderne Idee und Niedergangs-Prinzip der ganzen
Gesellschafts-Ordnung geworden ist — ist *christlicher* Dynamit . . .
»Humanitäre« Segnungen des Christentums! Aus der *humanitas*
einen Selbst-Widerspruch, eine Kunst der Selbstschändung, einen
Willen zur Lüge um jeden Preis, einen Widerwillen, eine Verachtung aller guten und rechtschaffnen Instinkte herauszuzüch-
ten! Das wären mir Segnungen des Christentums! — Der Parasitismus als *einzige* Praxis der Kirche; mit ihrem Bleichsuchts-,
ihrem »Heiligkeits«-Ideale jedes Blut, jede Liebe, jede Hoffnung
zum Leben austrinkend; das Jenseits als Wille zur Verneinung
jeder Realität; das Kreuz als Erkennungszeichen für die unter-

irdischste Verschwörung, die es je gegeben hat — gegen Gesundheit, Schönheit, Wohlgeratenheit, Tapferkeit, Geist, *Güte* der Seele, *gegen das Leben selbst* . . .

Diese ewige Anklage des Christentums will ich an alle Wände schreiben, wo es nur Wände gibt — ich habe Buchstaben, um auch Blinde sehend zu machen . . . Ich heiße das Christentum den *einen* großen Fluch, die *eine* große innerlichste Verdorbenheit, den *einen* großen Instinkt der Rache, dem kein Mittel giftig, heimlich, unterirdisch, *klein* genug ist — ich heiße es den *einen* unsterblichen Schandfleck der Menschheit . . .

Und man rechnet die *Zeit* nach dem *dies nefastus,* mit dem dies Verhängnis anhob — nach dem *ersten* Tag des Christentums! — *Warum nicht lieber nach seinem letzten? — Nach heute? —* Umwertung aller Werte!

Ecce Homo

Wie man wird, was man ist

VORWORT

1

In Voraussicht, daß ich über kurzem mit der schwersten Forderung an die Menschheit herantreten muß, die je an sie gestellt wurde, scheint es mir unerläßlich, zu sagen, *wer ich bin*. Im Grunde dürfte man's wissen: denn ich habe mich nicht »unbezeugt gelassen«. Das Mißverhältnis aber zwischen der Größe meiner Aufgabe und der *Kleinheit* meiner Zeitgenossen ist darin zum Ausdruck gekommen, daß man mich weder gehört, noch auch nur gesehn hat. Ich lebe auf meinen eignen Kredit hin, es ist vielleicht bloß ein Vorurteil, daß ich lebe? ... Ich brauche nur irgendeinen »Gebildeten« zu sprechen, der im Sommer ins Ober-Engadin kommt, um mich zu überzeugen, daß ich *nicht* lebe ... Unter diesen Umständen gibt es eine Pflicht, gegen die im Grunde meine Gewohnheit, noch mehr der Stolz meiner Instinkte revoltiert, nämlich zu sagen: *Hört mich! denn ich bin der und der. Verwechselt mich vor allem nicht!*

2

Ich bin zum Beispiel durchaus kein Popanz, kein Moral-Ungeheuer — ich bin sogar eine Gegensatz-Natur zu der Art Mensch, die man bisher als tugendhaft verehrt hat. Unter uns, es scheint mir, daß gerade das zu meinem Stolz gehört. Ich bin ein Jünger des Philosophen Dionysos, ich zöge vor, eher noch ein Satyr zu sein als ein Heiliger. Aber man lese nur diese Schrift. Vielleicht gelang es mir, vielleicht hatte diese Schrift gar keinen andren Sinn, als diesen Gegensatz zu einer heitren und menschenfreundlichen Weise zum Ausdruck zu bringen. Das letzte, was *ich* versprechen würde, wäre, die Menschheit zu »verbessern«. Von mir werden keine neuen Götzen aufgerichtet; die alten mögen

lernen, was es mit tönernen Beinen auf sich hat. *Götzen* (mein
Wort für »Ideale«) *umwerfen* — das gehört schon eher zu meinem Handwerk. Man hat die Realität in dem Grade um ihren
Wert, ihren Sinn, ihre Wahrhaftigkeit gebracht, als man eine
ideale Welt *erlog* ... Die »wahre Welt« und die »scheinbare
Welt« — auf deutsch: die *erlogne* Welt und die Realität ... Die
Lüge des Ideals war bisher der Fluch über die Realität, die
Menschheit selbst ist durch sie bis in ihre untersten Instinkte
hinein verlogen und falsch geworden — bis zur Anbetung der
umgekehrten Werte, als die sind, mit denen ihr erst das Gedeihen, die Zukunft, das hohe *Recht* auf Zukunft verbürgt wäre.

3

— Wer die Luft meiner Schriften zu atmen weiß, weiß, daß es
eine Luft der Höhe ist, eine *starke* Luft. Man muß für sie geschaffen sein, sonst ist die Gefahr keine kleine, sich in ihr zu erkäl-
ten. Das Eis ist nahe, die Einsamkeit ist ungeheuer — aber wie
ruhig alle Dinge im Lichte liegen! wie frei man atmet! wieviel
man *unter* sich fühlt! — Philosophie, wie ich sie bisher verstanden und gelebt habe, ist das freiwillige Leben in Eis und Hoch-
gebirge — das Aufsuchen alles Fremden und Fragwürdigen im
Dasein, alles dessen, was durch die Moral bisher in Bann getan
war. Aus einer langen Erfahrung, welche eine solche Wanderung
im *Verbotenen* gab, lernte ich die Ursachen, aus denen bisher
moralisiert und idealisiert wurde, sehr anders ansehn, als es er-
wünscht sein mag: die *verborgene* Geschichte der Philosophen,
die Psychologie ihrer großen Namen kam für mich ans Licht. —
Wieviel Wahrheit *erträgt,* wieviel Wahrheit *wagt* ein Geist? das
wurde für mich immer mehr der eigentliche Wertmesser. Irrtum
(— der Glaube ans Ideal —) ist nicht Blindheit, Irrtum ist *Feigheit* ... Jede Errungenschaft, jeder Schritt vorwärts in der Erkenntnis *folgt* aus dem Mut, aus der Härte gegen sich, aus der
Sauberkeit gegen sich ... Ich widerlege die Ideale nicht, ich ziehe
bloß Handschuhe vor ihnen an ... *Nitimur in v e t i t u m*: in
diesem Zeichen siegt einmal meine Philosophie, denn man verbot bisher grundsätzlich immer nur die Wahrheit. —

4

— Innerhalb meiner Schriften steht für sich mein *Zarathustra*. Ich habe mit ihm der Menschheit das größte Geschenk gemacht, das ihr bisher gemacht worden ist. Dies Buch, mit einer Stimme über Jahrtausende hinweg, ist nicht nur das höchste Buch, das es gibt, das eigentliche Höhenluft-Buch — die ganze Tatsache Mensch liegt in ungeheurer Ferne *unter* ihm —, es ist auch das *tiefste,* das aus dem innersten Reichtum der Wahrheit heraus geborene, ein unerschöpflicher Brunnen, in den kein Eimer hinabsteigt, ohne mit Gold und Güte gefüllt heraufzukommen. Hier redet kein »Prophet«, keiner jener schauerlichen Zwitter von Krankheit und Willen zur Macht, die man Religionsstifter nennt. Man muß vor allem den Ton, der aus diesem Munde kommt, diesen halkyonischen Ton richtig *hören,* um dem Sinn seiner Weisheit nicht erbarmungswürdig unrecht zu tun. »Die stillsten Worte sind es, welche den Sturm bringen, Gedanken, die mit Taubenfüßen kommen, lenken die Welt —«

Die Feigen fallen von den Bäumen, sie sind gut und süß: und indem sie fallen, reißt ihnen die rote Haut. Ein Nordwind bin ich reifen Feigen.

Also, gleich Feigen, fallen euch diese Lehren zu, meine Freunde: nun trinkt ihren Saft und ihr süßes Fleisch! Herbst ist es umher und reiner Himmel und Nachmittag —

Hier redet kein Fanatiker, hier wird nicht »gepredigt«, hier wird nicht *Glauben* verlangt: aus einer unendlichen Lichtfülle und Glückstiefe fällt Tropfen für Tropfen, Wort für Wort — eine zärtliche Langsamkeit ist das Tempo dieser Reden. Dergleichen gelangt nur zu den Auserwähltesten; es ist ein Vorrecht ohnegleichen, hier Hörer zu sein; es steht niemandem frei, für Zarathustra Ohren zu haben... Ist Zarathustra mit alledem nicht ein *Verführer?*... Aber was sagt er doch selbst, als er zum ersten Male wieder in seine Einsamkeit zurückkehrt? Genau das Gegenteil von dem, was irgendein »Weiser«, »Heiliger«,

»Welt-Erlöser« und andrer *décadent* in einem solchen Falle sagen würde... Er redet nicht nur anders, er *ist* auch anders...

Allein gehe ich nun, meine Jünger! Auch ihr geht nun davon und allein! So will ich es.

Geht fort von mir und wehrt euch gegen Zarathustra! Und besser noch: schämt euch seiner! Vielleicht betrog er euch.

Der Mensch der Erkenntnis muß nicht nur seine Feinde lieben, er muß auch seine Freunde hassen können.

Man vergilt einem Lehrer schlecht, wenn man immer nur der Schüler bleibt. Und warum wollt ihr nicht an meinem Kranze rupfen?

Ihr verehrt mich: aber wie, wenn eure Verehrung eines Tages *umfällt*? Hütet euch, daß euch nicht eine Bildsäule erschlage!

Ihr sagt, ihr glaubt an Zarathustra? Aber was liegt an Zarathustra! Ihr seid meine Gläubigen, aber was liegt an allen Gläubigen!

Ihr hattet euch noch nicht gesucht: da fandet ihr mich. So tun alle Gläubigen; darum ist es so wenig mit allem Glauben.

Nun heiße ich euch, mich verlieren und euch finden; und erst, *wenn ihr mich alle verleugnet habt,* will ich euch wiederkehren...

Friedrich Nietzsche

An diesem vollkommnen Tage, wo alles reift und nicht nur die Traube braun wird, fiel mir eben ein Sonnenblick auf mein Leben: ich sah rückwärts, ich sah hinaus, ich sah nie so viel und so gute Dinge auf einmal. Nicht umsonst begrub ich heute mein vierundvierzigstes Jahr, ich *durfte* es begraben — was in ihm Leben war, ist gerettet, ist unsterblich. Das erste Buch der *Umwertung aller Werte,* die *Lieder Zarathustras,* die Götzen-Dämmerung, mein Versuch, mit dem Hammer zu philosophieren — alles Geschenke dieses Jahrs, sogar seines letzten Vierteljahrs! *Wie sollte ich nicht meinem ganzen Leben dankbar sein? —* Und so erzähle ich mir mein Leben.

1

Das Glück meines Daseins, seine Einzigkeit vielleicht, liegt in seinem Verhängnis: ich bin, um es in Rätselform auszudrücken, als mein Vater bereits gestorben, als meine Mutter lebe ich noch und werde alt. Diese doppelte Herkunft, gleichsam aus der obersten und der untersten Sprosse an der Leiter des Lebens, *décadent* zugleich und *Anfang* — dies, wenn irgend etwas, erklärt jene Neutralität, jene Freiheit von Partei im Verhältnis zum Gesamtproblem des Lebens, die mich vielleicht auszeichnet. Ich habe für die Zeichen von Aufgang und Niedergang eine feinere Witterung als je ein Mensch gehabt hat, ich bin der Lehrer *par excellence* hierfür — ich kenne beides, ich bin beides. — Mein Vater starb mit sechsunddreißig Jahren: er war zart, liebenswürdig und morbid, wie ein nur zum Vorübergehn bestimmtes Wesen — eher eine gütige Erinnerung an das Leben, als das Leben selbst. Im gleichen Jahre, wo sein Leben abwärts ging, ging auch das meine abwärts: im sechsunddreißigsten Lebensjahre kam ich auf den niedrigsten Punkt meiner Vitalität — ich lebte noch, doch ohne drei Schritt weit vor mich zu sehn. Damals — es war 1879 — legte ich meine Basler Professur nieder, lebte den Sommer über wie ein Schatten in St. Moritz und den nächsten Winter, den sonnenärmsten meines Lebens, *als* Schatten in Naumburg. Dies war mein Minimum: »Der Wanderer und sein Schatten« entstand währenddem. Unzweifelhaft, ich verstand mich damals auf Schatten... Im Winter darauf, meinem ersten Genueser Winter, brachte jene Versüßung und Vergeistigung, die mit einer extremen Armut an Blut und Muskel beinahe bedingt ist, die »Morgenröte« hervor. Die vollkommne Helle und Heiterkeit, selbst Exuberanz des Geistes, welche das genannte Werk widerspiegelt, verträgt sich bei mir nicht nur mit der tiefsten physiologischen Schwäche, sondern sogar mit einem Exzeß von Schmerzgefühl. Mitten in Martern, die ein ununterbrochner dreitägiger Gehirn-Schmerz samt mühseligem Schleim-Erbrechen mit sich bringt — besaß ich eine Dialektiker-Klarheit *par excellence* und dachte Dinge sehr kaltblütig durch, zu denen ich in gesünderen Verhältnissen nicht Kletterer, nicht raffiniert, nicht *kalt* genug bin. Meine Leser wissen vielleicht, inwiefern ich Dialektik als Décadence-Symptom betrachte, zum Beispiel im allerberühmtesten Fall: im Fall des Sokrates. — Alle krankhaften Störungen des Intellekts, selbst jene Halbbetäubung, die das Fieber im Gefolge hat, sind mir bis heute gänzlich fremde Dinge geblieben, über deren Natur und Häufigkeit ich mich erst auf gelehrtem Wege zu unterrichten hatte. Mein Blut läuft langsam. Niemand hat je an mir Fieber konstatieren können. Ein Arzt, der mich länger als Nervenkranken behandelte, sagte schließlich: »Nein! an Ihren Nerven liegt's nicht, ich selber bin nur nervös«. Schlechterdings unnachweisbar irgendeine lokale Entartung; kein organisch bedingtes Magenleiden, wie sehr auch immer, als Folge der Gesamterschöpfung, die tiefste Schwäche des gastrischen Systems. Auch das Augenleiden, dem Blindwerden zeitweilig sich gefährlich annähernd, nur Folge, nicht ursächlich: so daß mit jeder Zunahme an Lebenskraft auch die Sehkraft wieder zugenommen hat. — Eine lange, allzulange Reihe von Jahren bedeutet bei mir Genesung — sie bedeutet leider auch zugleich Rückfall, Verfall, Periodik einer Art *décadence*. Brauche ich, nach alledem, zu sagen, daß ich in Fragen der *décadence erfahren* bin? Ich habe sie vorwärts und rückwärts buchstabiert. Selbst jene Filigran-Kunst des Greifens und Begreifens überhaupt, jene Finger für *nuances,* jene Psychologie des »Um-die-Ecke-sehns« und was sonst mir eignet, ward damals erst erlernt, ist das eigentliche Geschenk jener Zeit, in der alles sich bei mir verfeinerte, die Beobachtung selbst wie alle Organe der Beobachtung. Von der Kranken-Optik aus nach *gesünderen* Begriffen und Werten, und wiederum umgekehrt aus der Fülle und Selbstgewißheit des *reichen* Lebens hinuntersehn in die heimliche Arbeit des Décadence-Instinkts — das war meine längste Übung, meine eigentliche Erfahrung, wenn irgendworin wurde ich darin Meister. Ich habe es jetzt in der Hand, ich habe die Hand dafür, *Perspektiven umzustellen*: erster Grund, weshalb für mich allein vielleicht eine »Umwertung der Werte« überhaupt möglich ist. —

2

Abgerechnet nämlich, daß ich ein *décadent* bin, bin ich auch dessen Gegensatz. Mein Beweis dafür ist, unter anderem, daß ich instinktiv gegen die schlimmen Zustände immer die *rechten* Mittel wählte: während der *décadent* an sich immer die ihm nachteiligen Mittel wählt. Als *summa summarum* war ich gesund, als Winkel, als Spezialität war ich *décadent.* Jene Energie zur absoluten Vereinsamung und Herauslösung aus gewohnten Verhältnissen, der Zwang gegen mich, mich nicht mehr besorgen, bedienen, *beärzteln* zu lassen — das verrät die unbedingte Instinkt-Gewißheit darüber, *was* damals vor allem not tat. Ich nahm mich selbst in die Hand, ich machte mich selber wieder gesund: die Bedingung dazu — jeder Physiologe wird das zugeben — ist, *daß man im Grunde gesund ist.* Ein typisch morbides Wesen kann nicht gesund werden, noch weniger sich selbst gesund machen; für einen typisch Gesunden kann umgekehrt Kranksein sogar ein energisches *Stimulans* zum Leben, zum Mehrleben sein. So in der Tat erscheint mir *jetzt* jene lange Krankheits-Zeit: ich entdeckte das Leben gleichsam neu, mich selber eingerechnet, ich schmeckte alle guten und selbst kleinen Dinge, wie sie andre nicht leicht schmecken könnten — ich machte aus meinem Willen zur Gesundheit, zum *Leben,* meine Philosophie... Denn man gebe acht darauf: die Jahre meiner niedrigsten Vitalität waren es, wo ich *aufhörte,* Pessimist zu sein: der Instinkt der Selbst-Wiederherstellung *verbot* mir eine Philosophie der Armut und Entmutigung... Und woran erkennt man im Grunde die *Wohlgeratenheit!* Daß ein wohlgeratner Mensch unsern Sinnen wohltut: daß er aus einem Holze geschnitzt ist, das hart, zart und wohlriechend zugleich ist. Ihm schmeckt nur, was ihm zuträglich ist; sein Gefallen, seine Lust hört auf, wo das Maß des Zuträglichen überschritten wird. Er errät Heilmittel gegen Schädigungen, er nützt schlimme Zufälle zu seinem Vorteil aus; was ihn nicht umbringt, macht ihn stärker. Er sammelt instinktiv aus allem, was er sieht, hört, erlebt, *seine* Summe: er ist ein auswählendes Prinzip, er läßt viel durchfallen. Er ist immer in *seiner* Gesellschaft, ob er mit Büchern, Menschen oder Landschaften verkehrt: er ehrt, indem er *wählt,* indem er *zuläßt,* indem er *vertraut.* Er reagiert auf alle Art Reize langsam, mit jener Langsamkeit, die eine lange Vorsicht und ein gewollter Stolz ihm angezüchtet haben — er prüft den Reiz, der herankommt, er ist fern davon, ihm entgegenzugehn. Er glaubt weder an »Unglück«, noch an »Schuld«: er wird fertig, mit sich, mit anderen, er weiß zu *vergessen,* — er ist stark genug, daß ihm alles zum Besten gereichen *muß.* — Wohlan, ich bin das *Gegenstück* eines *décadent:* denn ich beschrieb eben *mich.*

3

Diese doppelte Reihe von Erfahrungen, diese Zugänglichkeit zu anscheinend getrennten Welten wiederholt sich in meiner Natur in jeder Hinsicht — ich bin ein Doppelgänger, ich habe auch das »zweite« Gesicht noch außer dem ersten. *Und* vielleicht auch noch das dritte... Schon meiner Abkunft nach ist mir ein Blick erlaubt jenseits aller bloß lokal, bloß national bedingten Perspektiven, es kostet mich keine Mühe, ein »guter Europäer« zu sein. Andrerseits bin ich vielleicht mehr deutsch, als jetzige Deutsche, bloße Reichsdeutsche es noch zu sein vermöchten — ich, der letzte *antipolitische* Deutsche. Und doch waren meine Vorfahren polnische Edelleute: ich habe von daher viel Rassen-Instinkte im Leibe, wer weiß? zuletzt gar noch das *liberum veto.* Denke ich daran, wie oft ich unterwegs als Pole angeredet werde und von Polen selbst, wie selten man mich für einen Deutschen nimmt, so könnte es scheinen, daß ich nur zu den *angesprenkelten* Deutschen gehörte. Aber meine Mutter, Franziska Oehler, ist jedenfalls etwas sehr Deutsches; insgleichen meine Großmutter väterlicherseits, Erdmuthe Krause. Letztere lebte ihre ganze Jugend mitten im guten alten Weimar, nicht ohne Zusammenhang mit dem Goetheschen Kreise. Ihr Bruder, der Professor der Theologie Krause in Königsberg, wurde nach Herders Tod als Generalsuperintendent nach Weimar berufen. Es ist nicht unmöglich, daß ihre Mutter, meine Urgroßmutter, unter dem Namen »Muthgen« im Tagebuch des jungen Goethe vorkommt. Sie verheiratete sich zum zweiten Mal mit dem Superintendent Nietzsche in Eilenburg; an dem Tage des großen Kriegsjahrs 1813, wo Napoleon mit seinem Generalstab in Eilenburg einzog, am 10. Oktober hatte sie ihre Niederkunft. Sie war, als Sächsin, eine große Verehrerin Napoleons; es könnte sein, daß ich's auch noch bin. Mein Vater, 1813 geboren, starb 1849. Er lebte, bevor er das Pfarramt der Gemeinde Röcken unweit Lützen übernahm, einige Jahre auf dem Altenburger Schlosse und unterrichtete die vier Prinzessinnen daselbst. Seine Schülerinnen sind die Königin von Hannover, die Großfürstin Constantin, die Großherzogin von Oldenburg und die Prinzeß Therese von Sachsen-Altenburg. Er war voll tiefer Pietät gegen den preußischen König Friedrich Wilhelm den Vierten, von dem er auch sein Pfarramt erhielt; die Ereignisse von 1848 betrübten ihn über die Maßen. Ich selber, am Geburtstage des genannten Königs geboren, am 15. Oktober, erhielt, wie billig, die Hohenzollern-Namen *Friedrich Wilhelm*. Einen Vorteil hatte jedenfalls die Wahl dieses Tages: mein Geburtstag war meine ganze Kindheit hindurch ein Festtag. — Ich betrachte es als ein großes Vorrecht, einen solchen Vater gehabt zu haben: es scheint mir sogar, daß sich damit alles erklärt, was ich sonst an Vorrechten habe — das Leben, das große Ja zum Leben *nicht* eingerechnet. Vor allem, daß es für mich keiner Absicht dazu bedarf, sondern eines bloßen Abwartens, um unfreiwillig in eine Welt hoher und zarter Dinge einzutreten: ich bin dort zu Hause, meine innerste Leidenschaft wird dort erst frei. Daß ich für dies Vorrecht beinahe mit dem Leben zahlte, ist gewiß kein unbilliger Handel. — Um nur etwas von meinem Zarathustra zu verstehn, muß man vielleicht ähnlich bedingt sein, wie ich es bin — mit einem Fuße *jenseits* des Lebens ...

4

Ich habe nie die Kunst verstanden, gegen mich einzunehmen — auch das verdanke ich meinem unvergleichlichen Vater —, und

selbst noch, wenn es mir von großem Werte schien. Ich bin sogar,
wie sehr immer das unchristlich scheinen mag, nicht einmal gegen
mich eingenommen, man mag mein Leben hin- und herwenden,
man wird darin nur selten, im Grunde nur einmal Spuren davon
entdecken, daß jemand bösen Willen gegen mich gehabt hätte —
vielleicht aber etwas zu viel Spuren von *gutem* Willen ... Meine
Erfahrungen selbst mit solchen, an denen jedermann schlechte
Erfahrungen macht, sprechen ohne Ausnahme zu deren Gunsten;
ich zähme jeden Bär, ich mache die Hanswürste noch sittsam. In
den sieben Jahren wo ich an der obersten Klasse des Basler Päd-
agogiums Griechisch lehrte, habe ich keinen Anlaß gehabt, eine
Strafe zu verhängen; die Faulsten waren bei mir fleißig. Dem
Zufall bin ich immer gewachsen; ich muß unvorbereitet sein, um
meiner Herr zu sein. Das Instrument, es sei, welches es wolle,
es sei so verstimmt, wie nur das Instrument »Mensch« verstimmt
werden kann — ich müßte krank sein, wenn es mir nicht gelingen
sollte, ihm etwas Anhörbares abzugewinnen. Und wie oft habe
ich das von den »Instrumenten« selber gehört, daß sie sich noch
nie so gehört hätten ... Am schönsten vielleicht von jenem un-
verzeihlich jung gestorbenen Heinrich von Stein, der einmal,
nach sorgsam eingeholter Erlaubnis, auf drei Tage in Sils-Maria
erschien, jedermann erklärend, daß er *nicht* wegen des Engadins
komme. Dieser ausgezeichnete Mensch, der mit der ganzen un-
gestümen Einfalt eines preußischen Junkers in den Wagner-
schen Sumpf hineingewatet war (— und außerdem noch in den
Dühringschen!), war diese drei Tage wie umgewandelt durch
einen Sturmwind der Freiheit, gleich einem, der plötzlich in *seine*
Höhe gehoben wird und Flügel bekommt. Ich sagte ihm immer,
das mache die gute Luft hier oben, so gehe es jedem, man sei
nicht umsonst 6000 Fuß über Bayreuth — aber er wollte mirs
nicht glauben ... Wenn trotzdem an mir manche kleine und große
Missetat verübt worden ist, so war nicht »der Wille«, am wenigsten der *böse* Wille Grund davon: eher schon hätte ich mich —
ich deutete es eben an — über den guten Willen zu beklagen, der
keinen kleinen Unfug in meinem Leben angerichtet hat. Meine
Erfahrungen geben mir ein Anrecht auf Mißtrauen überhaupt
hinsichtlich der sogenannten »selbstlosen« Triebe, der gesamten

zu Rat und Tat bereiten »Nächstenliebe«. Sie gilt mir an sich als Schwäche, als Einzelfall der Widerstands-Unfähigkeit gegen Reize — das *Mitleiden* heißt nur bei *décadents* eine Tugend. Ich werfe den Mitleidigen vor, daß ihnen die Scham, die Ehrfurcht, das Zartgefühl vor Distanzen leicht abhanden kommt, daß Mitleiden im Handumdrehn nach Pöbel riecht und schlechten Manieren zum Verwechseln ähnlich sieht — daß mitleidige Hände unter Umständen geradezu zerstörerisch in ein großes Schicksal, in eine Vereinsamung unter Wunden, in ein *Vorrecht* auf schwere Schuld hineingreifen können. Die Überwindung des Mitleids rechne ich unter die *vornehmen* Tugenden: ich habe als »Versuchung Zarathustras« einen Fall gedichtet, wo ein großer Notschrei an ihn kommt, wo das Mitleiden wie eine letzte Sünde ihn überfallen, ihn von *sich* abspenstig machen will. Hier Herr bleiben, hier die *Höhe* seiner Aufgabe rein halten von den viel niedrigeren und kurzsichtigeren Antrieben, welche in den sogenannten selbstlosen Handlungen tätig sind, das ist die Probe, die letzte Probe vielleicht, die ein Zarathustra abzulegen hat — sein eigentlicher *Beweis* von Kraft . . .

5

Auch noch in einem anderen Punkte bin ich bloß mein Vater noch einmal und gleichsam sein Fortleben nach einem allzufrühen Tode. Gleich jedem, der nie unter seinesgleichen lebte und dem der Begriff »Vergeltung« so unzugänglich ist wie etwa der Begriff »gleiche Rechte«, verbiete ich mir in Fällen, wo eine kleine oder *sehr große* Torheit an mir begangen wird, jede Gegenmaßregel, jede Schutzmaßregel — wie billig, auch jede Verteidigung, jede »Rechtfertigung«. Meine Art Vergeltung besteht darin, der Dummheit so schnell wie möglich eine Klugheit nachzuschicken: so holt man sie vielleicht noch ein. Im Gleichnis geredet: ich schicke einen Topf mit Konfitüren, um eine *sauere* Geschichte loszuwerden . . . Man hat nur etwas an mir schlimm zu machen, ich »vergelte« es, dessen sei man sicher: ich finde über kurzem eine Gelegenheit, dem »Missetäter« meinen Dank auszudrücken (mitunter sogar für die Missetat) — oder ihn um etwas

zu *bitten*, was verbindlicher sein kann als etwas geben ... Auch
scheint es mir, daß das gröbste Wort, der gröbste Brief noch gut-
artiger, noch honetter sind als Schweigen. Solchen, die schweigen,
fehlt es fast immer an Feinheit und Höflichkeit des Herzens;
Schweigen ist ein Einwand, Hinunterschlucken macht notwendig
einen schlechten Charakter — es verdirbt selbst den Magen. Alle
Schweiger sind dyspeptisch. — Man sieht, ich möchte die Grob-
heit nicht unterschätzt wissen, sie ist bei weitem die *humanste*
Form des Widerspruchs und, inmitten der modernen Verzärte-
lung, eine unsrer ersten Tugenden. — Wenn man reich genug
dazu ist, ist es selbst ein Glück, unrecht zu haben. Ein Gott, der
auf die Erde käme, dürfte gar nichts andres *tun* als Unrecht —
nicht die Strafe, sondern die *Schuld* auf sich zu nehmen wäre erst
göttlich.

6

Die Freiheit vom Ressentiment, die Aufklärung über das Ressentiment — wer weiß, wie sehr ich zuletzt auch darin meiner langen Krankheit zu Dank verpflichtet bin! Das Problem ist nicht
gerade einfach: man muß es aus der Kraft heraus und aus der
Schwäche heraus erlebt haben. Wenn irgend etwas überhaupt
gegen Kranksein, gegen Schwachsein geltend gemacht werden
muß, so ist es, daß in ihm der eigentliche Heilinstinkt, das ist
der *Wehr- und Waffen-Instinkt* im Menschen mürbe wird. Man
weiß von nichts loszukommen, man weiß mit nichts fertig zu
werden, man weiß nichts zurückzustoßen — alles verletzt. Mensch
und Ding kommen zudringlich nahe, die Erlebnisse treffen zu
tief, die Erinnerung ist eine eiternde Wunde. Kranksein *ist* eine
Art Ressentiment selbst. — Hiergegen hat der Kranke nur ein
großes Heilmittel — ich nenne es den *russischen Fatalismus,* jenen
Fatalismus ohne Revolte, mit dem sich ein russischer Soldat, dem
der Feldzug zu hart wird, zuletzt in den Schnee legt. Nichts überhaupt mehr annehmen, an sich nehmen, *in* sich hineinneh-
men — überhaupt nicht mehr reagieren ... Die große Vernunft
dieses Fatalismus, der nicht immer nur der Mut zum Tode ist,
als lebenerhaltend unter den lebensgefährlichsten Umständen,

ist die Herabsetzung des Stoffwechsels, dessen Verlangsamung,
eine Art Wille zum Winterschlaf. Ein paar Schritte weiter in
dieser Logik, und man hat den Fakir, der wochenlang in einem
Grabe schläft ... Weil man zu schnell sich verbrauchen würde,
wenn man überhaupt reagierte, reagiert man gar nicht mehr:
dies ist die Logik. Und mit nichts brennt man rascher ab, als mit
den Ressentiments-Affekten. Der Ärger, die krankhafte Ver-
letzlichkeit, die Ohnmacht zur Rache, die Lust, der Durst nach
der Rache, das Giftmischen in jedem Sinne — das ist für Er-
schöpfte sicherlich die nachteiligste Art zu reagieren: ein rapider
Verbrauch von Nervenkraft, eine krankhafte Steigerung schädlicher Ausleerungen, zum Beispiel der Galle in den Magen, ist
damit bedingt. Das Ressentiment ist das Verbotene *an sich* für
den Kranken — *sein* Böses: leider auch sein natürlichster Hang. —
Das begriff jener tiefe Physiolog Buddha. Seine »Religion«, die
man besser als eine *Hygiene* bezeichnen dürfte, um sie nicht mit
so erbarmungswürdigen Dingen, wie das Christentum ist, zu
vermischen, machte ihre Wirkung abhängig von dem Sieg über
das Ressentiment: die Seele *davon* frei machen — erster Schritt
zur Genesung. »Nicht durch Feindschaft kommt Feindschaft
zu Ende, durch Freundschaft kommt Feindschaft zu Ende«: das
steht am Anfang der Lehre Buddhas — so redet *nicht* die Moral,
so redet die Physiologie. — Das Ressentiment, aus der Schwäche
geboren, niemandem schädlicher als dem Schwachen selbst — im
andern Falle, wo eine reiche Natur die Voraussetzung ist, ein
überflüssiges Gefühl, ein Gefühl, über das Herr zu bleiben beinahe der Beweis des Reichtums ist. Wer den Ernst kennt, mit dem
meine Philosophie den Kampf mit den Rach- und Nachgefühlen
bis in die Lehre vom »freien Willen« hinein aufgenommen hat —
der Kampf mit dem Christentum ist nur ein Einzelfall daraus —,
wird verstehn, weshalb ich mein persönliches Verhalten, meine
Instinkt-Sicherheit in der Praxis hier gerade ans Licht stelle. In
den Zeiten der *décadence verbot* ich sie mir als schädlich; sobald
das Leben wieder reich und stolz genug dazu war, verbot ich sie
mir als *unter* mir. Jener »russische Fatalismus«, von dem ich
sprach, trat darin bei mir hervor, daß ich beinahe unerträgliche
Lagen, Orte, Wohnungen, Gesellschaften, nachdem sie einmal,

durch Zufall, gegeben waren, jahrelang zäh festhielt — es war besser, als sie ändern, als sie veränderbar zu *fühlen* — als sich gegen sie aufzulehnen ... Mich in diesem Fatalismus stören, mich gewaltsam aufwecken nahm ich damals tödlich übel — in Wahrheit war es auch jedesmal tödlich gefährlich. — Sich selbst wie ein Fatum nehmen, nicht sich »anders« wollen — das ist in solchen Zuständen die *große Vernunft* selbst.

7

Ein ander Ding ist der Krieg. Ich bin meiner Art nach kriegerisch. Angreifen gehört zu meinen Instinkten. Feind sein *können,* Feind sein — das setzt vielleicht eine starke Natur voraus, jedenfalls ist es bedingt in jeder starken Natur. Sie braucht Widerstände, folglich *sucht* sie Widerstand: das *aggressive* Pathos gehört ebenso notwendig zur Stärke als das Rach- und Nachgefühl zur Schwäche. Das Weib zum Beispiel ist rachsüchtig: das ist in seiner Schwäche bestimmt, so gut wie seine Reizbarkeit für fremde Not. — Die Stärke des Angreifenden hat in der Gegnerschaft, die er nötig hat, eine Art *Maß*; jedes Wachstum verrät sich im Aufsuchen eines gewaltigen Gegners — oder Problems: denn ein Philosoph, der kriegerisch ist, fordert auch Probleme zum Zweikampf heraus. Die Aufgabe ist *nicht,* überhaupt über Widerstände Herr zu werden, sondern über solche, an denen man seine ganze Kraft, Geschmeidigkeit und Waffen-Meisterschaft einzusetzen hat — über *gleiche* Gegner ... Gleichheit vor dem Feinde — erste Voraussetzung zu einem *rechtschaffnen* Duell. Wo man verachtet, *kann* man nicht Krieg führen; wo man befiehlt, wo man etwas unter sich sieht, *hat* man nicht Krieg zu führen. — Meine Kriegs-Praxis ist in vier Sätze zu fassen. Erstens: ich greife nur Sachen an, die siegreich sind — ich warte unter Umständen, bis sie siegreich sind. Zweitens: ich greife nur Sachen an, wo ich keine Bundesgenossen finden würde, wo ich allein stehe — wo ich mich allein kompromittiere ... Ich habe nie einen Schritt öffentlich getan, der nicht kompromittierte: das ist *mein* Kriterium des rechten Handelns. Drittens: ich greife nie Personen an — ich bediene mich der Person nur wie eines starken Vergrößerungs-

glases, mit dem man einen allgemeinen, aber schleichenden, aber
wenig greifbaren Notstand sichtbar machen kann. So griff ich
David Strauß an, genauer den *Erfolg* eines altersschwachen Buchs
bei der deutschen »Bildung« — ich ertappte diese Bildung dabei
auf der Tat... So griff ich Wagner an, genauer die Falschheit,
die Instinkt-Halbschlächtigkeit unsrer »Kultur«, welche die
Raffinierten mit den Reichen, die Späten mit den Großen verwechselt. Viertens: ich greife nur Dinge an, wo jedwede Perso-
nen-Differenz ausgeschlossen ist, wo jeder Hintergrund schlimmer Erfahrungen fehlt. Im Gegenteil, angreifen ist bei mir ein
Beweis des Wohlwollens, unter Umständen der Dankbarkeit.
Ich ehre, ich zeichne aus damit, daß ich meinen Namen mit dem
einer Sache, einer Person verbinde: für oder wider — das gilt mir
darin gleich. Wenn ich dem Christentum den Krieg mache, so
steht dies mir zu, weil ich von dieser Seite aus keine Fatalitäten
und Hemmungen erlebt habe — die ernstesten Christen sind mir
immer gewogen gewesen. Ich selber, ein Gegner des Christentums *de rigueur*, bin ferne davon, es dem einzelnen nachzutragen,
was das Verhängnis von Jahrtausenden ist. —

8

Darf ich noch einen letzten Zug meiner Natur anzudeuten wagen,
der mir im Umgang mit Menschen keine kleine Schwierigkeit
macht? Mir eignet eine vollkommen unheimliche Reizbarkeit des
Reinlichkeits-Instinkts, so daß ich die Nähe oder — was sage
ich? — das Innerlichste, die »Eingeweide« jeder Seele physiologisch wahrnehme — *rieche*... Ich habe an dieser Reizbarkeit
psychologische Fühlhörner, mit denen ich jedes Geheimnis be-
taste und in die Hand bekomme: der viele *verborgene* Schmutz
auf dem Grunde mancher Natur, vielleicht in schlechtem Blut
bedingt, aber durch Erziehung übertüncht, wird mir fast bei der
ersten Berührung schon bewußt. Wenn ich recht beobachtet habe,
empfinden solche meiner Reinlichkeit unzuträgliche Naturen die
Vorsicht meines Ekels auch ihrerseits: sie werden damit nicht
wohlriechender... So wie ich mich immer gewöhnt habe — eine
extreme Lauterkeit gegen mich ist meine Daseins-Voraussetzung,

ich komme um unter unreinen Bedingungen —, schwimme und bade und plätschere ich gleichsam beständig im Wasser, in irgendeinem vollkommen durchsichtigen und glänzenden Elemente. Das macht mir aus dem Verkehr mit Menschen keine kleine Gedulds-Probe; meine Humanität besteht *nicht* darin, mitzufühlen, wie der Mensch ist, sondern es *auszuhalten,* daß ich ihn mitfühle... Meine Humanität ist eine beständige Selbstüberwindung. — Aber ich habe *Einsamkeit* nötig, will sagen, Genesung, Rückkehr zu mir, den Atem einer freien leichten spielenden Luft... Mein ganzer Zarathustra ist ein Dithyrambus auf die Einsamkeit, oder, wenn man mich verstanden hat, auf die *Reinheit*... Zum Glück nicht auf die *reine Torheit.* — Wer Augen für Farben hat, wird ihn diamanten nennen. — Der *Ekel* am Menschen, am »Gesindel« war immer meine größte Gefahr... Will man die Worte hören, in denen Zarathustra von der *Erlösung* vom Ekel redet?

Was geschah mir doch? Wie erlöste ich mich vom Ekel? Wer verjüngte mein Auge? Wie erflog ich die Höhe, wo kein Gesindel mehr am Brunnen sitzt?

Schuf mein Ekel selber mir Flügel und quellenahnende Kräfte? Wahrlich, ins Höchste muß ich fliegen, daß ich den Born der Lust wiederfände! —

O ich fand ihn, meine Brüder! Hier im Höchsten quillt mir der Born der Lust! Und es gibt ein Leben, an dem kein Gesindel mittrinkt!

Fast zu heftig strömst du mir, Quell der Lust! Und oft leerst du den Becher wieder, dadurch, daß du ihn füllen willst.

Und noch muß ich lernen, bescheidner dir zu nahen: allzuheftig strömt dir noch mein Herz entgegen:

— mein Herz, auf dem mein Sommer brennt, der kurze, heiße, schwermütige, überselige: wie verlangt mein Sommer-Herz nach deiner Kühle!

Vorbei die zögernde Trübsal meines Frühlings! Vorüber die Schneeflocken meiner Bosheit im Juni! Sommer wurde ich ganz und Sommer-Mittag, —

— ein Sommer im Höchsten mit kalten Quellen und seliger Stille: o kommt, meine Freunde, daß die Stille noch seliger werde!

Denn dies ist *unsre* Höhe und unsre Heimat: zu hoch und steil wohnen wir hier allen Unreinen und ihrem Durste.

Werft nur eure reinen Augen in den Born meiner Lust, ihr Freunde! Wie sollte er darob trübe werden? Entgegenlachen soll er euch mit *seiner* Reinheit.

Auf dem Baume Zukunft bauen wir unser Nest; Adler sollen uns Einsamen Speise bringen in ihren Schnäbeln!

Wahrlich, keine Speise, an der Unsaubere mitessen dürften! Feuer würden sie zu fressen wähnen und sich die Mäuler verbrennen.

Wahrlich, keine Heimstätten halten wir hier bereit für Unsaubere! Eishöhle würde ihren Leibern unser Glück heißen und ihren Geistern!

Und wie starke Winde wollen wir über ihnen leben, Nachbarn den Adlern, Nachbarn dem Schnee, Nachbarn der Sonne: also leben starke Winde.

Und einem Winde gleich will ich einst noch zwischen sie blasen und mit meinem Geiste ihrem Geiste den Atem nehmen: so will es meine Zukunft.

Wahrlich, ein starker Wind ist Zarathustra allen Niederungen: und solchen Rat rät er seinen Feinden und allem, was spuckt und speit: hütet euch, *gegen* den Wind zu speien! ...

1

-- Warum ich einiges *mehr* weiß? Warum ich überhaupt so klug bin? Ich habe nie über Fragen nachgedacht, die keine sind — ich habe mich nicht verschwendet. — Eigentliche *religiöse* Schwierigkeiten zum Beispiel kenne ich nicht aus Erfahrung. Es ist mir gänzlich entgangen, inwiefern ich »sündhaft« sein sollte. Insgleichen fehlt mir ein zuverlässiges Kriterium dafür, was ein Gewissensbiß ist: nach dem, was man darüber *hört,* scheint mir ein Gewissensbiß nichts Achtbares... Ich möchte nicht eine Handlung *hinterdrein* im Stich lassen, ich würde vorziehn, den schlimmen Ausgang, die *Folgen* grundsätzlich aus der Wertfrage wegzulassen. Man verliert beim schlimmen Ausgang gar zu leicht den *richtigen* Blick für das, was man tat: ein Gewissensbiß scheint mir eine Art *»böser Blick«.* Etwas, das fehlschlägt, um so mehr bei sich in Ehren halten, *weil* es fehlschlug — das gehört eher schon zu meiner Moral. — »Gott«, »Unsterblichkeit der Seele«, »Erlösung«, »Jenseits«, lauter Begriffe, denen ich keine Aufmerksamkeit, auch keine Zeit geschenkt habe, selbst als Kind nicht — ich war vielleicht nie kindlich genug dazu? — Ich kenne den Atheismus durchaus nicht als Ergebnis, noch weniger als Ereignis: er versteht sich bei mir aus Instinkt. Ich bin zu neugierig, zu *fragwürdig,* zu übermütig, um mir eine faustgrobe Antwort gefallen zu lassen. Gott ist eine faustgrobe Antwort, eine Undelikatesse gegen uns Denker —, im Grunde sogar bloß ein faustgrobes *Verbot* an uns: ihr sollt nicht denken!... Ganz anders interessiert mich eine Frage, an der mehr das »Heil der Menschheit« hängt, als an irgendeiner Theologen-Kuriosität: die Frage der *Ernährung.* Man kann sie sich, zum Handgebrauch, so formulieren: »wie hast gerade *du* dich zu ernähren, um zu

deinem Maximum von Kraft, von *virtù* im Renaissance-Stile,
von moralinfreier Tugend zu kommen?« — Meine Erfahrungen
sind hier so schlimm als möglich; ich bin erstaunt, diese Frage
so spät gehört, aus diesen Erfahrungen so spät »Vernunft« gelernt zu haben. Nur die vollkommne Nichtswürdigkeit unsrer
deutschen Bildung — ihr »Idealismus« — erklärt mir einigermaßen, weshalb ich gerade hier rückständig bis zur Heiligkeit
war. Diese »Bildung«, welche von vornherein die *Realitäten* aus
den Augen verlieren lehrt, um durchaus problematischen, sogenannten »idealen« Zielen nachzujagen, zum Beispiel der »klassischen Bildung« — als ob sie nicht von vornherein verurteilt wäre,
»klassisch« und »deutsch« in *einen* Begriff zu einigen! Mehr noch,
es wirkt erheiternd — man denke sich einmal einen »klassisch gebildeten« Leipziger! — In der Tat, ich habe bis zu meinen reifsten Jahren immer nur *schlecht* gegessen — moralisch ausgedrückt
»unpersönlich«, »selbstlos«, »altruistisch«, zum Heil der Köche
und andrer Mitchristen. Ich verneinte zum Beispiel durch Leipziger Küche, gleichzeitig mit meinem ersten Studium Schopenhauers (1865), sehr ernsthaft meinen »Willen zum Leben«. Sich
zum Zweck unzureichender Ernährung auch noch den Magen
verderben — dies Problem schien mir die genannte Küche zum
Verwundern glücklich zu lösen. (Man sagt, 1866 habe darin eine
Wendung hervorgebracht —.) Aber die deutsche Küche überhaupt — was hat sie nicht alles auf dem Gewissen! Die Suppe *vor*
der Mahlzeit (noch in venetianischen Kochbüchern des 16. Jahrhunderts *alla tedesca* genannt); die ausgekochten Fleische, die
fett und mehlig gemachten Gemüse; die Entartung der Mehl-
speise zum Briefbeschwerer! Rechnet man gar noch die geradezu
viehischen Nachguß-Bedürfnisse der alten, durchaus nicht bloß
alten Deutschen dazu, so versteht man auch die Herkunft des
deutschen Geistes — aus betrübten Eingeweiden . . . Der deutsche
Geist ist eine Indigestion, er wird mit nichts fertig. — Aber auch
die *englische* Diät, die, im Vergleich mit der deutschen, selbst der
französischen, eine Art »Rückkehr zur Natur«, nämlich zum
Kannibalismus ist, geht meinem eignen Instinkt tief zuwider;
es scheint mir, daß sie dem Geist *schwere* Füße gibt — Englän-
derinnen-Füße . . . Die beste Küche ist die *Piemonts*. — Alkoho-

lika sind mir nachteilig; ein Glas Wein oder Bier des Tags reicht vollkommen aus, mir aus dem Leben ein »Jammertal« zu machen — in München leben meine Antipoden. Gesetzt, daß ich dies ein wenig spät begriff, *erlebt* habe ich's eigentlich von Kindesbeinen an. Als Knabe glaubte ich, Weintrinken sei wie Tabakrauchen anfangs nur eine Vanitas junger Männer, später eine schlechte Gewöhnung. Vielleicht, daß an diesem *herben* Urteil auch der Naumburger Wein mit schuld ist. Zu glauben, daß der Wein *erheitert,* dazu müßte ich Christ sein, will sagen glauben, was gerade für mich eine Absurdität ist. Seltsam genug, bei dieser extremen Verstimmbarkeit durch *kleine,* stark verdünnte Dosen Alkohol, werde ich beinahe zum Seemann, wenn es sich um *starke* Dosen handelt. Schon als Knabe hatte ich hierin meine Tapferkeit. Eine lange lateinische Abhandlung in *einer* Nachtwache niederzuschreiben und auch noch abzuschreiben, mit dem Ehrgeiz in der Feder, es meinem Vorbilde Sallust in Strenge und Gedrängtheit nachzutun und einigen Grog von schwerstem Kaliber über mein Latein zu gießen, dies stand schon, als ich Schüler der ehrwürdigen Schulpforta war, durchaus nicht im Widerspruch zu meiner Physiologie, noch vielleicht auch zu der des Sallust — wie sehr auch immer zur ehrwürdigen Schulpforta ... Später, gegen die Mitte des Lebens hin, entschied ich mich freilich immer strenger *gegen* jedwedes »geistige« Getränk: ich, ein Gegner des Vegetariertums aus Erfahrung, ganz wie Richard Wagner, der mich bekehrt hat, weiß nicht ernsthaft genug die unbedingte Enthaltung von Alcoholicis allen *geistigeren* Naturen anzuraten. *Wasser* tut's ... Ich ziehe Orte vor, wo man überall Gelegenheit hat, aus fließenden Brunnen zu schöpfen (Nizza, Turin, Sils); ein kleines Glas läuft mir nach wie ein Hund. *In vino veritas*: es scheint, daß ich auch hier wieder über den Begriff »Wahrheit« mit aller Welt uneins bin — bei mir schwebt der Geist über dem Wasser ... Ein paar Fingerzeige noch aus meiner Moral. Eine starke Mahlzeit ist leichter zu verdauen als eine zu kleine. Daß der Magen als Ganzes in Tätigkeit tritt, erste Voraussetzung einer guten Verdauung. Man muß die Größe seines Magens *kennen.* Aus gleichem Grunde sind jene langwierigen Mahlzeiten zu widerraten, die ich unterbrochne Opferfeste nenne,

die an der *table d'hôte*. — Keine Zwischenmahlzeiten, keinen
Kaffee: Kaffee verdüstert. *Tee* nur morgens zuträglich. Wenig,
aber energisch: Tee sehr nachteilig und den ganzen Tag ankrän-
kelnd, wenn er nur um einen Grad zu schwach ist. Jeder hat hier
sein Maß, oft zwischen den engsten und delikatesten Grenzen. In
einem sehr agaçanten Klima ist Tee als Anfang unrätlich: man
soll eine Stunde vorher eine Tasse dicken entölten Kakaos den
Anfang machen lassen. — So wenig als möglich *sitzen*; keinem
Gedanken Glauben schenken, der nicht im Freien geboren ist und
bei freier Bewegung — in dem nicht auch die Muskeln ein Fest
feiern. Alle Vorteile kommen aus den Eingeweiden. — Das Sitz-
fleisch — ich sagte es schon einmal — die eigentliche *Sünde* wider
den heiligen Geist. —

2

Mit der Frage der Ernährung ist nächstverwandt die Frage nach
Ort und *Klima*. Es steht niemandem frei, überall zu leben; und
wer große Aufgaben zu lösen hat, die seine ganze Kraft heraus-
fordern, hat hier sogar eine sehr enge Wahl. Der klimatische Einfluß auf den *Stoffwechsel*, seine Hemmung, seine Beschleunigung,
geht so weit, daß ein Fehlgriff in Ort und Klima jemanden nicht
nur seiner Aufgabe entfremden, sondern ihm dieselbe überhaupt
vorenthalten kann: er bekommt sie nie zu Gesicht. Der ani-
malische *vigor* ist nie groß genug bei ihm geworden, daß jene
ins Geistige überströmende Freiheit erreicht wird, wo jemand
erkennt: *das* kann ich allein ... Eine zur schlechten Gewohnheit
gewordne noch so kleine Eingeweide-Trägheit genügt vollständig, um aus einem Genie etwas Mittelmäßiges, etwas »Deutsches«
zu machen; das deutsche Klima allein ist ausreichend, um starke
und selbst heroisch angelegte Eingeweide zu entmutigen. Das
tempo des Stoffwechsels steht in einem genauen Verhältnis zur
Beweglichkeit oder Lahmheit der *Füße* des Geistes; der »Geist«
selbst ist ja nur eine Art dieses Stoffwechsels. Man stelle sich die
Orte zusammen, wo es geistreiche Menschen gibt und gab, wo
Witz, Raffinement, Bosheit zum Glück gehörten, wo das Genie
fast notwendig sich heimisch machte: sie haben alle eine ausge-

zeichnete trockne Luft. Paris, die Provence, Florenz, Jerusalem,
Athen — diese Namen beweisen etwas: das Genie ist *bedingt*
durch trockne Luft, durch reinen Himmel — das heißt durch
rapiden Stoffwechsel, durch die Möglichkeit, große, selbst ungeheure Mengen Kraft sich immer wieder zuzuführen. Ich habe
einen Fall vor Augen, wo ein bedeutend und frei angelegter
Geist bloß durch Mangel an Instinkt-Feinheit im Klimatischen
eng, verkrochen, Spezialist und Sauertopf wurde. Und ich selber
hätte zuletzt dieser Fall werden können, gesetzt, daß mich nicht
die Krankheit zur Vernunft, zum Nachdenken über die Vernunft in der Realität gezwungen hätte. Jetzt, wo ich die Wirkungen klimatischen und meteorologischen Ursprungs aus langer
Übung an mir als an einem sehr feinen und zuverlässigen Instru-
mente ablese und bei einer kurzen Reise schon, etwa von Turin
nach Mailand, den Wechsel in den Graden der Luftfeuchtigkeit
physiologisch bei mir nachrechne, denke ich mit Schrecken an die
unheimliche Tatsache, daß mein Leben bis auf die letzten zehn
Jahre, die lebensgefährlichen Jahre, immer sich nur in falschen
und mir geradezu *verbotenen* Orten abgespielt hat. Naumburg,
Schulpforta, Thüringen überhaupt, Leipzig, Basel, Venedig —
ebensoviele Unglücks-Orte für meine Physiologie. Wenn ich
überhaupt von meiner ganzen Kindheit und Jugend keine will-
kommne Erinnerung habe, so wäre es eine Torheit, hier sogenannte »moralische« Ursachen geltend zu machen — etwa den
unbestreitbaren Mangel an *zureichender* Gesellschaft: denn dieser
Mangel besteht heute wie er immer bestand, ohne daß er mich
hinderte, heiter und tapfer zu sein. Sondern die Unwissenheit *in
physiologicis* — der verfluchte »Idealismus« — ist das eigentliche
Verhängnis in meinem Leben, das Überflüssige und Dumme
darin, etwas, aus dem nichts Gutes gewachsen, für das es keine
Ausgleichung, keine Gegenrechnung gibt. Aus den Folgen dieses
»Idealismus« erkläre ich mir alle Fehlgriffe, alle großen Instinkt-
Abirrungen und »Bescheidenheiten« abseits der *Aufgabe* meines
Lebens, zum Beispiel, daß ich Philologe wurde — warum zum
mindesten nicht Arzt oder sonst irgend etwas Augen-Aufschlie-
ßendes? In meiner Basler Zeit war meine ganze geistige Diät,
die Tages-Einteilung eingerechnet, ein vollkommen sinnloser

Mißbrauch außerordentlicher Kräfte, ohne eine irgendwie den Verbrauch deckende Zufuhr von Kräften, ohne ein Nachdenken selbst über Verbrauch und Ersatz. Es fehlte jede feinere Selbstigkeit, jede *Obhut* eines gebieterischen Instinkts, es war ein Sichgleich-Setzen mit irgendwem, eine »Selbstlosigkeit«, ein Vergessen seiner Distanz — etwas, das ich mir nie verzeihe. Als ich fast am Ende war, dadurch, *daß* ich fast am Ende war, wurde ich nachdenklich über diese Grund-Unvernunft meines Lebens — den »Idealismus«. Die *Krankheit* brachte mich erst zur Vernunft. —

3

Die Wahl in der Ernährung; die Wahl von Klima und Ort; — das dritte, worin man um keinen Preis einen Fehlgriff tun darf, ist die Wahl *seiner Art Erholung*. Auch hier sind je nach dem Grade, in dem ein Geist *sui generis* ist, die Grenzen des ihm Erlaubten, das heißt *Nützlichen*, eng und enger. In meinem Fall gehört alles Lesen zu meinen Erholungen: folglich zu dem, was mich von mir losmacht, was mich in fremden Wissenschaften und Seelen spazierengehen läßt — was ich nicht mehr ernst nehme. Lesen erholt mich eben von *meinem* Ernste. In tief arbeitsamen Zeiten sieht man keine Bücher bei mir: ich würde mich hüten, jemanden in meiner Nähe reden oder gar denken zu lassen. Und das hieße ja lesen . . . Hat man eigentlich beobachtet, daß in jener tiefen Spannung, zu der die Schwangerschaft den Geist und im Grunde den ganzen Organismus verurteilt, der Zufall, jede Art Reiz von außen her zu vehement wirkt, zu tief »einschlägt«? Man muß dem Zufall, dem Reiz von außen her so viel als möglich aus dem Wege gehn; eine Art Selbst-Vermauerung gehört zu den ersten Instinkt-Klugheiten der geistigen Schwangerschaft. Werde ich es erlauben, daß ein *fremder* Gedanke heimlich über die Mauer steigt? — Und das hieße ja lesen . . . Auf die Zeiten der Arbeit und Fruchtbarkeit folgt die Zeit der Erholung: heran mit euch, ihr angenehmen, ihr geistreichen, ihr gescheuten Bücher! — Werden es deutsche Bücher sein? . . . Ich muß ein Halbjahr zurückrechnen, daß ich mich mit einem Buch, in der

Hand ertappe. Was war es doch? — Eine ausgezeichnete Studie von Victor Brochard, *les Sceptiques Grecs*, in der auch meine Laertiana gut benutzt sind. Die Skeptiker, der einzige *ehrenwerte* Typus unter dem so zwei- bis fünfdeutigen Volk der Philosophen!... Sonst nehme ich meine Zuflucht fast immer zu denselben Büchern, einer kleinen Zahl im Grunde, den gerade für mich *bewiesenen* Büchern. Es liegt vielleicht nicht in meiner Art, viel und vielerlei zu lesen: ein Lesezimmer macht mich krank. Es liegt auch nicht in meiner Art, viel und vielerlei zu lieben. Vorsicht, selbst Feindseligkeit gegen neue Bücher gehört eher schon zu meinem Instinkte als »Toleranz«, *»largeur du cœur«* und andre »Nächstenliebe«... Im Grunde ist es eine kleine Anzahl älterer Franzosen, zu denen ich immer wieder zurückkehre: ich glaube nur an französische Bildung und halte alles, was sich sonst in Europa »Bildung« nennt, für Mißverständnis, nicht zu reden von der deutschen Bildung... Die wenigen Fälle hoher Bildung, die ich in Deutschland vorfand, waren alle französischer Herkunft, vor allem Frau Cosima Wagner, bei weitem die erste Stimme in Fragen des Geschmacks, die ich gehört habe. — Daß ich Pascal nicht lese, sondern *liebe,* als das lehrreichste Opfer des Christentums, langsam hingemordet, erst leiblich, dann psychologisch, die ganze Logik dieser schauderhaftesten Form unmenschlicher Grausamkeit; daß ich etwas von Montaignes Mutwillen im Geiste, wer weiß? vielleicht auch im Leibe habe; daß mein Artisten-Geschmack die Namen Molière, Corneille und Racine nicht ohne Ingrimm gegen ein wüstes Genie wie Shakespeare in Schutz nimmt: das schließt zuletzt nicht aus, daß mir nicht auch die allerletzten Franzosen eine charmante Gesellschaft wären. Ich sehe durchaus nicht ab, in welchem Jahrhundert der Geschichte man so neugierige und zugleich so delikate Psychologen zusammenfischen könnte, wie im jetzigen Paris: ich nenne versuchsweise — denn ihre Zahl ist gar nicht klein — die Herren Paul Bourget, Pierre Loti, Gyp, Meilhac, Anatole France, Jules Lemaître, oder um einen von der starken Rasse hervorzuheben, einen echten Lateiner, dem ich besonders zugetan bin, Guy de Maupassant. Ich ziehe *diese* Generation, unter uns gesagt, sogar ihren großen Lehrern vor, die allesamt durch deutsche Philo-

sophie verdorben sind (Herr Taine zum Beispiel durch Hegel,
dem er das Mißverständnis großer Menschen und Zeiten verdankt). Soweit Deutschland reicht, *verdirbt* es die Kultur. Der
Krieg erst hat den Geist in Frankreich »erlöst«... Stendhal,
einer der schönsten Zufälle meines Lebens — denn alles, was in
ihm Epoche macht, hat der Zufall, niemals eine Empfehlung mir
zugetrieben — ist ganz unschätzbar mit seinem vorwegnehmen-
den Psychologen-Auge, mit seinem Tatsachen-Griff, der an die
Nähe des größten Tatsächlichen erinnert *(ex ungue Napoleonem —)*; endlich nicht am wenigsten als *ehrlicher* Atheist, eine
in Frankreich spärliche und fast kaum auffindbare *species* —
Prosper Mérimée in Ehren... Vielleicht bin ich selbst auf Stendhal neidisch? Er hat mir den besten Atheisten-Witz weggenom-
men, den gerade ich hätte machen können: »Die einzige Ent-
schuldigung Gottes ist, daß er nicht existiert«... Ich selbst habe
irgendwo gesagt: was war der größte Einwand gegen das Dasein
bisher? *Gott*...

4

Den höchsten Begriff vom Lyriker hat mir *Heinrich Heine* gegeben. Ich suche umsonst in allen Reichen der Jahrtausende nach
einer gleich süßen und leidenschaftlichen Musik. Er besaß jene
göttliche Bosheit, ohne die ich mir das Vollkommne nicht zu denken vermag — ich schätze den Wert von Menschen, von Rassen
danach ab, wie notwendig sie den Gott nicht abgetrennt vom
Satyr zu verstehen wissen. — Und wie er das Deutsche handhabt!
Man wird einmal sagen, daß Heine und ich bei weitem die
ersten Artisten der deutschen Sprache gewesen sind — in einer
unausrechenbaren Entfernung von allem, was bloße Deutsche
mit ihr gemacht haben. — Mit *Byrons* Manfred muß ich tief verwandt sein: ich fand alle diese Abgründe in mir — mit dreizehn
Jahren war ich für dies Werk reif. Ich habe kein Wort, bloß einen
Blick für die, welche in Gegenwart des Manfred das Wort Faust
auszusprechen wagen. Die Deutschen sind *unfähig* jedes Begriffs
von Größe: Beweis Schumann. Ich habe eigens, aus Ingrimm
gegen diesen süßlichen Sachsen, eine Gegenouvertüre zum Man-

fred komponiert, von der Hans von Bülow sagte, dergleichen
habe er nie auf Notenpapier gesehn: das sei Notzucht an der
Euterpe. — Wenn ich meine höchste Formel für *Shakespeare* suche,
so finde ich immer nur die, daß er den Typus Cäsar konzipiert
hat. Dergleichen errät man nicht — man ist es oder man ist es
nicht. Der große Dichter schöpft *nur* aus seiner Realität — bis
zu dem Grade, daß er hinterdrein sein Werk nicht mehr aus-
hält... Wenn ich einen Blick in meinen Zarathustra geworfen
habe, gehe ich eine halbe Stunde im Zimmer auf und ab, unfähig, über einen unerträglichen Krampf von Schluchzen Herr
zu werden. — Ich kenne keine herzzerreißendere Lektüre als
Shakespeare: was muß ein Mensch gelitten haben, um dergestalt
es nötig zu haben, Hanswurst zu sein! — *Versteht* man den Ham-
let? Nicht der Zweifel, die *Gewißheit* ist das, was wahnsinnig
macht... Aber dazu muß man tief, Abgrund, Philosoph sein,
um so zu fühlen... Wir *fürchten* uns alle vor der Wahrheit...
Und, daß ich es bekenne: ich bin dessen instinktiv sicher und gewiß, daß Lord Bacon der Urheber, der Selbsttierquäler dieser
unheimlichsten Art Literatur ist: was geht *mich* das erbarmungswürdige Geschwätz amerikanischer Wirr- und Flachköpfe an?
Aber die Kraft zur mächtigsten Realität der Vision ist nicht nur
verträglich mit der mächtigsten Kraft zur Tat, zum Ungeheuren
der Tat, zum Verbrechen — *sie setzt sie selbst voraus* ... Wir
wissen lange nicht genug von Lord Bacon, dem ersten Realisten
in jedem großen Sinn des Wortes, um zu wissen, *was* er alles
getan, *was* er gewollt, *was* er mit sich erlebt hat... Und zum
Teufel, meine Herrn Kritiker! Gesetzt, ich hätte meinen Zarathustra auf einen fremden Namen getauft, zum Beispiel auf
den von Richard Wagner, der Scharfsinn von zwei Jahrtausenden hätte nicht ausgereicht, zu erraten, daß der Verfasser von
»Menschliches, Allzumenschliches« der Visionär des Zarathustra
ist ...

5

Hier, wo ich von den Erholungen meines Lebens rede, habe ich
ein Wort nötig, um meine Dankbarkeit für das auszudrücken,

was mich in ihm bei weitem am tiefsten und herzlichsten erholt
hat. Dies ist ohne allen Zweifel der intimere Verkehr mit Richard
Wagner gewesen. Ich lasse den Rest meiner menschlichen Be-
ziehungen billig; ich möchte um keinen Preis die Tage von
Tribschen aus meinem Leben weggeben, Tage des Vertrauens, der
Heiterkeit, der sublimen Zufälle — der *tiefen* Augenblicke ...
Ich weiß nicht, was andre mit Wagner erlebt haben: über *unsern*
Himmel ist nie eine Wolke hinweggegangen. — Und hiermit
komme ich nochmals auf Frankreich zurück — ich habe keine
Gründe, ich habe bloß einen verachtenden Mundwinkel gegen
Wagnerianer *et hoc genus omne* übrig, welche Wagner damit zu
ehren glauben, daß sie ihn *sich* ähnlich finden ... So wie ich bin,
in meinen tiefsten Instinkten allem, was deutsch ist, fremd, so
daß schon die Nähe eines Deutschen meine Verdauung verzögert,
war die erste Berührung mit Wagner auch das erste Aufatmen in
meinem Leben: ich empfand, ich verehrte ihn als *Ausland,* als
Gegensatz, als leibhaften Protest gegen alle »deutschen Tugenden.« — Wir, die wir in der Sumpfluft der fünfziger Jahre Kinder gewesen sind, sind mit Notwendigkeit Pessimisten für den
Begriff »deutsch«; wir können gar nichts andres sein als Revolu-
tionäre — wir werden keinen Zustand der Dinge zugeben, wo
der *Mucker* obenauf ist. Es ist mir vollkommen gleichgültig, ob
er heute in andren Farben spielt, ob er sich in Scharlach klei-
det und Husaren-Uniformen anzieht ... Wohlan! Wagner war
ein Revolutionär — er lief von den Deutschen davon ... Als
Artist hat man keine Heimat in Europa außer in Paris: die
délicatesse in allen fünf Kunstsinnen, die Wagners Kunst vor-
aussetzt, die Finger für *nuances,* die psychologische Morbidität,
findet sich nur in Paris. Man hat nirgendswo sonst die Leidenschaft in Fragen der Form, diesen Ernst in der *mise en scène* —
es ist der Pariser Ernst *par excellence.* Man hat in Deutschland
gar keinen Begriff von der ungeheuren Ambition, die in der
Seele eines Pariser Künstlers lebt. Der Deutsche ist gutmütig —
Wagner war durchaus nicht gutmütig ... Aber ich habe schon
zur Genüge ausgesprochen (in »Jenseits von Gut und Böse«:
Seite 147 ff.), wohin Wagner gehört, in wem er seine Nächstverwandten hat: es ist die französische Spät-Romantik, jene hoch-

fliegende und doch emporreißende Art von Künstlern wie Delacroix, wie Berlioz, mit einem *fond* von Krankheit, von Unheil-
barkeit im Wesen, lauter Fanatiker des *Ausdrucks,* Virtuosen
durch und durch... Wer war der erste *intelligente* Anhänger
Wagners überhaupt? Charles Baudelaire, derselbe, der zuerst
Delacroix verstand, jener typische *décadent,* in dem sich ein ganzes Geschlecht von Artisten wiedererkannt hat — er war vielleicht auch der letzte... Was ich Wagner nie vergeben habe? Daß
er zu den Deutschen *kondeszendierte* — daß er reichsdeutsch
wurde... So weit Deutschland reicht, *verdirbt* es die Kultur. —

6

Alles erwogen, hätte ich meine Jugend nicht ausgehalten ohne
Wagnersche Musik. Denn ich war *verurteilt* zu Deutschen. Wenn
man von einem unerträglichen Druck loskommen will, so hat man
Haschisch nötig. Wohlan, ich hatte Wagner nötig. Wagner ist das
Gegengift gegen alles Deutsche *par excellence* — Gift, ich bestreite
es nicht... Von dem Augenblick an, wo es einen Klavierauszug
des Tristan gab — mein Kompliment, Herr von Bülow! —, war
ich Wagnerianer. Die älteren Werke Wagners sah ich unter mir —
noch zu gemein, zu »deutsch«... Aber ich suche heute noch nach
einem Werke von gleich gefährlicher Faszination, von einer gleich
schauerlichen und süßen Unendlichkeit, wie der Tristan ist — ich
suche in allen Künsten vergebens. Alle Fremdheiten Leonardo
da Vincis entzaubern sich beim ersten Tone des Tristan. Dies
Werk ist durchaus das *non plus ultra* Wagners; er erholte sich von
ihm mit den Meistersingern und dem Ring. Gesünder werden —
das ist ein *Rückschritt* bei einer Natur wie Wagner... Ich nehme
es als Glück ersten Rangs, zur rechten Zeit gelebt und gerade
unter Deutschen gelebt zu haben, um *reif* für dies Werk zu sein:
so weit geht bei mir die Neugierde des Psychologen. Die Welt ist
arm für den, der niemals krank genug für diese »Wollust der
Hölle« gewesen ist: es ist erlaubt, es ist fast geboten, hier eine
Mystiker-Formel anzuwenden. — Ich denke, ich kenne besser als
irgend jemand das Ungeheure, das Wagner vermag, die fünfzig

Welten fremder Entzückungen, zu denen niemand außer ihm
Flügel hatte; und so wie ich bin, stark genug, um mir auch das
Fragwürdigste und Gefährlichste noch zum Vorteil zu wenden
und damit stärker zu werden, nenne ich Wagner den großen
Wohltäter meines Lebens. Das, worin wir verwandt sind, daß
wir tiefer gelitten haben, auch aneinander, als Menschen dieses
Jahrhunderts zu leiden vermöchten, wird unsre Namen ewig
wieder zusammenbringen; und so gewiß Wagner unter Deutschen
bloß ein Mißverständnis ist, so gewiß bin ich's und werde es
immer sein. — Zwei Jahrhunderte psychologische und artistische
Disziplin *zuerst,* meine Herrn Germanen! . . . Aber das holt man
nicht nach. —

7

— Ich sage noch ein Wort für die ausgesuchtesten Ohren: was ich
eigentlich von der Musik will. Daß sie heiter und tief ist, wie
ein Nachmittag im Oktober. Daß sie eigen, ausgelassen, zärtlich,
ein kleines süßes Weib von Niedertracht und Anmut ist . . . Ich
werde nie zulassen, daß ein Deutscher wissen *könne,* was Musik
ist. Was man deutsche Musiker nennt, die größten voran, sind
Ausländer, Slaven, Kroaten, Italiener, Niederländer — oder
Juden: im andern Falle Deutsche der starken Rasse, *ausgestor-*
bene Deutsche, wie Heinrich Schütz, Bach und Händel. Ich selbst
bin immer noch Pole genug, um gegen Chopin den Rest der
Musik hinzugeben; ich nehme, aus drei Gründen, Wagners Sieg-
fried-Idyll aus, vielleicht auch einiges von Liszt, der die vornehmen Orchester-Akzente vor allen Musikern voraushat; zuletzt
noch alles, was jenseits der Alpen gewachsen ist — *diesseits* . . .
Ich würde Rossini nicht zu missen wissen, noch weniger *meinen*
Süden in der Musik, die Musik meines Venediger *maëstro Pietro*
Gasti. Und wenn ich jenseits der Alpen sage, sage ich eigentlich
nur Venedig. Wenn ich ein andres Wort für Musik suche, so finde
ich immer nur das Wort Venedig. Ich weiß keinen Unterschied
zwischen Tränen und Musik zu machen — ich weiß das Glück,
den *Süden* nicht ohne Schauder von Furchtsamkeit zu denken.

An der Brücke stand
jüngst ich in brauner Nacht.
Fernher kam Gesang;
goldener Tropfen quoll's
über die zitternde Fläche weg.
Gondeln, Lichter, Musik —
trunken schwamm's in die Dämmrung hinaus ...

Meine Seele, ein Saitenspiel,
sang sich, unsichtbar berührt,
heimlich ein Gondellied dazu,
zitternd vor bunter Seligkeit.
— Hörte jemand ihr zu?

8

In alledem — in der Wahl der Nahrung, von Ort und Klima, von
Erholung — gebietet ein Instinkt der Selbsterhaltung, der sich als
Instinkt der *Selbstverteidigung* am unzweideutigsten ausspricht.
Vieles nicht sehn, nicht hören, nicht an sich herankommen lassen — erste Klugheit, erster Beweis dafür, daß man kein Zufall,
sondern eine Nezessität ist. Das gangbare Wort für diesen Selbst-
verteidigungs-Instinkt ist *Geschmack*. Sein Imperativ befiehlt
nicht nur Nein zu sagen, wo das Ja eine »Selbstlosigkeit« sein
würde, sondern auch *so wenig als möglich Nein* zu sagen. Sich
trennen, sich abscheiden von dem, wo immer und immer wieder
das Nein nötig werden würde. Die Vernunft darin ist, daß
Defensiv-Ausgaben, selbst noch so kleine, zur Regel, zur Gewohnheit werdend, eine außerordentliche und vollkommen überflüssige Verarmung bedingen. Unsre *großen* Ausgaben sind die
häufigsten kleinen. Das Abwehren, das Nicht-heran-kommen-
lassen ist eine Ausgabe — man täusche sich hierüber nicht —, eine
zu negativen Zwecken *verschwendete* Kraft. Man kann, bloß
in der beständigen Not der Abwehr, schwach genug werden, um
sich nicht mehr wehren zu können. — Gesetzt, ich trete aus meinem Haus heraus und fände, statt des stillen und aristokratischen
Turin, die deutsche Kleinstadt: mein Instinkt würde sich zu

sperren haben, um alles das zurückzudrängen, was aus dieser
plattgedrückten und feigen Welt auf ihn eindringt. Oder ich
fände die deutsche Großstadt, dies gebaute Laster, wo nichts
wächst, wo jedwedes Ding, Gutes und Schlimmes, eingeschleppt
ist. Müßte ich nicht darüber zum *Igel* werden? — Aber Stacheln
zu haben ist eine Vergeudung, ein doppelter Luxus sogar, wenn
es freisteht, keine Stacheln zu haben, sondern *offne* Hände...

Eine andre Klugheit und Selbstverteidigung besteht darin, daß
man *so selten als möglich reagiert* und daß man sich Lagen und
Beziehungen entzieht, wo man verurteilt wäre, seine »Freiheit«,
seine Initiative gleichsam auszuhängen und ein bloßes Reagens
zu werden. Ich nehme als Gleichnis den Verkehr mit Büchern.
Der Gelehrte, der im Grunde nur noch Bücher »wälzt« — der
Philologe mit mäßigem Ansatz des Tags ungefähr 200 — verliert
zuletzt ganz und gar das Vermögen, von sich aus zu denken.
Wälzt er nicht, so denkt er nicht. Er *antwortet* auf einen Reiz
(— einen gelesenen Gedanken), wenn er denkt — er reagiert zuletzt bloß noch. Der Gelehrte gibt seine ganze Kraft im Ja- und
Neinsagen, in der Kritik von bereits Gedachtem ab — er selber
denkt nicht mehr... Der Instinkt der Selbstverteidigung ist
bei ihm mürbe geworden; im anderen Falle würde er sich gegen
Bücher wehren. Der Gelehrte — ein *décadent*. — Das habe ich mit
Augen gesehn: begabte, reich und frei angelegte Naturen schon
in den dreißiger Jahren »zuschanden gelesen«, bloß noch Streich-
hölzer, die man reiben muß, damit sie Funken — »Gedanken«
geben. — Frühmorgens beim Anbruch des Tags, in aller Frische,
in der Morgenröte seiner Kraft, ein *Buch* lesen — das nenne ich
lasterhaft! — —

9

An dieser Stelle ist nicht mehr zu umgehn, die eigentliche Antwort auf die Frage, *wie man wird, was man ist,* zu geben. Und
damit berühre ich das Meisterstück in der Kunst der Selbsterhaltung — der *Selbstsucht*... Angenommen nämlich, daß die Aufgabe, die Bestimmung, das *Schicksal* der Aufgabe über ein durch-
schnittliches Maß bedeutend hinausliegt, so würde keine Ge-

fahr größer sein, als sich selbst *mit* dieser Aufgabe zu Gesicht zu bekommen. Daß man wird, was man ist, setzt voraus, daß man nicht im entferntesten ahnt, *was* man ist. Aus diesem Gesichtspunkte haben selbst die *Fehlgriffe* des Lebens ihren eignen Sinn und Wert, die zeitweiligen Nebenwege und Abwege, die Verzögerungen, die »Bescheidenheiten«, der Ernst, auf Aufgaben verschwendet, die jenseits *der* Aufgabe liegen. Darin kommt eine große Klugheit, sogar die oberste Klugheit zum Ausdruck: wo *nosce te ipsum* das Rezept zum Untergang wäre, wird Sich-Vergessen, Sich-*Mißverstehn,* Sich-Verkleinern, -Verengern, -Vermittelmäßigen zur Vernunft selber. Moralisch ausgedrückt: Nächstenliebe, Leben für andere und anderes *kann* die Schutzmaßregel zur Erhaltung der härtesten Selbstigkeit sein. Dies ist der Ausnahmefall, in welchem ich, gegen meine Regel und Überzeugung, die Partei der »selbstlosen« Triebe nehme: sie arbeiten hier im Dienste der *Selbstsucht, Selbstzucht.* — Man muß die ganze Oberfläche des Bewußtseins — Bewußtsein *ist* eine Oberfläche — rein erhalten von irgendeinem der großen Imperative. Vorsicht selbst vor jedem großen Worte, jeder großen Attitüde! Lauter Gefahren, daß der Instinkt zu früh »sich versteht« — —. Inzwischen wächst und wächst die organisierende, die zur Herrschaft berufne »Idee« in der Tiefe — sie beginnt zu befehlen, sie leitet langsam aus Nebenwegen und Abwegen *zurück,* sie bereitet *einzelne* Qualitäten und Tüchtigkeiten vor, die einmal als Mittel zum Ganzen sich unentbehrlich erweisen werden — sie bildet der Reihe nach alle *dienenden* Vermögen aus, bevor sie irgend etwas von der dominierenden Aufgabe, von »Ziel«, »Zweck«, »Sinn« verlauten läßt. — Nach dieser Seite hin betrachtet ist mein Leben einfach wundervoll. Zur Aufgabe einer *Umwertung der Werte* waren vielleicht mehr Vermögen nötig, als in einem einzelnen beieinander gewohnt haben, vor allem auch Gegensätze von Vermögen, ohne daß diese sich stören, zerstören durften. Rangordnung der Vermögen; Distanz; die Kunst zu trennen, ohne zu verfeinden; nichts vermischen, nichts »versöhnen«; eine ungeheure Vielheit, die trotzdem das Gegenstück des Chaos ist — dies war die Vorbedingung, die lange geheime Arbeit und Künstlerschaft meines Instinkts. Seine *höhere Obhut* zeigte sich in dem

Maße stark, daß ich in keinem Falle auch nur geahnt habe, was in mir wächst — daß alle meine Fähigkeiten plötzlich reif, in ihrer letzten Vollkommenheit eines Tags *hervorsprangen*. Es fehlt in meiner Erinnerung, daß ich mich je bemüht hätte — es ist kein Zug von *Ringen* in meinem Leben nachweisbar, ich bin der Gegensatz einer heroischen Natur. Etwas »wollen«, nach etwas »streben«, einen »Zweck«, einen »Wunsch« im Auge haben — das kenne ich alles nicht aus Erfahrung. Noch in diesem Augenblick sehe ich auf meine Zukunft — eine *weite* Zukunft! — wie auf ein glattes Meer hinaus: kein Verlangen kräuselt sich auf ihm. Ich will nicht im geringsten, daß etwas anders wird als es ist; ich selber will nicht anders werden ... Aber so habe ich immer gelebt. Ich habe keinen Wunsch gehabt. Jemand, der nach seinem vierundvierzigsten Jahre sagen kann, daß er sich nie um *Ehren*, um *Weiber*, um *Geld* bemüht hat! — Nicht daß sie mir gefehlt hätten ... So war ich zum Beispiel eines Tages Universitätsprofessor — ich hatte nie im entferntesten an dergleichen gedacht, denn ich war kaum 24 Jahre alt. So war ich zwei Jahre früher eines Tags Philolog: in dem Sinne, daß meine *erste* philologische Arbeit, mein Anfang in jedem Sinne, von meinem Lehrer Ritschl für sein »Rheinisches Museum« zum Druck verlangt wurde (*Ritschl* — ich sage es mit Verehrung — der einzige geniale Gelehrte, den ich bis heute zu Gesicht bekommen habe. Er besaß jene angenehme Verdorbenheit, die uns Thüringer auszeichnet und mit der sogar ein Deutscher sympathisch wird — wir ziehn selbst, um zur Wahrheit zu gelangen, noch die Schleichwege vor. Ich möchte mit diesen Worten meinen näheren Landsmann, den *klugen* Leopold von Ranke, durchaus nicht unterschätzt haben ...).

10

— Man wird mich fragen, warum ich eigentlich alle diese kleinen und nach herkömmlichem Urteil gleichgültigen Dinge erzählt habe: ich schade mir selbst damit, um so mehr, wenn ich große Aufgaben zu vertreten bestimmt sei. Antwort: diese kleinen Dinge — Ernährung, Ort, Klima, Erholung, die ganze Kasuistik der Selbstsucht — sind über alle Begriffe hinaus wichtiger als alles, was man bisher wichtig nahm. Hier gerade muß man anfangen, *umzulernen*. Das, was die Menschheit bisher ernsthaft erwogen hat, sind nicht einmal Realitäten, bloße Einbildungen, strenger geredet, *Lügen* aus den schlechten Instinkten kranker, im tiefsten Sinne schädlicher Naturen heraus — alle die Begriffe »Gott«, »Seele«, »Tugend«, »Sünde«, »Jenseits«, »Wahrheit«, »ewiges Leben« ... Aber man hat die Größe der menschlichen Natur, ihre »Göttlichkeit« in ihnen gesucht ... Alle Fragen der Politik, der Gesellschafts-Ordnung, der Erziehung sind dadurch bis in Grund und Boden gefälscht, daß man die schädlichsten Menschen für große Menschen nahm — daß man die »kleinen« Dinge, will sagen die Grundangelegenheiten des Lebens selber, verachten lehrte ... Vergleiche ich mich nun mit den Menschen, die man bisher als *erste* Menschen ehrte, so ist der Unterschied handgreiflich. Ich rechne diese angeblich »Ersten« nicht einmal zu den Menschen überhaupt — sie sind für mich Ausschuß der Menschheit, Ausgeburten von Krankheit und rachsüchtigen Instinkten: sie sind lauter unheilvolle, im Grunde unheilbare Unmenschen, die am Leben Rache nehmen ... Ich will dazu der Gegensatz sein: mein Vorrecht ist, die höchste Feinheit für alle Zeichen gesunder Instinkte zu haben. Es fehlt jeder krankhafte Zug an mir; ich bin selbst in Zeiten schwerer Krankheit nicht krankhaft geworden; umsonst, daß man in meinem Wesen einen Zug von Fanatismus sucht. Man wird mir aus keinem Augenblick meines Lebens irgendeine anmaßliche und pathetische Haltung nachweisen können. Das Pathos der Attitüde gehört *nicht* zur Größe; wer Attitüden überhaupt nötig hat, ist *falsch* ... Vorsicht vor allen pittoresken Menschen! — Das Leben ist mir leicht geworden, am leichtesten, wenn es das Schwerste von mir verlangte. Wer mich in den siebzig Tagen dieses Herbstes gesehn hat, wo ich, ohne Unterbrechung, lauter Sachen ersten Ranges gemacht habe, die kein Mensch mir nachmacht — oder vormacht, mit einer Verantwortlichkeit für alle Jahrtausende nach mir, wird keinen Zug von Spannung an mir wahrgenommen haben, um so mehr eine überströmende Frische und Heiterkeit. Ich aß nie mit angenehmeren Gefühlen, ich schlief nie besser. —

Ich kenne keine andre Art, mit großen Aufgaben zu verkehren
als das *Spiel:* dies ist, als Anzeichen der Größe, eine wesentliche
Voraussetzung. Der geringste Zwang, die düstre Miene, irgendein
harter Ton im Halse sind alles Einwände gegen einen Menschen,
um wieviel mehr gegen sein Werk! ... Man darf keine Nerven
haben ... Auch an der Einsamkeit *leiden* ist ein Einwand — ich
habe immer nur an der »Vielsamkeit« gelitten ... In einer absurd
frühen Zeit, mit sieben Jahren, wußte ich bereits, daß mich nie
ein menschliches Wort erreichen würde: hat man mich je darüber
betrübt gesehn? — Ich habe heute noch die gleiche Leutseligkeit
gegen jedermann, ich bin selbst voller Auszeichnung für die
Niedrigsten: in dem allen ist nicht ein Gran von Hochmut, von
geheimer Verachtung. Wen ich verachte, der *errät,* daß er von
mir verachtet wird: ich empöre durch mein bloßes Dasein alles,
was schlechtes Blut im Leibe hat ... Meine Formel für die Größe
am Menschen ist *amor fati:* daß man nichts anders haben will,
vorwärts nicht, rückwärts nicht, in alle Ewigkeit nicht. Das
Notwendige nicht bloß ertragen, noch weniger verhehlen — aller
Idealismus ist Verlogenheit vor dem Notwendigen —, sondern
es *lieben* ...

1

Das eine bin ich, das andre sind meine Schriften. — Hier werde, bevor ich von ihnen selber rede, die Frage nach dem Verstanden- oder *Nicht*verstanden-werden dieser Schriften berührt. Ich tue es so nachlässig, als es sich irgendwie schickt: denn diese Frage ist durchaus noch nicht an der Zeit. Ich selber bin noch nicht an der Zeit, einige werden posthum geboren. — Irgendwann wird man Institutionen nötig haben, in denen man lebt und lehrt, wie ich leben und lehren verstehe: vielleicht selbst, daß man dann auch eigene Lehrstühle zur Interpretation des Zarathustra errichtet. Aber es wäre ein vollkommner Widerspruch zu mir, wenn ich heute bereits Ohren *und Hände* für *meine* Wahrheiten erwartete: daß man heute nicht hört, daß man heute nicht von mir zu nehmen weiß, ist nicht nur begreiflich, es scheint mir selbst das Rechte. Ich will nicht verwechselt werden — dazu gehört, daß ich mich selber nicht verwechsle. — Nochmals gesagt, es ist wenig in meinem Leben nachweisbar von »bösem Willen«; auch von literarischem »bösen Willen« wüßte ich kaum einen Fall zu erzählen. Dagegen zuviel von *reiner Torheit*! ... Es scheint mir eine der seltensten Auszeichnungen, die jemand sich erweisen kann, wenn er ein Buch von mir in die Hand nimmt — ich nehme selbst an, er zieht dazu die Schuhe aus — nicht von Stiefeln zu reden ... Als sich einmal der Doktor Heinrich von Stein ehrlich darüber beklagte, kein Wort aus meinem Zarathustra zu verstehn, sagte ich ihm, das sei in Ordnung: sechs Sätze daraus verstanden, das heißt: *erlebt* haben, hebe auf eine höhere Stufe der Sterblichen hinauf, als »moderne« Menschen erreichen könnten. Wie *könnte* ich, mit *diesem* Gefühle der Distanz, auch nur wünschen, von den »Modernen«, die ich kenne —, gelesen zu werden! —

Mein Triumph ist gerade der umgekehrte, als der Schopenhauers war — ich sage »*n o n legor, n o n legar*«. — Nicht, daß ich das Vergnügen unterschätzen möchte, das mir mehrmals die *Unschuld* im Neinsagen zu meinen Schriften gemacht hat. Noch in diesem Sommer, zu einer Zeit, wo ich vielleicht mit meiner schwerwiegenden, zu schwer wiegenden Literatur den ganzen Rest von Literatur aus dem Gleichgewicht zu bringen vermöchte, gab mir ein Professor der Berliner Universität wohlwollend zu verstehn, ich sollte mich doch einer andren Form bedienen: so etwas lese niemand. — Zuletzt war es nicht Deutschland, sondern die Schweiz, die die zwei extremen Fälle geliefert hat. Ein Aufsatz des Dr. V. Widmann im »Bund«, über »Jenseits von Gut und Böse«, unter dem Titel »Nietzsches gefährliches Buch«, und ein Gesamt-Bericht über meine Bücher überhaupt seitens des Herrn Karl Spitteler, gleichfalls im »Bund«, sind ein Maximum in meinem Leben — ich hüte mich zu sagen wovon ... Letzterer behandelte zum Beispiel meinen Zarathustra als *höhere Stilübung*, mit dem Wunsche, ich möchte später doch auch für Inhalt sorgen; Dr. Widmann drückte mir seine Achtung vor dem Mut aus, mit dem ich mich um Abschaffung aller anständigen Gefühle bemühe. — Durch eine kleine Tücke von Zufall war hier jeder Satz, mit einer Folgerichtigkeit, die ich bewundert habe, eine auf den Kopf gestellte Wahrheit: man hatte im Grunde nichts zu tun, als alle »Werte umzuwerten«, um, auf eine sogar bemerkenswerte Weise, über mich den Nagel auf den Kopf zu treffen — statt meinen Kopf mit einem Nagel zu treffen ... Umsomehr versuche ich eine Erklärung. — Zuletzt kann niemand aus den Dingen, die Bücher eingerechnet, mehr heraushören, als er bereits weiß. Wofür man vom Erlebnisse her keinen Zugang hat, dafür hat man kein Ohr. Denken wir uns nun einen äußersten Fall: daß ein Buch von lauter Erlebnissen redet, die gänzlich außerhalb der Möglichkeit einer häufigen oder auch nur seltenen Erfahrung liegen — daß es die *erste* Sprache für eine neue Reihe von Erfahrungen ist. In diesem Falle wird einfach nichts gehört, mit der akustischen Täuschung, daß, wo nichts gehört wird, *auch nichts da ist* ... Dies ist zuletzt meine durchschnittliche Erfahrung und, wenn man will, die *Originalität* meiner Erfahrung.

Wer etwas von mir verstanden zu haben glaubte, hatte sich etwas aus mir zurechtgemacht, nach seinem Bilde — nicht selten einen Gegensatz von mir, zum Beispiel einen »Idealisten«; wer nichts von mir verstanden hatte, leugnete, daß ich überhaupt in Betracht käme. — Das Wort *Übermensch* zur Bezeichnung eines Typus höchster Wohlgeratenheit, im Gegensatz zu »modernen« Menschen, zu »guten« Menschen, zu Christen und andern Nihilisten — ein Wort, das im Munde eines Zarathustra, des *Vernichters* der Moral, ein sehr nachdenkliches Wort wird — ist fast überall mit voller Unschuld im Sinn derjenigen Werte verstanden worden, deren Gegensatz in der Figur Zarathustras zur Erscheinung gebracht worden ist: will sagen als »idealistischer« Typus einer höheren Art Mensch, halb »Heiliger«, halb »Genie«... Andres gelehrtes Hornvieh hat mich seinethalben des Darwinismus verdächtigt; selbst der von mir so boshaft abgelehnte »Heroen-Kultus« jenes großen Falschmünzers wider Wissen und Willen, Carlyles, ist darin wiedererkannt worden. Wem ich ins Ohr flüsterte, er solle sich eher nach einem Cesare Borgia als nach einem Parsifal umsehn, der traute seinen Ohren nicht. — Daß ich gegen Besprechungen meiner Bücher, insonderheit durch Zeitungen, ohne jedwede Neugierde bin, wird man mir verzeihen müssen. Meine Freunde, meine Verleger wissen das und sprechen mir nicht von dergleichen. In einem besondren Falle bekam ich einmal alles zu Gesicht, was über ein einzelnes Buch — es war »Jenseits von Gut und Böse« — gesündigt worden ist; ich hätte einen artigen Bericht darüber abzustatten. Sollte man es glauben, daß die »Nationalzeitung« — eine preußische Zeitung, für meine ausländischen Leser bemerkt — ich selbst lese, mit Verlaub, nur das Journal des Débats — allen Ernstes das Buch als ein »Zeichen der Zeit« zu verstehn wußte, als die echte rechte *Junker-Philosophie*, zu der es der »Kreuzzeitung« nur an Mut gebreche?...

2

Dies war für Deutsche gesagt: denn überall sonst habe ich Leser — lauter *ausgesuchte* Intelligenzen, bewährte, in hohen Stellungen und Pflichten erzogene Charaktere; ich habe sogar wirkliche Genies unter meinen Lesern. In Wien, in St. Petersburg, in Stockholm, in Kopenhagen, in Paris und New-York — überall bin ich entdeckt: ich bin es *nicht* in Europas Flachland Deutschland ... Und, daß ich es bekenne, ich freue mich noch mehr über meine Nicht-Leser, solche, die weder meinen Namen, noch das Wort Philosophie je gehört haben; aber wohin ich komme, hier in Turin zum Beispiel, erheitert und vergütigt sich bei meinem Anblick jedes Gesicht.. Was mir bisher am meisten geschmeichelt hat, das ist, daß alte Hökerinnen nicht Ruhe haben, bevor sie mir nicht das Süßeste aus ihren Trauben zusammengesucht haben. *So weit* muß man Philosoph sein ... Man nennt nicht umsonst die Polen die Franzosen unter den Slaven. Eine charmante Russin wird sich nicht einen Augenblick darüber vergreifen, wohin ich gehöre. Es gelingt mir nicht, feierlich zu werden, ich bringe es höchstens bis zur Verlegenheit ... Deutsch denken, deutsch fühlen — ich kann alles, aber *das* geht über meine Kräfte ... Mein alter Lehrer Ritschl behauptete sogar, ich konzipierte selbst noch meine philologischen Abhandlungen wie ein Pariser *romancier* — absurd spannend. In Paris selbst ist man erstaunt über »*toutes mes audaces et finesses*« — der Ausdruck ist von Monsieur Taine —; ich fürchte, bis in die höchsten Formen des Dithyrambus findet man bei mir von jenem Salze beigemischt, das niemals dumm — »deutsch« — wird, *esprit* ... Ich kann nicht anders. Gott helfe mir! Amen. — Wir wissen alle, einige wissen es sogar aus Erfahrung, was ein Langohr ist. Wohlan, ich wage zu behaupten, daß ich die kleinsten Ohren habe. Dies interessiert gar nicht wenig die Weiblein — es scheint mir, sie fühlen sich besser von mir verstanden? ... Ich bin der *Antiesel par excellence* und damit ein welthistorisches Untier — ich bin, auf griechisch und nicht nur auf griechisch, der *Antichrist* ...

3

Ich kenne einigermaßen meine Vorrechte als Schriftsteller; in einzelnen Fällen ist es mir auch bezeugt, wie sehr die Gewöhnung an meine Schriften den Geschmack »verdirbt«. Man hält einfach

andre Bücher nicht mehr aus, am wenigsten philosophische. Es
ist eine Auszeichnung ohnegleichen, in diese vornehme und delikate Welt einzutreten — man darf dazu durchaus kein Deutscher
sein; es ist zuletzt eine Auszeichnung, die man sich verdient haben
muß. Wer mir aber durch *Höhe* des Wollens verwandt ist, erlebt
dabei wahre Ekstasen des Lernens: denn ich komme aus Höhen,
die kein Vogel je erflog, ich kenne Abgründe, in die noch kein
Fuß sich verirrt hat. Man hat mir gesagt, es sei nicht möglich,
ein Buch von mir aus der Hand zu legen — ich störte selbst die
Nachtruhe... Es gibt durchaus keine stolzere und zugleich
raffiniertere Art von Büchern — sie erreichen hier und da das
Höchste, was auf Erden erreicht werden kann, den Zynismus;
man muß sie sich ebenso mit den zartesten Fingern wie mit den
tapfersten Fäusten erobern. Jede Gebrechlichkeit der Seele
schließt aus davon, ein für allemal, selbst jede Dyspepsie: man
muß keine Nerven haben, man muß einen fröhlichen Unterleib
haben. Nicht nur die Armut, die Winkel-Luft einer Seele schließt
davon aus, noch viel mehr das Feige, das Unsaubere, das Heim-
lich-Rachsüchtige in den Eingeweiden: ein Wort von mir treibt
alle schlechten Instinkte ins Gesicht. Ich habe an meinen Bekannten mehrere Versuchstiere, an denen ich mir die verschiedene,
sehr lehrreich verschiedene Reaktion auf meine Schriften zu
Gemüte führe. Wer nichts mit ihrem Inhalte zu tun haben will,
meine sogenannten Freunde zum Beispiel, wird dabei »unpersönlich«: man wünscht mir Glück, wieder »so weit« zu sein —
auch ergäbe sich ein Fortschritt in einer größeren Heiterkeit des
Tons... Die vollkommen lasterhaften »Geister«, die »schönen
Seelen«, die in Grund und Boden Verlognen wissen schlechterdings nicht, was sie mit diesen Büchern anfangen sollen — folglich sehen sie dieselben *unter* sich, die schöne Folgerichtigkeit aller
»schönen Seelen«. Das Hornvieh unter meinen Bekannten, bloße
Deutsche, mit Verlaub, gibt zu verstehn, man sei nicht immer
meiner Meinung, aber doch mitunter... Ich habe dies selbst
über den Zarathustra gehört... Insgleichen ist jeder »Feminis-
mus« im Menschen, auch im Manne, ein Torschluß für mich: man
wird niemals in dies Labyrinth verwegener Erkenntnisse ein-
treten. Man muß sich selbst nie geschont haben, man muß die

Härte in seinen Gewohnheiten haben, um unter lauter harten Wahrheiten wohlgemut und heiter zu sein. Wenn ich mir das Bild eines vollkommnen Lesers ausdenke, so wird immer ein Untier von Mut und Neugierde daraus, außerdem noch etwas Biegsames, Listiges, Vorsichtiges, ein geborner Abenteurer und Entdecker. Zuletzt: ich wüßte es nicht besser zu sagen, zu wem ich im Grunde allein rede, als es Zarathustra gesagt hat: *wem* allein will er sein Rätsel erzählen?

Euch, den kühnen Suchern, Versuchern, und wer je sich mit listigen Segeln auf furchtbare Meere einschiffte, —

euch, den Rätsel-Trunkenen, den Zwielicht-Frohen, deren Seele mit Flöten zu jedem Irrschlunde gelockt wird:

— denn nicht wollt ihr mit feiger Hand einem Faden nachtasten; und wo ihr *erraten* könnt, da haßt ihr es, zu *erschließen* . . .

4

Ich sage zugleich noch ein allgemeines Wort über meine *Kunst des Stils.* Einen Zustand, eine innere Spannung von Pathos durch Zeichen, eingerechnet das Tempo dieser Zeichen, *mitzuteilen* — das ist der Sinn jedes Stils; und in Anbetracht, daß die Vielheit innerer Zustände bei mir außerordentlich ist, gibt es bei mir viel Möglichkeiten des Stils — die vielfachste Kunst des Stils überhaupt, über die je ein Mensch verfügt hat. *Gut* ist jeder Stil, der einen inneren Zustand wirklich mitteilt, der sich über die Zeichen, über das Tempo der Zeichen, über die *Gebärden* — alle Gesetze der Periode sind Kunst der Gebärde — nicht vergreift. Mein Instinkt ist hier unfehlbar. — Guter Stil *an sich* — eine reine Torheit, bloßer »Idealismus«, etwa, wie das »Schöne *an sich*«, wie das »Gute *an sich*«, wie das »Ding *an sich*« . . . Immer noch vorausgesetzt, daß es Ohren gibt — daß es solche gibt, die eines gleichen Pathos fähig und würdig sind, daß die nicht fehlen, denen man sich mitteilen *darf.* — Mein Zarathustra zum Beispiel sucht einstweilen noch nach solchen — ach! er wird noch lange zu suchen haben! — Man muß dessen *wert* sein, ihn zu prüfen . . .

Und bis dahin wird es niemanden geben, der die *Kunst*, die hier verschwendet worden ist, begreift: es hat nie jemand mehr von neuen, von unerhörten, von wirklich erst dazu geschaffnen Kunstmitteln zu verschwenden gehabt. Daß dergleichen gerade in deutscher Sprache möglich war, blieb zu beweisen: ich selbst hätte es vorher am härtesten abgelehnt. Man weiß vor mir nicht, was man mit der deutschen Sprache kann — was man überhaupt mit der Sprache kann. Die Kunst des *großen* Rhythmus, der *große Stil* der Periodik, zum Ausdruck eines ungeheuren Auf und Nieder von sublimer, von übermenschlicher Leidenschaft, ist erst von mir entdeckt; mit einem Dithyrambus wie dem letzten des *dritten* Zarathustra, »Die sieben Siegel« überschrieben, flog ich tausend Meilen über das hinaus, was bisher Poesie hieß.

5

— Daß aus meinen Schriften ein *Psychologe* redet, der nicht seinesgleichen hat, das ist vielleicht die erste Einsicht, zu der ein guter Leser gelangt — ein Leser, wie ich ihn verdiene, der mich liest, wie gute alte Philologen ihren Horaz lasen. Die Sätze, über die im Grunde alle Welt einig ist — gar nicht zu reden von den Allerwelts-Philosophen, den Moralisten und andren Hohltöpfen, Kohlköpfen — erscheinen bei mir als Naivitäten des Fehlgriffs: zum Beispiel jener Glaube, daß »unegoistisch« und »egoistisch« Gegensätze sind, während das *ego* selbst bloß ein »höherer Schwindel«, ein »Ideal« ist ... Es gibt *weder* egoistische *noch* unegoistische Handlungen: beide Begriffe sind psychologischer Widersinn. Oder der Satz »der Mensch strebt nach Glück« ... Oder der Satz »das Glück ist der Lohn der Tugend« ... Oder der Satz »Lust und Unlust sind Gegensätze« ... Die Circe der Menschheit, die Moral, hat alle *psychologica* in Grund und Boden gefälscht — *vermoralisiert* — bis zu jenem schauderhaften Unsinn, daß die Liebe etwas »Unegoistisches« sein soll ... Man muß fest auf *sich* sitzen, man muß tapfer auf seinen beiden Beinen stehn, sonst *kann* man gar nicht lieben. Das wissen zuletzt die Weiblein nur zu gut: sie machen sich den Teufel was aus selbstlosen, aus bloß objektiven Männern ... Darf ich anbei die Vermutung wagen, daß ich die Weiblein *kenne*? Das gehört zu meiner dionysischen Mitgift. Wer weiß? vielleicht bin ich der erste Psycholog des Ewig-Weiblichen. Sie lieben mich alle — eine alte Geschichte: die *verunglückten* Weiblein abgerechnet, die »Emanzipierten«, denen das Zeug zu Kindern abgeht. — Zum Glück bin ich nicht willens, mich zerreißen zu lassen: das vollkommne Weib zerreißt, wenn es liebt... Ich kenne diese liebenswürdigen Mänaden... Ach, was für ein gefährliches, schleichendes, unterirdisches kleines Raubtier! Und so angenehm dabei!... Ein kleines Weib, das seiner Rache nachrennt, würde das Schicksal selbst über den Haufen rennen. — Das Weib ist unsäglich viel böser als der Mann, auch klüger; Güte am Weibe ist schon eine Form der *Entartung*... Bei allen sogenannten »schönen Seelen« gibt es einen physiologischen Übelstand auf dem Grunde — ich sage nicht alles, ich würde sonst medi-zynisch werden. Der Kampf um *gleiche* Rechte ist sogar ein Symptom von Krankheit: jeder Arzt weiß das. — Das Weib, je mehr Weib es ist, wehrt sich ja mit Händen und Füßen gegen Rechte überhaupt: der Naturzustand, der ewige *Krieg* zwischen den Geschlechtern gibt ihm ja bei weitem den ersten Rang. — Hat man Ohren für meine Definition der Liebe gehabt? es ist die einzige, die eines Philosophen würdig ist. Liebe — in ihren Mitteln der Krieg, in ihrem Grunde der Todhaß der Geschlechter. — Hat man meine Antwort auf die Frage gehört, wie man ein Weib *kuriert* — »erlöst«? Man macht ihm ein Kind. Das Weib hat Kinder nötig, der Mann ist immer nur Mittel: also sprach Zarathustra. —»Emanzipation des Weibes« — das ist der Instinkthaß des *mißratenen*, das heißt gebäruntüchtigen Weibes gegen das wohlgeratene — der Kampf gegen den »Mann« ist immer nur Mittel, Vorwand, Taktik. Sie wollen, indem sie *sich* hinaufheben, als »Weib an sich«, als »höheres Weib«, als »Idealistin« von Weib, das allgemeine Rang-Niveau des Weibes *herunter*bringen; kein sichereres Mittel dazu als Gymnasial-Bildung, Hosen und politische Stimmvieh-Rechte. Im Grunde sind die Emanzipierten die *Anarchisten* in der Welt des »Ewig-Weiblichen«, die Schlechtweggekommenen, deren unterster Instinkt Rache ist ... Eine ganze Gattung des bösartigsten »Idealismus« — der übrigens auch bei Männern vorkommt,

zum Beispiel bei Henrik Ibsen, dieser typischen alten Jungfrau —
hat das Ziel, das gute Gewissen, die Natur in der Geschlechts-
liebe zu *vergiften* ... Und damit ich über meine in diesem Betracht ebenso honette als strenge Gesinnung keinen Zweifel
lasse, will ich noch einen Satz aus meinem Moral-Kodex gegen
das *Laster* mitteilen: mit dem Wort Laster bekämpfe ich jede
Art Widernatur oder, wenn man schöne Worte liebt, Idealismus.
Der Satz heißt: »Die Predigt der Keuschheit ist eine öffentliche
Aufreizung zur Widernatur. Jede Verachtung des geschlechtlichen
Lebens, jede Verunreinigung desselben durch den Begriff ›unrein‹
ist das Verbrechen selbst am Leben — ist die eigentliche Sünde
wider den heiligen Geist des Lebens.« —

6

Um einen Begriff von mir als Psychologen zu geben, nehme ich
ein kurioses Stück Psychologie, das in »Jenseits von Gut und
Böse« vorkommt, — ich verbiete übrigens jede Mutmaßung darüber, wen ich an dieser Stelle beschreibe. »Das Genie des Herzens, wie es jener große Verborgene hat, der Versucher-Gott
und geborene Rattenfänger der Gewissen, dessen Stimme bis in
die Unterwelt jeder Seele hinabzusteigen weiß, welcher nicht
ein Wort sagt, nicht einen Blick blickt, in dem nicht eine Rück-
sicht und Falte der Lockung läge, zu dessen Meisterschaft es
gehört, daß er zu scheinen versteht — und nicht das, was er ist,
sondern was denen, die ihm folgen, ein Zwang *mehr* ist, um sich
immer näher an ihn zu drängen, um ihm immer innerlicher und
gründlicher zu folgen ... Das Genie des Herzens, das alles Laute
und Selbstgefällige verstummen macht und horchen lehrt, das
die rauhen Seelen glättet und ihnen ein neues Verlangen zu
kosten gibt — still zu liegen, wie ein Spiegel, daß sich der tiefe
Himmel auf ihnen spiegele ... Das Genie des Herzens, das die
tölpische und überrasche Hand zögern und zierlicher greifen
lehrt; das den verborgenen und vergessenen Schatz, den Tropfen
Güte und süßer Geistigkeit unter trübem dickem Eise errät und
eine Wünschelrute für jedes Korn Goldes ist, welches lange im
Kerker vielen Schlammes und Sandes begraben lag ... Das Genie

des Herzens, von dessen Berührung jeder reicher fortgeht, nicht begnadet und überrascht, nicht wie von fremdem Gute beglückt und bedrückt, sondern reicher an sich selber, sich neuer als zuvor, aufgebrochen, von einem Tauwinde angeweht und ausgehorcht, unsicherer vielleicht, zärtlicher zerbrechlicher zerbrochener, aber voll Hoffnungen, die noch keinen Namen haben, voll neuen Willens und Strömens, voll neuen Unwillens und Zurückströmens . . .«

1

Um gegen die »Geburt der Tragödie« (1872) gerecht zu sein, wird man einiges vergessen müssen. Sie hat mit dem *gewirkt* und selbst fasziniert, was an ihr verfehlt war — mit ihrer Nutzanwendung auf die *Wagnerei,* als ob dieselbe ein *Aufgangs*-Symptom sei. Diese Schrift war ebendamit im Leben Wagners ein Ereignis: von da an gab es erst große Hoffnungen bei dem Namen Wagner. Noch heute erinnert man mich daran, unter Umständen mitten aus dem Parsifal heraus: wie *ich* es eigentlich auf dem Gewissen habe, daß eine so hohe Meinung über den *Kultur-Wert* dieser Bewegung obenauf gekommen sei. — Ich fand die Schrift mehrmals zitiert als »die *Wieder*geburt der Tragödie aus dem Geiste der Musik«: man hat nur Ohren für eine neue Formel der Kunst, der Absicht, der Aufgabe *Wagners* gehabt — darüber wurde überhört, was die Schrift im Grunde Wertvolles barg. »Griechentum und Pessimismus«: das wäre ein unzweideutiger Titel gewesen: nämlich als erste Belehrung darüber, wie die Griechen fertig wurden mit dem Pessimismus — womit sie ihn *überwanden* ... Die Tragödie gerade ist der Beweis dafür, daß die Griechen *keine* Pessimisten waren: Schopenhauer vergriff sich hier, wie er sich in allem vergriffen hat. — Mit einiger Neutralität in die Hand genommen, sieht die »Geburt der Tragödie« sehr unzeitgemäß aus: man würde sich nicht träumen lassen, daß sie unter den Donnern der Schlacht bei Wörth *begonnen* wurde. Ich habe diese Probleme vor den Mauern von Metz, in kalten September-Nächten, mitten im Dienste der Krankenpflege, durchgedacht; man könnte eher schon glauben, daß die Schrift fünfzig Jahre älter sei. Sie ist politisch indifferent — »undeutsch«, wird man heute sagen —, sie riecht anstößig Hegelisch, sie ist nur in einigen Formeln mit dem Leichenbitter-Parfüm Schopenhauers behaftet. Eine »Idee« — der Gegensatz dionysisch und apollinisch — ins Metaphysische übersetzt; die Geschichte selbst als die Entwicklung dieser »Idee«; in der Tragödie der Gegensatz zur Einheit aufgehoben; unter dieser Optik Dinge, die noch nie einander ins Gesicht gesehen hatten, plötzlich gegenübergestellt, auseinander beleuchtet und *begriffen* . . . die Oper zum Beispiel und die Revolution . . . Die zwei entscheidenden *Neuerungen* des Buchs sind einmal das Verständnis des *dionysischen* Phänomens bei den Griechen — es gibt dessen erste Psychologie, es sieht in ihm die eine Wurzel der ganzen griechischen Kunst —. Das andre ist das Verständnis des Sokratismus: Sokrates als Werkzeug der griechischen Auflösung, als typischer *décadent* zum ersten Male erkannt. »Vernünftigkeit« *gegen* Instinkt. Die »Vernünftigkeit« um jeden Preis als gefährliche, als leben-untergrabende Gewalt! — Tiefes feindseliges Schweigen über das Christentum im ganzen Buche. Es ist weder apollinisch, noch dionysisch; es *negiert* alle *ästhetischen* Werte — die einzigen Werte, die die »Geburt der Tragödie« anerkennt: es ist im tiefsten Sinne nihilistisch, währen im dionysischen Symbol die äußerste Grenze der *Bejahung* erreicht ist. Einmal wird auf die christlichen Priester wie auf eine »tückische Art von Zwergen«, von »Unterirdischen« angespielt . . .

2

Dieser Anfang ist über alle Maßen merkwürdig. Ich hatte zu meiner innersten Erfahrung das einzige Gleichnis und Seitenstück, das die Geschichte hat, *entdeckt* — ich hatte ebendamit das wundervolle Phänomen des Dionysischen als der erste begriffen. Insgleichen war damit, daß ich Sokrates als *décadent* erkannte, ein völlig unzweideutiger Beweis dafür gegeben, wie wenig die Sicherheit meines psychologischen Griffs von seiten irgendeiner Moral-Idiosynkrasie Gefahr laufen werde — die Moral selbst als Décadence-Symptom ist eine Neuerung, eine Einzigkeit ersten Ranges in der Geschichte der Erkenntnis. Wie hoch war ich mit beidem über das erbärmliche Flachkopf-Geschwätz von Optimismus *contra* Pessimismus hinweggesprungen! — Ich sah zuerst den eigentlichen Gegensatz — den *entartenden* Instinkt, der sich gegen das Leben mit unterirdischer Rachsucht wendet (— Christentum, die Philosophie Schopenhauers, in gewissem Sinne schon die Philosophie Platos, der ganze Idealismus als typische Formen) und eine aus der Fülle, der Überfülle geborne Formel der *höchsten Bejahung*, ein Jasagen ohne Vorbehalt, zum Leiden selbst, zur Schuld selbst, zu allem Fragwürdigen und Fremden des Daseins selbst ... Dieses letzte, freudigste, überschwänglich-übermütigste Ja zum Leben ist nicht nur die höchste Einsicht, es ist auch die *tiefste,* die von Wahrheit und Wissenschaft am strengsten bestätigte und aufrechterhaltene. Es ist nichts, was ist, abzurechnen, es ist nichts entbehrlich — die von den Christen und andren Nihilisten abgelehnten Seiten des Daseins sind sogar von unendlich höherer Ordnung in der Rangordnung der Werte als das, was der *décadence*-Instinkt gutheißen, *gut heißen* durfte. Dies zu begreifen, dazu gehört *Mut* und, als dessen Bedingung, ein Überschuß von *Kraft:* denn genau so weit als der Mut sich vorwärtswagen *darf,* genau nach dem Maß von Kraft nähert man sich der Wahrheit. Die Erkenntnis, das Jasagen zur Realität, ist für den Starken eine ebensolche Notwendigkeit, als für den Schwachen, unter der Inspiration der Schwäche, die Feigheit und *Flucht* vor der Realität — das »Ideal« ... Es steht ihnen nicht frei, zu erkennen: die *décadents* haben die Lüge *nötig* — sie ist eine ihrer Erhaltungs-Bedingungen. — Wer das Wort »dionysisch« nicht nur begreift, sondern *sich* in dem Wort »dionysisch« begreift, hat keine Widerlegung Platos oder des Christentums oder Schopenhauers nötig — er *riecht die Verwesung* ...

3

Inwiefern ich ebendamit den Begriff »tragisch«, die endliche Erkenntnis darüber, was die Psychologie der Tragödie ist, gefunden habe, habe ich zuletzt noch in der *Götzen-Dämmerung* zum Ausdruck gebracht. »Das Jasagen zum Leben selbst noch in seinen fremdesten und härtesten Problemen; der Wille zum Leben, im *Opfer* seiner höchsten Typen der eignen Unerschöpflichkeit frohwerdend — *das* nannte ich dionysisch, das verstand ich als Brücke zur Psychologie des *tragischen* Dichters. *Nicht* um von Schrecken und Mitleiden loszukommen, nicht um sich von einem gefährlichen Affekt durch eine vehemente Entladung zu reinigen — so mißverstand es Aristoteles —: sondern um, über Schrecken und Mitleiden hinaus, die ewige Lust des Werdens *selbst zu sein* — jene Lust, die auch noch die *Lust am Vernichten* in sich schließt ...« In diesem Sinne habe ich das Recht, mich selber als den ersten *tragischen Philosophen* zu verstehn — das heißt den äußersten Gegensatz und Antipoden eines pessimistischen Philosophen. Vor mir gibt es diese Umsetzung des dionysischen in ein philosophisches Pathos nicht: es fehlt die *tragische Weisheit* — ich habe vergebens nach Anzeichen davon selbst bei den *großen* Griechen der Philosophie, denen der zwei Jahrhunderte *vor* Sokrates, gesucht. Ein Zweifel blieb mir zurück bei *Heraklit,* in dessen Nähe überhaupt mir wärmer, mir wohler zumute wird als irgendwo sonst. Die Bejahung des Vergehens *und Vernichtens,* das Entscheidende in einer dionysischen Philosophie, das Jasagen zu Gegensatz und Krieg, das *Werden,* mit radikaler Ablehnung auch selbst des Begriffs »Sein« — darin muß ich unter allen Umständen das mir Verwandteste anerkennen, was bisher gedacht worden ist. Die Lehre von der »ewigen Wiederkunft«, das heißt vom unbedingten und unendlich wiederholten Kreislauf aller Dinge — diese Lehre Zarathustras *könnte* zuletzt auch schon von Heraklit gelehrt worden sein. Zum mindesten hat die Stoa, die fast alle ihre grundsätzlichen Vorstellungen von Heraklit geerbt hat, Spuren davon. —

4

Aus dieser Schrift redet eine ungeheure Hoffnung. Zuletzt fehlt mir jeder Grund, die Hoffnung auf eine dionysische Zukunft der Musik zurückzunehmen. Werfen wir einen Blick ein Jahrhundert voraus, setzen wir den Fall, daß mein Attentat auf zwei Jahrtausende Widernatur und Menschenschändung gelingt. Jene neue Partei des Lebens, welche die größte aller Aufgaben, die Höherzüchtung der Menschheit, in die Hände nimmt, eingerechnet die schonungslose Vernichtung aller Entartenden und Parasitischen, wird jenes *Zuviel von Leben* auf Erden wieder möglich machen, aus dem auch der dionysische Zustand wieder erwachsen muß. Ich verspreche ein *tragisches* Zeitalter: die höchste Kunst im Jasagen zum Leben, die Tragödie, wird wiedergeboren werden, wenn die Menschheit das Bewußtsein der härtesten, aber notwendigsten Kriege hinter sich hat, *ohne daran zu leiden* ... Ein Psychologe dürfte noch hinzufügen, daß was ich in jungen Jahren bei Wagnerscher Musik gehört habe, nichts überhaupt mit Wagner zu tun hat; daß wenn ich die dionysische Musik beschrieb, ich *das* beschrieb, was *ich* gehört hatte — daß ich instinktiv alles in den neuen Geist übersetzen und transfigurieren mußte, den ich in mir trug. Der Beweis dafür, *so stark als nur ein Beweis sein kann*, ist meine Schrift »Wagner in Bayreuth«: an allen psychologisch entscheidenden Stellen ist nur von mir die Rede — man darf rücksichtslos meinen Namen oder das Wort »Zarathustra« hinstellen, wo der Text das Wort Wagner gibt. Das ganze Bild des *dithyrambischen* Künstlers ist das Bild des *präexistenten* Dichters des Zarathustra, mit abgründlicher Tiefe hingezeichnet und ohne einen Augenblick die Wagnersche Realität auch nur zu berühren. Wagner selbst hatte einen Begriff davon; er erkannte sich in der Schrift nicht wieder. — Insgleichen hatte sich »der Gedanke von Bayreuth« in etwas verwandelt, das den Kennern meines Zarathustra kein Rätsel-Begriff sein wird: in jenen *großen Mittag*, wo sich die Auserwähltesten zur größten aller Aufgaben weihen — wer weiß? Die Vision eines Festes, das ich noch erleben werde ... Das Pathos der ersten Seiten ist welthistorisch; der *Blick*, von dem auf der siebenten Seite die Rede ist, ist der eigentliche Zarathustra-Blick; Wagner, Bayreuth, die ganze kleine deutsche Erbärmlichkeit ist eine Wolke, in der eine unendliche Fata Morgana der Zukunft sich spiegelt. Selbst psychologisch sind alle entscheidenden Züge meiner eignen Natur in die Wagners eingegangen — das Nebeneinander der lichtesten und verhängnisvollsten Kräfte, der Wille zur Macht, wie ihn nie ein Mensch besessen hat, die rücksichtslose Tapferkeit im Geistigen, die unbegrenzte Kraft zu lernen, ohne daß der Wille zur Tat damit erdrückt würde. Es ist alles an dieser Schrift vorherverkündend: die Nähe der Wiederkunft des griechischen Geistes, die

Notwendigkeit von *Gegen-Alexandern,* welche den gordischen
Knoten der griechischen Kultur wieder *binden,* nachdem er gelöst
war ... Man höre den welthistorischen Akzent, mit dem [in Abschnitt 4] der Begriff »tragische Gesinnung« eingeführt wird: es
sind lauter welthistorische Akzente in dieser Schrift. Dies ist die
fremdartigste »Objektivität«, die es geben kann: die absolute
Gewißheit darüber, was ich *bin,* projizierte sich auf irgendeine
zufällige Realität — die Wahrheit über mich redete aus einer
schauervollen Tiefe. [In Abschnitt 9] wird der *Stil* des Zarathustra mit einschneidender Sicherheit beschrieben und vorweggenommen; und niemals wird man einen großartigeren Ausdruck
für das *Ereignis* Zarathustra, den Akt einer ungeheuren Rei-
nigung und Weihung der Menschheit, finden, als er in [Ab-
schnitt 6] gefunden ist. —

1

Die vier *Unzeitgemäßen* sind durchaus kriegerisch. Sie beweisen, daß ich kein »Hans der Träumer« war, daß es mir Vergnügen macht, den Degen zu ziehn — vielleicht auch, daß ich das Handgelenk gefährlich frei habe. Der *erste* Angriff (1873) galt der deutschen Bildung, auf die ich damals schon mit schonungsloser Verachtung hinabblickte. Ohne Sinn, ohne Substanz, ohne Ziel: eine bloße »öffentliche Meinung«. Kein bösartigeres Mißverständnis als zu glauben, der große Waffen-Erfolg der Deutschen beweise irgend etwas zugunsten dieser Bildung — oder gar *ihren* Sieg über Frankreich... Die *zweite* Unzeitgemäße (1874) bringt das Gefährliche, das Leben-Annagende und -Vergiftende in unsrer Art des Wissenschafts-Betriebs ans Licht —: das Leben *krank* an diesem entmenschten Räderwerk und Mechanismus, an der »*Un*persönlichkeit« des Arbeiters, an der falschen Ökonomie der »Teilung der Arbeit«. Der *Zweck* geht verloren, die Kultur — das Mittel, der moderne Wissenschafts-Betrieb, *barbarisiert*... In dieser Abhandlung wurde der »historische Sinn«, auf den dies Jahrhundert stolz ist, zum erstenmal als Krankheit erkannt, als typisches Zeichen des Verfalls. — In der *dritten* und *vierten* Unzeitgemäßen werden, als Fingerzeige zu einem *höheren* Begriff der Kultur, zur Wiederherstellung des Begriffs »Kultur«, zwei Bilder der härtesten *Selbstsucht, Selbstzucht* dagegen aufgestellt, unzeitgemäße Typen *par excellence*, voll souveräner Verachtung gegen alles, was um sie herum »Reich«, »Bildung«, »Christentum«, »Bismarck«, »Erfolg« hieß — Schopenhauer und Wagner *oder*, mit *einem* Wort, Nietzsche...

2

Von diesen vier Attentaten hatte das erste einen außerordent-
lichen Erfolg. Der Lärm, den es hervorrief, war in jedem Sinne
prachtvoll. Ich hatte einer siegreichen Nation an ihre wunde
Stelle gerührt — daß ihr Sieg *nicht* ein Kultur-Ereignis sei, sondern vielleicht, vielleicht etwas ganz anderes... Die Antwort
kam von allen Seiten und durchaus nicht bloß von den alten
Freunden David Straußens, den ich als Typus eines deutschen
Bildungsphilisters und *satisfait*, kurz als Verfasser seines Bier-
bank-Evangeliums vom »alten und neuen Glauben« lächerlich
gemacht hatte (— das Wort Bildungsphilister ist von meiner
Schrift her in der Sprache übriggeblieben). Diese alten Freunde,
denen ich als Württembergern und Schwaben einen tiefen Stich
versetzt hatte, als ich ihr Wundertier, ihren Strauß komisch fand,
antworteten so bieder und grob, als ich's irgendwie wünschen
konnte; die preußischen Entgegnungen waren klüger — sie hatten mehr »Berliner Blau« in sich. Das Unanständigste leistete ein
Leipziger Blatt, die berüchtigten »Grenzboten«; ich hatte Mühe,
die entrüsteten Basler von Schritten abzuhalten. Unbedingt für
mich entschieden sich nur einige alte Herrn, aus gemischten und
zum Teil unausfindlichen Gründen. Darunter Ewald in Göttingen, der zu verstehn gab, mein Attentat sei für Strauß tödlich ab-
gelaufen. Insgleichen der alte Hegelianer Bruno Bauer, an dem
ich von da an einen meiner aufmerksamsten Leser gehabt habe.
Er liebte es, in seinen letzten Jahren, auf mich zu verweisen,
zum Beispiel Herrn von Treitschke, dem preußischen Historio-
graphen, einen Wink zu geben, bei wem er sich Auskunft über
den ihm verlorengegangenen Begriff »Kultur« holen könne.
Das Nachdenklichste, auch das Längste über die Schrift und ihren
Autor wurde von einem alten Schüler des Philosophen von
Baader gesagt, einem Professor Hoffmann in Würzburg. Er sah
aus der Schrift eine große Bestimmung für mich voraus — eine
Art Krisis und höchste Entscheidung im Problem des Atheismus
herbeizuführen, als dessen instinktivsten und rücksichtslosesten
Typus er mich erriet. Der Atheismus war das, was mich zu
Schopenhauer führte. — Bei weitem am besten gehört, am bitter-

sten empfunden wurde eine außerordentlich starke und tapfere
Fürsprache des sonst so milden Karl Hillebrand, dieses letzten
humanen Deutschen, der die Feder zu führen wußte. Man las
seinen Aufsatz in der »Augsburger Zeitung«; man kann ihn
heute, in einer etwas vorsichtigeren Form, in seinen gesammel-
ten Schriften lesen. Hier war die Schrift als Ereignis, Wende-
punkt, erste Selbstbesinnung, allerbestes Zeichen dargestellt, als
eine wirkliche *Wiederkehr* des deutschen Ernstes und der deutschen Leidenschaft in geistigen Dingen. Hillebrand war voll
hoher Auszeichnung für die Form der Schrift, für ihren reifen
Geschmack, für ihren vollkommnen Takt in der Unterscheidung
von Person und Sache: er zeichnete sie als die beste polemische
Schrift aus, die deutsch geschrieben sei — in der gerade für Deutsche so gefährlichen, so widerratbaren Kunst der Polemik. Unbedingt jasagend, mich sogar in dem verschärfend, was ich über
die Sprach-Verlumpung in Deutschland zu sagen gewagt hatte
(— heute spielen sie die Puristen und können keinen Satz mehr
bauen —), in gleicher Verachtung gegen die »ersten Schriftsteller«
dieser Nation, endete er damit, seine Bewunderung für meinen
Mut auszudrücken — jenen »höchsten Mut, der gerade die Lieb-
linge eines Volkes auf die Anklagebank bringt« ... Die Nachwirkung dieser Schrift ist geradezu unschätzbar in meinem Leben. Niemand hat bisher mit mir Händel gesucht. Man schweigt,
man behandelt mich in Deutschland mit einer düstern Vorsicht: ich habe seit Jahren von einer unbedingten Redefreiheit
Gebrauch gemacht, zu der niemand heute, am wenigsten im
»Reich«, die *Hand* frei genug hat. Mein Paradies ist »unter dem
Schatten meines Schwertes« ... Im Grunde hatte ich eine Maxime
Stendhals praktiziert: er rät an, seinen Eintritt in die Gesellschaft mit einem *Duell* zu machen. Und wie ich mir meinen Gegner gewählt hatte! den ersten deutschen Freigeist! ... In der
Tat, eine ganz *neue* Art Freigeisterei kam damit zum ersten Ausdruck: bis heute ist mir nichts fremder und unverwandter als
die ganze europäische und amerikanische Spezies von *»libres
penseurs«.* Mit ihnen als mit unverbesserlichen Flachköpfen und
Hanswürsten der »modernen Ideen« befinde ich mich sogar in
einem tieferen Zwiespalt als mit irgendwem von ihren Gegnern.

Sie wollen auch, auf ihre Art, die Menschheit »verbessern«, nach ihrem Bilde, sie würden gegen das, was ich bin, was ich *will,* einen unversöhnlichen Krieg machen, gesetzt daß sie es verstünden — sie glauben allesamt noch ans »Ideal« ... Ich bin der erste *Immoralist* —

3

Daß die mit dem Namen Schopenhauer und Wagner abgezeichneten Unzeitgemäßen sonderlich zum Verständnis oder auch nur zur psychologischen Fragestellung beider Fälle dienen könnten, möchte ich nicht behaupten — einzelnes, wie billig, ausgenommen. So wird zum Beispiel mit tiefer Instinkt-Sicherheit bereits hier das Elementarische in der Natur Wagners als eine Schauspieler-Begabung bezeichnet, die in seinen Mitteln und Absichten nur ihre Folgerungen zieht. Im Grunde wollte ich mit diesen Schriften etwas ganz andres als Psychologie treiben — ein Problem der Erziehung ohnegleichen, ein neuer Begriff der *Selbst-Zucht, Selbst-Verteidigung* bis zur Härte, ein Weg zur Größe und zu welthistorischen Aufgaben verlangte nach seinem ersten Ausdruck. Ins große gerechnet nahm ich zwei berühmte und ganz und gar noch unfestgestellte Typen beim Schopf, wie man eine Gelegenheit beim Schopf nimmt, um etwas auszusprechen, um ein paar Formeln, Zeichen, Sprachmittel mehr in der Hand zu haben. Dies ist zuletzt mit vollkommen unheimlicher Sagazität [in Abschnitt 7] der dritten Unzeitgemäßen auch angedeutet. Dergestalt hat sich Plato des Sokrates bedient, als einer Semiotik für Plato. — Jetzt, wo ich aus einiger Ferne auf jene Zustände zurückblicke, deren Zeugnis diese Schriften sind, möchte ich nicht verleugnen, daß sie im Grunde bloß von mir reden. Die Schrift »Wagner in Bayreuth« ist eine Vision meiner Zukunft; dagegen ist in »Schopenhauer als Erzieher« meine innerste Geschichte, mein *Werden* eingeschrieben. Vor allem mein *Gelöbnis*! ... Was ich heute bin, *wo* ich heute bin — in einer Höhe, wo ich nicht mehr mit Worten, sondern mit Blitzen rede —, o wie fern davon war ich damals noch! — Aber ich *sah* das Land — ich betrog mich nicht einen Augenblick über Weg, Meer, Gefahr — *und* Erfolg! Die

große Ruhe im Versprechen, dies glückliche Hinausschaun in
eine Zukunft, welche nicht nur eine Verheißung bleiben soll! —
Hier ist jedes Wort erlebt, tief, innerlich; es fehlt nicht am
Schmerzlichsten, es sind Worte darin, die geradezu blutrünstig
sind. Aber ein Wind der *großen* Freiheit bläst über alles weg;
die Wunde selbst wirkt *nicht* als Einwand. — Wie ich den Philosophen verstehe, als einen furchtbaren Explosionsstoff, vor dem
alles in Gefahr ist, wie ich meinen Begriff »Philosoph« meilen-
weit abtrenne von einem Begriff, der sogar noch einen Kant in
sich schließt, nicht zu reden von den akademischen »Wieder-
käuern« und andren Professoren der Philosophie: darüber gibt
diese Schrift eine unschätzbare Belehrung, zugegeben selbst daß
hier im Grunde nicht »Schopenhauer als Erzieher«, sondern sein
Gegensatz, »Nietzsche als Erzieher«, zu Worte kommt. — In
Anbetracht, daß damals mein Handwerk das eines Gelehrten
war, und, vielleicht auch, daß ich mein Handwerk *verstand,* ist
ein herbes Stück Psychologie des Gelehrten nicht ohne Bedeutung, das in dieser Schrift plötzlich zum Vorschein kommt: es
drückt das *Distanz-Gefühl* aus, die tiefe Sicherheit darüber, was
bei mir *Aufgabe,* was bloß Mittel, Zwischenakt und Nebenwerk
sein kann. Es ist meine Klugheit, vieles und vielerorts gewesen zu
sein, um *eins* werden zu können — um zu *einem* kommen zu
können. Ich *mußte* eine Zeitlang auch Gelehrter sein. —

MENSCHLICHES, ALLZUMENSCHLICHES

Mit zwei Fortsetzungen

1

»Menschliches, Allzumenschliches« ist das Denkmal einer Krisis. Es heißt sich ein Buch für *freie* Geister: fast jeder Satz darin drückt einen Sieg aus — ich habe mich mit demselben vom *Unzugehörigen* in meiner Natur freigemacht. Unzugehörig ist mir der Idealismus: der Titel sagt »wo *ihr* ideale Dinge seht, sehe *ich* — Menschliches, ach nur Allzumenschliches!«... Ich kenne den Menschen *besser*... In keinem andren Sinne will das Wort »freier Geist« hier verstanden werden: ein *freigewordner* Geist, der von sich selber wieder Besitz ergriffen hat. Der Ton, der Stimmklang hat sich völlig verändert: man wird das Buch klug, kühl, unter Umständen hart und spöttisch finden. Eine gewisse Geistigkeit *vornehmen* Geschmacks scheint sich beständig gegen eine leidenschaftlichere Strömung auf dem Grunde obenauf zu halten. In diesem Zusammenhang hat es Sinn, daß es eigentlich die hundertjährige Todesfeier *Voltaires* ist, womit sich die Herausgabe des Buchs schon für das Jahr 1878 gleichsam entschuldigt. Denn Voltaire ist, im Gegensatz zu allem, was nach ihm schrieb, vor allem ein *grandseigneur* des Geistes: genau das, was ich auch bin. — Der Name Voltaire auf einer Schrift von mir — das war wirklich ein Fortschritt — *zu mir*... Sieht man genauer zu, so entdeckt man einen unbarmherzigen Geist, der alle Schlupfwinkel kennt, wo das Ideal heimisch ist — wo es seine Burgverließe und gleichsam seine letzte Sicherheit hat. Eine Fackel in den Händen, die durchaus kein »fackelndes« Licht gibt, mit einer schneidenden Helle wird in diese *Unterwelt* des Ideals hineingeleuchtet. Es ist der Krieg, aber der Krieg ohne Pulver und Dampf, ohne

kriegerische Attitüden, ohne Pathos und verrenkte Gliedmaßen —
dies alles selbst wäre noch »Idealismus«. Ein Irrtum nach dem
andern wird gelassen aufs Eis gelegt, das Ideal wird nicht widerlegt — *es erfriert* ... Hier zum Beispiel erfriert »das Genie«; eine
Ecke weiter erfriert »der Heilige«; unter einem dicken Eiszapfen
erfriert »der Held«; am Schluß erfriert »der Glaube«, die sogenannte »Überzeugung«, auch das »Mitleiden« kühlt sich bedeutend ab — fast überall erfriert »das Ding an sich« ...

2

Die Anfänge dieses Buchs gehören mitten in die Wochen der
ersten Bayreuther Festspiele hinein; eine tiefe Fremdheit gegen
alles, was mich dort umgab, ist eine seiner Voraussetzungen. Wer
einen Begriff davon hat, was für Visionen mir schon damals über
den Weg gelaufen waren, kann erraten, wie mir zumute war, als
ich eines Tags in Bayreuth aufwachte. Ganz als ob ich träumte ...
Wo war ich doch? Ich erkannte nichts wieder, ich erkannte kaum
Wagner wieder. Umsonst blätterte ich in meinen Erinnerungen.
Tribschen — eine ferne Insel der Glückseligen: kein Schatten von
Ähnlichkeit. Die unvergleichlichen Tage der Grundsteinlegung,
die kleine *zugehörige* Gesellschaft, die sie feierte und der man
nicht erst Finger für zarte Dinge zu wünschen hatte: kein Schatten von Ähnlichkeit. *Was war geschehn?* — Man hatte Wagner
ins Deutsche übersetzt! Der Wagnerianer war Herr über Wagner
geworden! — Die *deutsche* Kunst! Der *deutsche* Meister! Das
deutsche Bier! ... Wir andern, die wir nur zu gut wissen, zu was
für raffinierten Artisten, zu welchem Kosmopolitismus des Geschmacks Wagners Kunst allein redet, waren außer uns, Wagner
mit deutschen »Tugenden« behängt wiederzufinden. — Ich denke,
ich kenne den Wagnerianer, ich habe drei Generationen »erlebt«,
vom seligen Brendel an, der Wagner mit Hegel verwechselte, bis
zu den »Idealisten« der Bayreuther Blätter, die Wagner mit sich
selbst verwechseln — ich habe alle Art Bekenntnisse »schöner
Seelen« über Wagner gehört. Ein Königreich für *ein* gescheites
Wort! — In Wahrheit, eine haarsträubende Gesellschaft! Nohl,
Pohl, *Kohl* mit Grazie *in infinitum*! Keine Mißgeburt fehlt dar-

unter, nicht einmal der Antisemit. — Der arme Wagner! Wohin
war er geraten! — Wäre er doch wenigstens unter die Säue gefahren! Aber unter Deutsche! . . . Zuletzt sollte man, zur Belehrung der Nachwelt, einen echten Bayreuther ausstopfen, besser
noch in Spiritus setzen, denn an Spiritus fehlt es —, mit der
Unterschrift: so sah der »Geist« aus, auf den hin man das »Reich«
gründete . . . Genug, ich reiste mitten drin für ein paar Wochen
ab, sehr plötzlich, trotzdem daß eine charmante Pariserin mich
zu trösten suchte; ich entschuldigte mich bei Wagner bloß mit
einem fatalistischen Telegramm. In einem tief in Wäldern ver-
borgnen Ort des Böhmerwalds, Klingenbrunn, trug ich meine
Melancholie und Deutschen-Verachtung wie eine Krankheit mit
mir herum — *und* schrieb von Zeit zu Zeit, unter dem Gesamt-
titel »Die Pflugschar«, einen Satz in mein Taschenbuch, lauter
harte Psychologika, die sich vielleicht in »Menschliches, Allzumenschliches« noch wiederfinden lassen.

3

Was sich damals bei mir entschied, war nicht etwa ein Bruch mit
Wagner — ich empfand eine Gesamt-Abirrung meines Instinkts,
von der der einzelne Fehlgriff, heiße er nun Wagner oder Basler
Professur, bloß ein Zeichen war. Eine *Ungeduld* mit mir überfiel mich; ich sah ein, daß es die höchste Zeit war, mich auf *mich*
zurückzubesinnen. Mit einem Male war mir auf eine schreckliche
Weise klar, wieviel Zeit bereits verschwendet sei — wie nutzlos,
wie willkürlich sich meine ganze Philologen-Existenz an meiner
Aufgabe ausnehme. Ich schämte mich dieser *falschen* Bescheidenheit . . . Zehn Jahre hinter mir, wo ganz eigentlich die *Ernährung*
des Geistes bei mir stillgestanden hatte, wo ich nichts Brauch-
bares hinzugelernt hatte, wo ich unsinnig viel über einen Krims-
krams verstaubter Gelehrsamkeit vergessen hatte. Antike Metri-
ker mit Akribie und schlechten Augen durchkriechen — dahin
war es mit mir gekommen! — Ich sah mit Erbarmen mich ganz
mager, ganz abgehungert: die *Realitäten* fehlten geradezu innerhalb meines Wissens, und die »Idealitäten« taugten den Teufel
was! — Ein geradezu brennender Durst ergriff mich: von da an

habe ich in der Tat nichts mehr getrieben als Physiologie, Medizin und Naturwissenschaften — selbst zu eigentlichen historischen Studien bin ich erst wieder zurückgekehrt, als die *Aufgabe* mich gebieterisch dazu zwang. Damals erriet ich auch zuerst den Zusammenhang zwischen einer instinktwidrig gewählten Tätigkeit, einem sogenannten »Beruf«, zu dem man *am letzten* berufen ist — und jenem Bedürfnis nach einer *Betäubung* des Öde- und Hungergefühls durch eine narkotische Kunst — zum Beispiel durch die Wagnersche Kunst. Bei einem vorsichtigeren Umblick habe ich entdeckt, daß für eine große Anzahl junger Männer der gleiche Notstand besteht: eine Widernatur *erzwingt* förmlich eine zweite. In Deutschland, im »Reich«, um unzweideutig zu reden, sind nur zu viele verurteilt, sich unzeitig zu entscheiden und dann, unter einer unabwerfbar gewordnen Last, *hinzusiechen* ... Diese verlangen nach Wagner als nach einem *Opiat* — sie vergessen sich, sie werden sich einen Augenblick los ... Was sage ich! *fünf bis sechs Stunden!* —

4

Damals entschied sich mein Instinkt unerbittlich gegen ein noch längeres Nachgeben, Mitgehn, Mich-selbst-Verwechseln. Jede Art Leben, die ungünstigsten Bedingungen, Krankheit, Armut — alles schien mir jener unwürdigen »Selbstlosigkeit« vorziehenswert, in die ich zuerst aus Unwissenheit, aus *Jugend* geraten war, in der ich später aus Trägheit, aus sogenanntem »Pflichtgefühl« hängengeblieben war. — Hier kam mir auf eine Weise, die ich nicht genug bewundern kann, und gerade zur rechten Zeit jene *schlimme* Erbschaft von seiten meines Vaters her zu Hilfe — im Grunde eine Vorbestimmung zu einem frühen Tode. Die Krankheit *löste mich langsam heraus*: sie ersparte mir jeden Bruch, jeden gewalttätigen und anstößigen Schritt. Ich habe kein Wohlwollen damals eingebüßt und viel noch hinzugewonnen. Die Krankheit gab mir insgleichen ein Recht zu einer vollkommnen Umkehr aller meiner Gewohnheiten; sie erlaubte, *sie gebot* mir Vergessen; sie beschenkte mich mit der *Nötigung* zum Stilliegen, zum Müßiggang, zum Warten und Geduldigsein ... Aber das heißt ja den-

ken!... Meine Augen allein machten ein Ende mit aller Bücher-
würmerei, auf deutsch Philologie: ich war vom »Buch« erlöst,
ich las jahrelang nichts mehr — die *größte* Wohltat, die ich mir je
erwiesen habe! — Jenes unterste Selbst, gleichsam verschüttet,
gleichsam still geworden unter einem beständigen *Hören-Müssen*
auf andre Selbste (— und das heißt ja lesen!) erwachte langsam,
schüchtern, zweifelhaft — aber endlich *redete es wieder.* Nie habe
ich so viel Glück an mir gehabt als in den kränksten und schmerz-
haftesten Zeiten meines Lebens: man hat nur die »Morgenröte«
oder etwa den »Wanderer und seinen Schatten« sich anzusehn,
um zu begreifen, was diese »Rückkehr zu *mir*« war: eine höchste
Art von *Genesung* selbst!... Die andre folgte bloß daraus. —

5

Menschliches, Allzumenschliches, dies Denkmal einer rigorosen
Selbstzucht, mit der ich bei mir allem eingeschleppten »höheren
Schwindel«, »Idealismus«, »schönen Gefühl« und andren Weib-
lichkeiten ein jähes Ende bereitete, wurde in allen Hauptsachen
in Sorrent niedergeschrieben; es bekam seinen Schluß, seine endgültige Form in einem Basler Winter, unter ungleich ungünsti-
geren Verhältnissen als denen in Sorrent. Im Grunde hat Herr
Peter Gast, damals an der Basler Universität studierend und mir
sehr zugetan, das Buch auf dem Gewissen. Ich diktierte, den
Kopf verbunden und schmerzhaft, er schrieb ab, er korrigierte
auch — er war im Grunde der eigentliche Schriftsteller, während
ich bloß der Autor war. Als das Buch endlich fertig mir zu Händen kam — zur tiefen Verwunderung eines Schwerkranken —,
sandte ich, unter anderem, auch nach Bayreuth zwei Exemplare.
Durch ein Wunder von Sinn im Zufall kam gleichzeitig bei mir
ein schönes Exemplar des Parsifal-Textes an, mit Wagners Wid-
mung an mich »seinem theuren Freunde Friedrich Nietzsche,
Richard Wagner, Kirchenrath«. — Diese Kreuzung der zwei
Bücher — mir war's, als ob ich einen ominösen Ton dabei hörte.
Klang es nicht, als ob sich *Degen* kreuzten?... Jedenfalls empfanden wir es beide so: denn wir schwiegen beide. — Um diese
Zeit erschienen die ersten Bayreuther Blätter: ich begriff, *wozu*

es höchste Zeit gewesen war. — Unglaublich! Wagner war fromm
geworden . . .

6

Wie ich damals (1876) über mich dachte, mit welcher ungeheuren
Sicherheit ich meine Aufgabe und das Welthistorische an ihr in
der Hand hielt, davon legt das ganze Buch, vor allem aber eine
sehr ausdrückliche Stelle Zeugnis ab: nur daß ich, mit der bei mir
instinktiven Arglist, auch hier wieder das Wörtchen »ich« umging
und diesmal nicht Schopenhauer oder Wagner, sondern einen
meiner Freunde, den ausgezeichneten Dr. Paul Rée, mit einer
welthistorischen Glorie überstrahlte — zum Glück ein viel zu
feines Tier, als daß . . . *Andre* waren weniger fein: ich habe die
Hoffnungslosen unter meinen Lesern, zum Beispiel den typischen
deutschen Professor, immer daran erkannt, daß sie, auf diese
Stelle hin, das ganze Buch als höheren Réealismus verstehn zu
müssen glaubten . . . In Wahrheit enthielt es den Widerspruch
gegen fünf, sechs Sätze meines Freundes: man möge darüber die
Vorrede zur »Genealogie der Moral« nachlesen. — Die Stelle
lautet: Welches ist doch der Hauptsatz, zu dem einer der kühn-
sten und kältesten Denker, der Verfasser des Buchs »Über den
Ursprung der moralischen Empfindungen« (*lisez:* Nietzsche, der
erste *Immoralist),* vermöge seiner ein- und durchschneidenden
Analysen des menschlichen Handelns gelangt ist? »Der moralische Mensch steht der intelligiblen Welt nicht näher als der physische — *denn* es gibt keine intelligible Welt . . .« Dieser Satz,
hart und schneidig geworden unter dem Hammerschlag der historischen Erkenntnis (*lisez: Umwertung aller Werte)* kann vielleicht einmal, in irgendwelcher Zukunft — 1890! — als die Axt
dienen, welche dem »metaphysischen Bedürfnis« der Menschheit
an die Wurzel gelegt wird — ob mehr zum Segen oder zum Fluche
der Menschheit, wer wüßte das zu sagen? Aber jedenfalls als ein
Satz der erheblichsten Folgen, fruchtbar und furchtbar zugleich
und mit jenem *Doppelblick* in die Welt sehend, welchen alle großen Erkenntnisse haben . . .

MORGENRÖTE

Gedanken über die Moral als Vorurteil

1

Mit diesem Buche beginnt mein Feldzug gegen die *Moral*. Nicht daß es den geringsten Pulvergeruch an sich hätte — man wird ganz andre und viel lieblichere Gerüche an ihm wahrnehmen, gesetzt, daß man einige Feinheit in den Nüstern hat. Weder großes, noch auch kleines Geschütz: ist die Wirkung des Buches negativ, so sind es seine Mittel um so weniger, diese Mittel, aus denen die Wirkung wie ein Schluß, *nicht* wie ein Kanonenschuß folgt. Daß man von dem Buche Abschied nimmt mit einer scheuen Vorsicht vor allem, was bisher unter dem Namen Moral zu Ehren und selbst zur Anbetung gekommen ist, steht nicht im Widerspruch damit, daß im ganzen Buch kein negatives Wort vorkommt, kein Angriff, keine Bosheit — daß es vielmehr in der Sonne liegt, rund, glücklich, einem Seegetier gleich, das zwischen Felsen sich sonnt. Zuletzt war ich's selbst, dieses Seegetier: fast jeder Satz des Buches ist erdacht, *erschlüpft* in jenem Felsen-Wirrwarr nahe bei Genua, wo ich allein war und noch mit dem Meere Heimlichkeiten hatte. Noch jetzt wird mir, bei einer zufälligen Berührung dieses Buchs, fast jeder Satz zum Zipfel, an dem ich irgend etwas Unvergleichliches wieder aus der Tiefe ziehe: seine ganze Haut zittert von zarten Schaudern der Erinnerung. Die Kunst, die es voraus hat, ist keine kleine darin, Dinge, die leicht und ohne Geräusch vorbeihuschen, Augenblicke, die ich göttliche Eidechsen nenne, ein wenig fest zu machen — nicht etwa mit der Grausamkeit jenes jungen Griechengottes, der das arme Eidechslein einfach anspießte, aber immerhin doch mit etwas Spitzem, mit der Feder ... »Es gibt so viele Morgenröten, die noch nicht geleuchtet haben« — diese *indische* Inschrift steht auf der Tür zu diesem Buche. Wo *sucht* sein Urheber jenen neuen Morgen, jenes bisher noch unentdeckte zarte Rot, mit dem wieder ein Tag — ah, eine ganze Reihe, eine ganze Welt neuer Tage! — anhebt? In einer *Umwertung aller Werte*, in einem Loskommen von allen Moralwerten, in einem Jasagen und Vertrauen-haben zu alledem, was bisher verboten, verachtet, verflucht worden ist. Dies *jasagende* Buch strömt sein Licht, seine Liebe, seine Zärtlichkeit auf lauter schlimme Dinge aus, es gibt ihnen »die Seele«, das gute Gewissen, das hohe Recht und *Vorrecht* auf Dasein wieder zurück. Die Moral wird nicht angegriffen, sie kommt nur nicht mehr in Betracht ... Dies Buch schließt mit einem »Oder?« — es ist das einzige Buch, das mit einem »Oder?« schließt ...

2

Meine Aufgabe, einen Augenblick höchster Selbstbesinnung der Menschheit vorzubereiten, einen *großen Mittag,* wo sie zurückschaut und hinausschaut, wo sie aus der Herrschaft des Zufalls und der Priester heraustritt und die Frage des warum?, des wozu? zum ersten Male als *Ganzes* stellt —, diese Aufgabe folgt mit Notwendigkeit aus der Einsicht, daß die Menschheit *nicht* von selber auf dem rechten Wege ist, daß sie durchaus *nicht* göttlich regiert wird, daß vielmehr gerade unter ihren heiligsten Wertbegriffen der Instinkt der Verneinung, der Verderbnis, der *décadence*-Instinkt verführerisch gewaltet hat. Die Frage nach der Herkunft der moralischen Werte ist deshalb für mich eine Frage *ersten Ranges,* weil sie die Zukunft der Menschheit bedingt. Die Forderung, man solle *glauben,* daß alles im Grunde in den besten Händen ist, daß ein Buch, die Bibel, eine endgültige Beruhigung über die göttliche Lenkung und Weisheit im Geschick der Menschheit gibt, ist, zurückübersetzt in die Realität, der Wille, die Wahrheit über das erbarmungswürdige Gegenteil davon nicht aufkommen zu lassen, nämlich, daß die Menschheit bisher in den *schlechtesten* Händen war, daß sie von den Schlechtweggekommenen, den Arglistig-Rachsüchtigen, den sogenannten »Heiligen«, diesen Weltverleumdern und Menschenschändern, regiert worden ist. Das entscheidende Zeichen, an dem sich ergibt, daß der Priester (— eingerechnet die *versteckten* Priester, die Philosophen) nicht nur innerhalb einer bestimmten religiösen Gemeinschaft, sondern überhaupt Herr geworden ist, daß die *décadence*-Moral, der Wille zum Ende, als Moral *an sich* gilt, ist der unbedingte Wert, der dem Unegoistischen, und die Feindschaft, die dem Egoistischen überall zuteil wird. Wer über diesen Punkt mit mir uneins ist, den halte ich für *infiziert* . . . Aber alle Welt ist mit mir uneins . . . Für einen Physiologen läßt ein solcher Wert-Gegensatz gar keinen Zweifel. Wenn innerhalb des Organismus das geringste Organ in noch so kleinem Maße nachläßt, seine Selbsterhaltung, seinen Kraftersatz, seinen »Egoismus« mit vollkommner Sicherheit durchzusetzen, so entartet das Ganze. Der Physiologe verlangt *Ausschneidung* des entarteten Teils, er verneint jede Solidarität mit dem Entarteten, er ist am fernsten vom Mitleiden mit ihm. Aber der Priester *will* gerade die Entartung des Ganzen, der Menschheit: darum *konserviert* er das Entartende — um diesen Preis beherrscht er sie . . . Welchen Sinn haben jene Lügenbegriffe, die *Hilfs*begriffe der Moral, »Seele«, »Geist«, »freier Wille«, »Gott«, wenn nicht den, die Menschheit physiologisch zu ruinieren? . . . Wenn man den Ernst von der Selbsterhaltung, Kraftsteigerung des Leibes, *das heißt des Lebens* ablenkt, wenn man aus der Bleichsucht ein Ideal, aus der Verachtung des Leibes »das Heil der Seele« konstruiert, was ist das anderes, als ein *Rezept* zur *décadence*? — Der Verlust an Schwergewicht, der Widerstand gegen die natürlichen Instinkte, die »Selbstlosigkeit« mit einem Worte — das hieß bisher *Moral* . . . Mit der »Morgenröte« nahm ich zuerst den Kampf gegen die Entselbstungs-Moral auf. —

DIE FRÖHLICHE WISSENSCHAFT

(»la gaya scienza«)

Die »Morgenröte« ist ein jasagendes Buch, tief, aber hell und gütig. Dasselbe gilt noch einmal und im höchsten Grade von der *gaya scienza*: fast in jedem Satz derselben halten sich Tiefsinn und Mutwillen zärtlich an der Hand. Ein Vers, welcher die Dankbarkeit für den wunderbarsten Monat Januar ausdrückt, den ich erlebt habe — das ganze Buch ist ein Geschenk —, verrät zur Genüge, aus welcher Tiefe heraus hier die »Wissenschaft« *fröhlich* geworden ist:

> Der du mit dem Flammenspeere
> Meiner Seele Eis zerteilt,
> Daß sie brausend nun zum Meere
> Ihrer höchsten Hoffnung eilt:
> Heller stets und stets gesunder,
> Frei im liebevollsten Muß —
> Also preist sie deine Wunder,
> Schönster Januarius!

Was hier »höchste Hoffnung« heißt, wer kann darüber im Zweifel sein, der als Schluß des vierten Buchs die diamantene Schönheit der ersten Worte des Zarathustra aufglänzen sieht? — Oder der die granitnen Sätze am Ende des dritten Buchs liest, mit denen sich ein Schicksal für *alle Zeiten* zum ersten Male in Formeln faßt? — Die *Lieder des Prinzen Vogelfrei,* zum besten Teil in Sizilien gedichtet, erinnern ganz ausdrücklich an den provençalischen Begriff der »gaya scienza«, an jene Einheit von *Sänger, Ritter* und *Freigeist,* mit der sich jene wunderbare Frühkultur der Provençalen gegen alle zweideutigen Kulturen ab-

hebt; das allerletzte Gedicht zumal, »*an den Mistral*«, ein aus-
gelassenes Tanzlied, in dem, mit Verlaub! über die Moral hin-
weggetanzt wird, ist ein vollkommner Provençalismus. —

ALSO SPRACH ZARATHUSTRA

Ein Buch für alle und keinen

1

Ich erzähle nunmehr die Geschichte des Zarathustra. Die Grund-konzeption des Werks, der *Ewige-Wiederkunfts-Gedanke,* die höchste Formel der Bejahung, die überhaupt erreicht werden kann —, gehört in den August des Jahres 1881: er ist auf ein Blatt hingeworfen, mit der Unterschrift: »6000 Fuß jenseits von Mensch und Zeit«. Ich ging an jenem Tage am See von Silvaplana durch die Wälder; bei einem mächtigen pyramidal aufgetürmten Block unweit Surlei machte ich halt. Da kam mir dieser Gedanke. — Rechne ich von diesem Tage ein paar Monate zurück, so finde ich, als Vorzeichen, eine plötzliche und im Tief-sten entscheidende Veränderung meines Geschmacks, vor allem in der Musik. Man darf vielleicht den ganzen Zarathustra unter die Musik rechnen; — sicherlich war eine Wiedergeburt in der Kunst zu *hören,* eine Vorausbedingung dazu. In einem kleinen Gebirgsbade unweit Vicenza, Recoaro, wo ich den Frühling des Jahrs 1881 verbrachte, entdeckte ich, zusammen mit meinem *maëstro* und Freunde Peter Gast, einem gleichfalls »Wiederge-bornen«, daß der Phönix Musik mit leichterem und leuchtende-rem Gefieder, als er je gezeigt, an uns vorüberflog. Rechne ich dagegen von jenem Tage an vorwärts, bis zur plötzlichen und unter den unwahrscheinlichsten Verhältnissen eintretenden Nie-derkunft im Februar 1883 — die Schlußpartie, dieselbe, aus der ich im *Vorwort* ein paar Sätze zitiert habe, wurde genau in der heiligen Stunde fertig gemacht, in der Richard Wagner in Venedig starb — so ergeben sich achtzehn Monate für die Schwangerschaft. Diese Zahl gerade von achtzehn Monaten dürfte den Gedanken nahelegen, unter Buddhisten wenigstens, daß ich im Grunde ein Elefanten-Weibchen bin. — In die Zwischenzeit gehört die *»gaya scienza«,* die hundert Anzeichen der Nähe von etwas Unvergleichlichem hat; zuletzt gibt sie den Anfang des Zarathustra selbst noch, sie gibt im vorletzten Stück des vierten Buchs den Grundgedanken des Zarathustra. — Insgleichen gehört in diese Zwischenzeit jener *Hymnus auf das Leben* (für gemischten Chor und Orchester), dessen Partitur vor zwei Jahren bei E. W. Fritzsch in Leipzig erschienen ist: ein vielleicht nicht unbedeutendes Symptom für den Zustand dieses Jahres, wo das *jasagende* Pathos *par excellence,* von mir das tragische Pathos genannt, im höchsten Grade mir innewohnte. Man wird ihn später einmal zu meinem Gedächtnis singen. — Der Text, ausdrücklich bemerkt, weil ein Mißverständnis darüber im Umlauf ist, ist nicht von mir: er ist die erstaunliche Inspiration einer jungen Russin, mit der ich damals befreundet war, des Fräulein Lou von Salomé. Wer den letzten Worten des Gedichts überhaupt einen Sinn zu entnehmen weiß, wird erraten, warum ich es vorzog und bewunderte: sie haben Größe. Der Schmerz gilt *nicht* als Einwand gegen das Leben: »Hast du kein Glück mehr übrig mir zu geben, wohlan! *noch hast du deine Pein . . .«* Vielleicht hat auch meine Musik an dieser Stelle Größe. (Letzte Note der A-Klarinette *cis* nicht *c.* Druckfehler.) — Den darauffolgenden Winter lebte ich in jener anmutig stillen Bucht von Rapallo unweit Genua, die sich zwischen Chiavari und dem Vorgebirge Porto fino einschneidet. Meine Gesundheit war nicht die beste; der Winter kalt und über die Maßen regnerisch; ein kleines Albergo, unmittelbar am Meer gelegen, so daß die hohe See nachts den Schlaf unmöglich machte, bot ungefähr in allem das Gegenteil vom Wünschenswerten. Trotzdem und beinahe zum Beweis meines Satzes, daß alles Entscheidende »trotzdem« entsteht, war es dieser Winter und diese Ungunst der Verhältnisse, unter denen mein Zarathustra entstand. — Den Vormittag stieg ich in südlicher Richtung auf der herrlichen Straße nach Zoagli hin in die Höhe, an Pinien vorbei und weitaus das Meer überschauend; des Nachmittags, so oft es nur die Gesundheit erlaubte, umging ich die ganze Bucht von Santa Margherita bis hinter nach Porto fino. Dieser Ort und

diese Landschaft ist durch die große Liebe, welche Kaiser Friedrich der Dritte für sie fühlte, meinem Herzen noch näher gerückt;
ich war zufällig im Herbst 1886 wieder an dieser Küste, als er
zum letztenmal diese kleine vergessene Welt von Glück besuchte. — Auf diesen beiden Wegen fiel mir der ganze erste Zarathustra ein, vor allem Zarathustra selber, als Typus: richtiger,
er überfiel mich ...

2

Um diesen Typus zu verstehn, muß man sich zuerst seine physiologische Voraussetzung klarmachen: sie ist das, was ich die *große
Gesundheit* nenne. Ich weiß diesen Begriff nicht besser, nicht
persönlicher zu erläutern, als ich es schon getan habe, in einem der
Schlußabschnitte des fünften Buchs der *»gaya scienza«*. »Wir
Neuen, Namenlosen, Schlechtverständlichen« — heißt es daselbst —, »wir Frühgeburten einer noch unbewiesenen Zukunft,
wir bedürfen zu einem neuen Zwecke auch eines neuen Mittels,
nämlich einer neuen Gesundheit, einer stärkeren gewitzteren
zäheren verwegneren lustigeren, als alle Gesundheiten bisher
waren. Wessen Seele danach dürstet, den ganzen Umfang der
bisherigen Werte und Wünschbarkeiten erlebt und alle Küsten
dieses idealischen ›Mittelmeers‹ umschifft zu haben, wer aus
den Abenteuern der eigensten Erfahrung wissen will, wie es
einem Eroberer und Entdecker des Ideals zumute ist, insgleichen
einem Künstler, einem Heiligen, einem Gesetzgeber, einem Weisen, einem Gelehrten, einem Frommen, einem Göttlich-Abseiti-
gen alten Stils: der hat dazu zu allererst eins nötig, die *große
Gesundheit* — eine solche, welche man nicht nur hat, sondern auch
beständig noch erwirbt und erwerben muß, weil man sie immer
wieder preisgibt, preisgeben muß ... Und nun, nachdem wir
lange dergestalt unterwegs waren, wir Argonauten des Ideals,
mutiger vielleicht als klug ist, und oft genug schiffbrüchig und zu
Schaden gekommen, aber, wie gesagt, gesünder als man es uns
erlauben möchte, gefährlich gesund, immer wieder gesund, —
will es uns scheinen, als ob wir, zum Lohn dafür, ein noch unent-
decktes Land vor uns haben, dessen Grenzen noch niemand ab-

gesehn hat, ein Jenseits aller bisherigen Länder und Winkel
des Ideals, eine Welt so überreich an Schönem, Fremdem, Frag-
würdigem, Furchtbarem und Göttlichem, daß unsre Neugierde
sowohl als unser Besitzdurst außer sich geraten sind — ach, daß
wir nunmehr durch nichts mehr zu ersättigen sind! . . . Wie könnten wir uns, nach solchen Ausblicken und mit einem solchen Heißhunger in Wissen und Gewissen, noch am *gegenwärtigen Menschen* genügen lassen? Schlimm genug, aber es ist unvermeidlich,
daß wir seinen würdigsten Zielen und Hoffnungen nur mit
einem übel aufrechterhaltenen Ernste zusehn und vielleicht nicht
einmal mehr zusehn . . . Ein andres Ideal läuft vor uns her, ein
wunderliches, versucherisches, gefahrenreiches Ideal, zu dem wir
niemanden überreden möchten, weil wir niemandem so leicht *das
Recht darauf* zugestehn: das Ideal eines Geistes, der naiv, das heißt
ungewollt und aus überströmender Fülle und Mächtigkeit mit
allem spielt, was bisher heilig, gut, unberührbar, göttlich hieß;
für den das Höchste, woran das Volk billigerweise sein Wertmaß
hat, bereits so viel wie Gefahr, Verfall, Erniedrigung oder, min-
destens, wie Erholung, Blindheit, zeitweiliges Selbstvergessen
bedeuten würde; das Ideal eines menschlich-übermenschlichen
Wohlseins und Wohlwollens, welches oft genug *unmenschlich* erscheinen wird, zum Beispiel, wenn es sich neben den ganzen bisherigen Erdenernst, neben alle bisherige Feierlichkeit in Gebärde,
Wort, Klang, Blick, Moral und Aufgabe wie deren leibhafteste
unfreiwillige Parodie hinstellt — und mit dem, trotzalledem,
vielleicht *der große Ernst* erst anhebt, das eigentliche Fragezeichen erst gesetzt wird, das Schicksal der Seele sich wendet, der
Zeiger rückt, die Tragödie *beginnt* . . .«

3

— Hat jemand, Ende des neunzehnten Jahrhunderts, einen deut-
lichen Begriff davon, was Dichter starker Zeitalter *Inspiration*
nannten? Im andren Falle will ich's beschreiben. — Mit dem geringsten Rest von Aberglauben in sich würde man in der Tat die
Vorstellung, bloß Inkarnation, bloß Mundstück, bloß Medium
übermächtiger Gewalten zu sein, kaum abzuweisen wissen. Der

Begriff Offenbarung, in dem Sinn, daß plötzlich, mit unsäglicher Sicherheit und Feinheit, etwas *sichtbar,* hörbar wird, etwas, das einen im Tiefsten erschüttert und umwirft, beschreibt einfach den Tatbestand. Man hört, man sucht nicht; man nimmt, man fragt nicht, wer da gibt; wie ein Blitz leuchtet ein Gedanke auf, mit Notwendigkeit, in der Form ohne Zögern — ich habe nie eine Wahl gehabt. Eine Entzückung, deren ungeheure Spannung sich mitunter in einen Tränenstrom auslöst, bei der der Schritt unwillkürlich bald stürmt, bald langsam wird; ein unvollkommnes Außer-sich-sein mit dem distinktesten Bewußtsein einer Unzahl feiner Schauder und Überrieselungen bis in die Fußzehen; eine Glückstiefe, in der das Schmerzlichste und Düsterste nicht als Gegensatz wirkt, sondern als bedingt, als herausgefordert, als eine *notwendige* Farbe innerhalb eines solchen Lichtüberflusses; ein Instinkt rhythmischer Verhältnisse, der weite Räume von Formen überspannt — die Länge, das Bedürfnis nach einem *weitgespannten* Rhythmus ist beinahe das Maß für die Gewalt der Inspiration, eine Art Ausgleich gegen deren Druck und Spannung... Alles geschieht im höchsten Grade unfreiwillig, aber wie in einem Sturme von Freiheits-Gefühl, von Unbedingtsein, von Macht, von Göttlichkeit... Die Unfreiwilligkeit des Bildes, des Gleichnisses ist das Merkwürdigste; man hat keinen Begriff mehr, was Bild, was Gleichnis ist, alles bietet sich als der nächste, der richtigste, der einfachste Ausdruck. Es scheint wirklich, um an ein Wort Zarathustras zu erinnern, als ob die Dinge selber herankämen und sich zum Gleichnis anböten (— »hier kommen alle Dinge liebkosend zu deiner Rede und schmeicheln dir: denn sie wollen auf deinem Rücken reiten. Auf jedem Gleichnis reitest du hier zu jeder Wahrheit. Hier springen dir alles Seins Worte und Wort-Schreine auf; alles Sein will hier Wort werden, alles Werden will von dir reden lernen —«). Dies ist *meine* Erfahrung von Inspiration; ich zweifle nicht, daß man Jahrtausende zurückgehn muß, um jemanden zu finden, der mir sagen darf »es ist auch die meine«. —

4

Ich lag ein paar Wochen hinterdrein in Genua krank. Dann folgte
ein schwermütiger Frühling in Rom, wo ich das Leben hinnahm
— es war nicht leicht. Im Grunde verdroß mich dieser für den
Dichter des Zarathustra unanständigste Ort der Erde, den ich
nicht freiwillig gewählt hatte, über die Maßen; ich versuchte loszukommen — ich wollte nach *Aquila*, dem Gegenbegriff von
Rom, aus Feindschaft gegen Rom gegründet, wie ich einen Ort
dereinst gründen werde, die Erinnerung an einen Atheisten und
Kirchenfeind *comme il faut*, an einen meiner Nächstverwandten,
den großen Hohenstaufen-Kaiser Friedrich den Zweiten. Aber
es war ein Verhängnis bei dem allen: ich mußte wieder zurück.
Zuletzt gab ich mich mit der *piazza Barberini* zufrieden, nachdem
mich meine Mühe um eine *antichristliche* Gegend müde gemacht
hatte. Ich fürchte, ich habe einmal, um schlechten Gerüchen möglichst aus dem Wege zu gehn, im *palazzo del Quirinale* selbst
nachgefragt, ob man nicht ein stilles Zimmer für einen Philosophen habe. — Auf einer *loggia* hoch über der genannten *piazza*,
von der aus man Rom übersieht und tief unten die *fontana* rau-
schen hört, wurde jenes einsamste Lied gedichtet, das je gedichtet
worden ist, das *Nachtlied*; um diese Zeit ging immer eine Melo-
die von unsäglicher Schwermut um mich herum, deren Refrain
ich in den Worten wiederfand »tot vor Unsterblichkeit . . .« Im
Sommer, heimgekehrt zur heiligen Stelle, wo der erste Blitz des
Zarathustra-Gedankens mir geleuchtet hatte, fand ich den zweiten Zarathustra. Zehn Tage genügten; ich habe in keinem Falle,
weder beim ersten, noch beim dritten und letzten mehr gebraucht.
Im Winter darauf, unter dem halkyonischen Himmel Nizzas,
der damals zum ersten Male in mein Leben hineinglänzte,
fand ich den dritten Zarathustra — und war fertig. Kaum ein
Jahr, fürs Ganze gerechnet. Viele verborgne Flecke und Höhen
aus der Landschaft Nizzas sind mir durch unvergeßliche Augenblicke geweiht; jene entscheidende Partie, welche den Titel »Von
alten und neuen Tafeln« trägt, wurde im beschwerlichsten Auf-
steigen von der Station zu dem wunderbaren maurischen Felsen-
neste Eza gedichtet, — die Muskel-Behendheit war bei mir immer

am größten, wenn die schöpferische Kraft am reichsten floß. Der *Leib* ist begeistert: lassen wir die »Seele« aus dem Spiele ... Man hat mich oft tanzen sehn können; ich konnte damals ohne einen Begriff von Ermüdung sieben, acht Stunden auf Bergen unterwegs sein. Ich schlief gut, ich lachte viel —, ich war von einer vollkommnen Rüstigkeit und Geduld.

5

Abgesehen von diesen Zehn-Tage-Werken waren die Jahre während und vor allem *nach* dem Zarathustra ein Notstand ohnegleichen. Man büßt es teuer, unsterblich zu sein: man stirbt dafür mehrere Male bei Lebzeiten. — Es gibt etwas, das ich die *rancune* des Großen nenne: alles Große, ein Werk, eine Tat, wendet sich, einmal vollbracht, unverzüglich *gegen* den, der sie tat. Ebendamit, daß er sie tat, ist er nunmehr *schwach* — er hält seine Tat nicht mehr aus, er sieht ihr nicht mehr ins Gesicht. Etwas *hinter* sich zu haben, das man nie wollen durfte, etwas, worin der Knoten im Schicksal der Menschheit eingeknüpft ist — und es nunmehr *auf* sich haben! ... Es zerdrückt beinahe ... Die *rancune* des Großen! — Ein andres ist die schauerliche Stille, die man um sich hört. Die Einsamkeit hat sieben Häute; es geht nichts mehr hindurch. Man kommt zu Menschen, man begrüßt Freunde: neue Öde, kein Blick grüßt mehr. Im besten Falle eine Art Revolte. Eine solche Revolte erfuhr ich, in sehr verschiedenem Grade, aber fast von jedermann, der mir nahestand; es scheint, daß nichts tiefer beleidigt als plötzlich eine Distanz merken zu lassen — die *vornehmen* Naturen, die nicht zu leben wissen, ohne zu verehren, sind selten. — Ein Drittes ist die absurde Reizbarkeit der Haut gegen kleine Stiche, eine Art Hilflosigkeit vor allem Kleinen. Diese scheint mir in der ungeheuren Verschwendung aller Defensiv-Kräfte bedingt, die jede *schöpferische* Tat, jede Tat aus dem Eigensten, Innersten, Untersten heraus zur Voraussetzung hat. Die *kleinen* Defensiv-Vermögen sind damit gleichsam ausgehängt; es fließt ihnen keine Kraft mehr zu. — Ich wage noch anzudeuten, daß man schlechter verdaut, ungern sich bewegt, den Frostgefühlen, auch dem Mißtrauen allzu offensteht — dem Mißtrauen, das in vielen Fällen bloß ein ätiologischer Fehlgriff ist. In einem solchen Zustande empfand ich einmal die Nähe einer Kuhherde durch Wiederkehr milderer, menschenfreundlicherer Gedanken, noch bevor ich sie sah: *Das* hat Wärme in sich . . .

6

Dieses Werk steht durchaus für sich. Lassen wir die Dichter beiseite: es ist vielleicht überhaupt nie etwas aus einem gleichen Überfluß von Kraft heraus getan worden. Mein Begriff »dionysisch« wurde hier *höchste Tat*; an ihr gemessen erscheint der ganze Rest von menschlichem Tun als arm und bedingt. Daß ein Goethe, ein Shakespeare nicht einen Augenblick in dieser ungeheuren Leidenschaft und Höhe zu atmen wissen würde, daß Dante, gegen Zarathustra gehalten, bloß ein Gläubiger ist und nicht einer, der die Wahrheit erst *schafft*, ein *weltregierender* Geist, ein Schicksal —, daß die Dichter des Veda Priester sind und nicht einmal würdig, die Schuhsohlen eines Zarathustra zu lösen, das ist alles das wenigste und gibt keinen Begriff von der Distanz, von der *azurnen* Einsamkeit, in der dies Werk lebt. Zarathustra hat ein ewiges Recht zu sagen: »ich schließe Kreise um mich und heilige Grenzen; immer wenigere steigen mit mir auf immer höhere Berge — ich baue ein Gebirge aus immer heiligeren Bergen.« Man rechne den Geist und die Güte aller großen Seelen in eins: alle zusammen wären nicht imstande, eine Rede Zarathustras hervorzubringen. Die Leiter ist ungeheuer, auf der er auf und nieder steigt; er hat weiter gesehn, weiter gewollt, weiter *gekonnt,* als irgendein Mensch. Er widerspricht mit jedem Wort, dieser jasagendste aller Geister; in ihm sind alle Gegensätze zu einer neuen Einheit gebunden. Die höchsten und die untersten Kräfte der menschlichen Natur, das Süßeste, Leichtfertigste und Furchtbarste strömt aus *einem* Born mit unsterblicher Sicherheit hervor. Man weiß bis dahin nicht, was Höhe, was Tiefe ist; man weiß noch weniger, was Wahrheit ist. Es ist kein Augenblick in dieser Offenbarung der Wahrheit, der schon vorweggenommen, von *einem* der Größten erraten worden wäre. Es gibt keine Weisheit, keine Seelen-Erforschung, keine Kunst zu reden vor Zarathustra:

das Nächste, das Alltäglichste redet hier von unerhörten Dingen. Die Sentenz von Leidenschaft zitternd; die Beredsamkeit
Musik geworden; Blitze vorausgeschleudert nach bisher unerrate-
nen Zukünften. Die mächtigste Kraft zum Gleichnis, die bisher
da war, ist arm und Spielerei gegen die Rückkehr der Sprache
zur Natur der Bildlichkeit. — Und wie Zarathustra herabsteigt
und zu jedem das Gütigste sagt! Wie er selbst seine Widersacher,
die Priester, mit zarten Händen anfaßt und mit ihnen an ihnen
leidet! — Hier ist in jedem Augenblick der Mensch überwunden,
der Begriff »Übermensch« ward hier die größte Realität, — in
einer unendlichen Ferne liegt alles das, was bisher groß am
Menschen hieß, *unter* ihm. Das Halkyonische, die leichten Füße,
die Allgegenwart von Bosheit und Übermut und was sonst alles
typisch ist für den Typus Zarathustra ist nie geträumt worden
als wesentlich zur Größe. Zarathustra fühlt sich gerade in diesem Umfang an Raum, in dieser Zugänglichkeit zum Entgegengesetzten als die *höchste Art alles Seienden*; und wenn man hört,
wie er diese definiert, so wird man darauf verzichten, nach seinem
Gleichnis zu suchen.

— die Seele, welche die längste Leiter hat und am tiefsten
hinunter kann,

die umfänglichste Seele, welche am weitesten in sich laufen
und irren und schweifen kann,

die notwendigste, welche sich mit Lust in den Zufall stürzt,

die seiende Seele, welche ins Werden, die habende, welche
ins Wollen und Verlangen *will* —,

die sich selber fliehende, welche sich selber in weitesten
Kreisen einholt,

die weiseste Seele, welcher die Narrheit am süßesten zu-
redet,

die sich selber liebendste, in der alle Dinge ihr Strömen
und Widerströmen und Ebbe und Flut haben — —

Aber das ist der Begriff des Dionysos selbst. — Eben dahin führt
eine andre Erwägung. Das psychologische Problem im Typus
des Zarathustra ist, wie der, welcher in einem unerhörten Grade

Nein sagt, Nein *tut,* zu allem, wozu man bisher Ja sagte, trotzdem der Gegensatz eines neinsagenden Geistes sein kann; wie der
das Schwerste von Schicksal, ein Verhängnis von Aufgabe tra-
gende Geist trotzdem der leichteste und jenseitigste sein kann —
Zarathustra ist ein Tänzer —: wie der, welcher die härteste, die
furchtbarste Einsicht in der Realität hat, welcher den »abgründ-
lichsten Gedanken« gedacht hat, trotzdem darin keinen Einwand gegen das Dasein, selbst nicht gegen dessen ewige Wiederkunft findet — vielmehr einen Grund noch hinzu, das ewige
Ja zu allen Dingen *selbst zu sein,* »das ungeheure unbegrenzte
Ja- und Amen-sagen« . . . »In alle Abgründe trage ich noch mein
segnendes Jasagen« . . . *Aber das ist der Begriff des Dionysos
noch einmal.*

7

— Welche Sprache wird ein solcher Geist reden, wenn er mit sich
allein redet? Die Sprache des *Dithyrambus.* Ich bin der Erfinder
des Dithyrambus. Man höre, wie Zarathustra *vor Sonnenauf-
gang* mit sich redet: ein solches smaragdenes Glück, eine solche
göttliche Zärtlichkeit hatte noch keine Zunge vor mir. Auch die
tiefste Schwermut eines solchen Dionysos wird noch Dithyrambus; ich nehme, zum Zeichen, das *Nachtlied* — die unsterbliche
Klage, durch die Überfälle von Licht und Macht, durch seine
Sonnen-Natur, verurteilt zu sein, nicht zu lieben.

> Nacht ist es: nun reden lauter alle springenden Brunnen.
> Und auch meine Seele ist ein springender Brunnen.
> Nacht ist es: nun erst erwachen alle Lieder der Liebenden.
> Und auch meine Seele ist das Lied eines Liebenden.
> Ein Ungestilltes, Unstillbares ist in mir, das will laut wer-
> den. Eine Begierde nach Liebe ist in mir, die redet selber die
> Sprache der Liebe.
> Licht bin ich: ach daß ich Nacht wäre! Aber dies ist meine
> Einsamkeit, daß ich von Licht umgürtet bin.
> Ach, daß ich dunkel wäre und nächtig! Wie wollte ich an
> den Brüsten des Lichts saugen!

Und euch selber wollte ich noch segnen, ihr kleinen Funkelsterne und Leuchtwürmer droben! — und selig sein ob eurer Licht-Geschenke.

Aber ich lebe in meinem eignen Lichte, ich trinke die Flammen in mich zurück, die aus mir brechen.

Ich kenne das Glück des Nehmenden nicht; und oft träumte mir davon, daß Stehlen noch seliger sein müsse als Nehmen.

Das ist meine Armut, daß meine Hand niemals ausruht vom Schenken; das ist mein Neid, daß ich wartende Augen sehe und die erhellten Nächte der Sehnsucht.

O Unseligkeit aller Schenkenden! O Verfinsterung meiner Sonne! O Begierde nach Begehren! O Heißhunger in der Sättigung!

Sie nehmen von mir: aber rühre ich noch an ihre Seele? Eine Kluft ist zwischen Nehmen und Geben; und die kleinste Kluft ist am letzten zu überbrücken.

Ein Hunger wächst aus meiner Schönheit: wehetun möchte ich denen, welchen ich leuchte, berauben möchte ich meine Beschenkten — also hungere ich nach Bosheit.

Die Hand zurückziehend, wenn sich schon ihr die Hand entgegenstreckt: dem Wasserfall gleich, der noch im Sturze zögert — also hungere ich nach Bosheit.

Solche Rache sinnt meine Fülle aus, solche Tücke quillt aus meiner Einsamkeit.

Mein Glück im Schenken erstarb im Schenken, meine Tugend wurde ihrer selber müde an ihrem Überflusse!

Wer immer schenkt, dessen Gefahr ist, daß er die Scham verliere; wer immer austeilt, dessen Hand und Herz hat Schwielen vor lauter Austeilen.

Mein Auge quillt nicht mehr über vor der Scham der Bittenden; meine Hand wurde zu hart für das Zittern gefüllter Hände.

Wohin kam die Träne meinem Auge und der Flaum meinem Herzen? O Einsamkeit aller Schenkenden! O Schweigsamkeit aller Leuchtenden!

Viel Sonnen kreisen im öden Raume: zu allem, was dunkel ist, reden sie mit ihrem Lichte — mir schweigen sie.

O dies ist die Feindschaft des Lichts gegen Leuchtendes: erbarmungslos wandelt es seine Bahnen.

Unbillig gegen Leuchtendes im tiefsten Herzen, kalt gegen Sonnen — also wandelt jede Sonne.

Einem Sturme gleich wandeln die Sonnen ihre Bahnen. Ihrem unerbittlichen Willen folgen sie, das ist ihre Kälte.

O ihr erst seid es, ihr Dunklen, ihr Nächtigen, die ihr Wärme schafft aus Leuchtendem! O ihr erst trinkt euch Milch und Labsal aus des Lichtes Eutern!

Ach, Eis ist um mich, meine Hand verbrennt sich an Eisigem! Ach, Durst ist in mir, der schmachtet nach eurem Durste.

Nacht ist es: ach, daß ich Licht sein muß! Und Durst nach Nächtigem! Und Einsamkeit!

Nacht ist es: nun bricht wie ein Born aus mir mein Verlangen — nach Rede verlangt mich.

Nacht ist es: nun reden lauter alle springenden Brunnen. Und auch meine Seele ist ein springender Brunnen.

Nacht ist es: nun erwachen alle Lieder der Liebenden. Und auch meine Seele ist das Lied eines Liebenden. —

8

Dergleichen ist nie gedichtet, nie gefühlt, nie *gelitten* worden: so leidet ein Gott, ein Dionysos. Die Antwort auf einen solchen Dithyrambus der Sonnen-Vereinsamung im Lichte wäre *Ariadne* ... Wer weiß außer mir, was *Ariadne* ist! ... Von allen solchen Rätseln hatte niemand bisher die Lösung, ich zweifle, daß je jemand hier auch nur Rätsel sah. — Zarathustra bestimmt einmal, mit Strenge, seine Aufgabe — es ist auch die meine —, daß man sich über den *Sinn* nicht vergreifen kann: er ist *jasagend* bis zur Rechtfertigung, bis zur Erlösung auch alles Vergangenen.

Ich wandle unter Menschen als unter Bruchstücken der Zukunft: jener Zukunft, die ich schaue.

Und das ist all mein Dichten und Trachten, daß ich in eins dichte und zusammentrage, was Bruchstück ist und Rätsel und grauser Zufall.

Und wie ertrüge ich es, Mensch zu sein, wenn der Mensch nicht auch Dichter und Rätselrater und Erlöser des Zufalls wäre?

Die Vergangnen zu erlösen und alles »Es war« umzuschaffen in ein »So wollte ich es!« — das hieße mir erst Erlösung.

An einer andren Stelle bestimmt er so streng als möglich, was für ihn allein »der Mensch« sein kann — *kein* Gegenstand der Liebe oder gar des Mitleidens — auch über den *großen Ekel* am Menschen ist Zarathustra Herr geworden: der Mensch ist ihm eine Unform, ein Stoff, ein häßlicher Stein, der des Bildners bedarf.

Nicht-mehr-*wollen* und Nicht-mehr-*schätzen* und Nicht-mehr-*schaffen*: o daß diese große Müdigkeit mir stets ferne bleibe!

Auch im Erkennen fühle ich nur meines Willens Zeuge- und Werdelust; und wenn Unschuld in meiner Erkenntnis ist, so geschieht dies, weil *Wille zur Zeugung* in ihr ist.

Hinweg von Gott und Göttern lockte mich dieser Wille: was wäre denn zu schaffen, wenn Götter — da wären?

Aber zum Menschen treibt er mich stets von neuem, mein inbrünstiger Schaffens-Wille; so treibts den Hammer hin zum Steine.

Ach, ihr Menschen, im Steine schläft mir ein Bild, das Bild der Bilder! Ach, daß es im härtesten, häßlichsten Steine schlafen muß!

Nun wütet mein Hammer grausam gegen sein Gefängnis. Vom Steine stäuben Stücke: was schiert mich das!

Vollenden will ich's, denn ein Schatten kam zu mir — aller Dinge Stillstes und Leichtestes kam einst zu mir!

Des Übermenschen Schönheit kam zu mir als Schatten: was gehen mich noch — die Götter an! . . .

Ich hebe einen letzten Gesichtspunkt hervor: der unterstrichene Vers gibt den Anlaß hierzu. Für eine *dionysische* Aufgabe gehört die Härte des Hammers, die *Lust selbst am Vernichten* in entscheidender Weise zu den Vorbedingungen. Der Imperativ: »werdet hart!«, die unterste Gewißheit darüber, *daß alle Schaffenden hart sind,* ist das eigentliche Abzeichen einer dionysischen Natur. —

JENSEITS VON GUT UND BÖSE

Vorspiel einer Philosophie der Zukunft

1

Die Aufgabe für die nunmehr folgenden Jahre war so streng als möglich vorgezeichnet. Nachdem der jasagende Teil meiner Aufgabe gelöst war, kam die neinsagende, *neintuende* Hälfte derselben an die Reihe: die Umwertung der bisherigen Werte selbst, der große Krieg — die Heraufbeschwörung eines Tags der Entscheidung. Hier ist eingerechnet der langsame Umblick nach Verwandten, nach solchen, die aus der Stärke heraus *zum Vernichten* mir die Hand bieten würden. — Von da an sind alle meine Schriften Angelhaken: vielleicht verstehe ich mich so gut als jemand auf Angeln? ... Wenn nichts sich *fing,* so liegt die Schuld nicht an mir. *Die Fische fehlten ...*

2

Dies Buch (1886) ist in allem Wesentlichen eine *Kritik der Modernität,* die modernen Wissenschaften, die modernen Künste, selbst die moderne Politik nicht ausgeschlossen, nebst Fingerzeigen zu einem Gegensatz-Typus, der so wenig modern als möglich ist, einem vornehmen, einem jasagenden Typus. Im letzteren Sinne ist das Buch eine *Schule des gentilhomme,* der Begriff geistiger *und radikaler* genommen als er je genommen worden ist. Man muß Mut im Leibe haben, ihn auch nur auszuhalten, man muß das Fürchten nicht gelernt haben ... Alle die Dinge, worauf das Zeitalter stolz ist, werden als Widerspruch zu diesem Typus empfunden, als schlechte Manieren beinahe, die berühmte »Objektivität« zum Beispiel, das »Mitgefühl mit allem Leidenden«,

der »historische Sinn« mit seiner Unterwürfigkeit vor fremdem
Geschmack, mit seinem Auf-dem-Bauch-Liegen vor *petits faits,*
die »Wissenschaftlichkeit«. — Erwägt man, daß das Buch *nach*
dem Zarathustra folgt, so errät man vielleicht auch das diätetische
régime, dem es seine Entstehung verdankt. Das Auge, verwöhnt
durch eine ungeheure Nötigung, *fernzu*sehn — Zarathustra ist
weitsichtiger noch als der Zar —, wird hier gezwungen, das
Nächste, die Zeit, das *Um-uns* scharf zu fassen. Man wird in allen
Stücken, vor allem auch in der Form, eine gleiche *willkürliche*
Abkehr von den Instinkten finden, aus denen ein Zarathustra
möglich wurde. Das Raffinement in Form, in Absicht, in der
Kunst des *Schweigens,* ist im Vordergrunde, die Psychologie wird
mit eingeständlicher Härte und Grausamkeit gehandhabt — das
Buch entbehrt jedes gutmütigen Worts ... Alles das erholt: wer
errät zuletzt, *welche* Art Erholung eine solche Verschwendung
von Güte, wie der Zarathustra ist, nötig macht? ... Theologisch
geredet — man höre zu, denn ich rede selten als Theologe — war
es Gott selber, der sich als Schlange am Ende seines Tagewerks
unter den Baum der Erkenntnis legte: er erholte sich so davon,
Gott zu sein ... Er hatte alles zu schön gemacht ... Der Teufel
ist bloß der Müßiggang Gottes an jedem siebenten Tage ...

GENEALOGIE DER MORAL

Eine Streitschrift

Die drei Abhandlungen, aus denen diese Genealogie besteht, sind
vielleicht in Hinsicht auf Ausdruck, Absicht und Kunst der Über-
raschung das Unheimlichste, was bisher geschrieben worden ist.
Dionysos ist, man weiß es, auch der Gott der Finsternis. — Jedesmal ein Anfang, der irreführen *soll*, kühl, wissenschaftlich, ironisch selbst, absichtlich Vordergrund, absichtlich hinhaltend.
Allmählich mehr Unruhe; vereinzeltes Wetterleuchten; sehr
unangenehme Wahrheiten aus der Ferne her mit dumpfem Ge-
brumm laut werdend — bis endlich ein *tempo feroce* erreicht
ist, wo alles mit ungeheurer Spannung vorwärts treibt. Am
Schluß jedesmal, unter vollkommen schauerlichen Detonatio-
nen, eine *neue* Wahrheit zwischen dicken Wolken sichtbar. —
Die Wahrheit der *ersten* Abhandlung ist die Psychologie
des Christentums: die Geburt des Christentums aus dem Geiste
des Ressentiment, *nicht*, wie wohl geglaubt wird, aus dem
»Geiste« — eine Gegenbewegung ihrem Wesen nach, der große
Aufstand gegen die Herrschaft *vornehmer* Werte. Die *zweite*
Abhandlung gibt die Psychologie des *Gewissens*: dasselbe ist
nicht, wie wohl geglaubt wird, »die Stimme Gottes im Menschen« — es ist der Instinkt der Grausamkeit, der sich rückwärts
wendet, nachdem er nicht mehr nach außen hin sich entladen
kann. Die Grausamkeit als einer der ältesten und unwegdenk-
barsten Kultur-Untergründe hier zum ersten Male ans Licht gebracht. Die *dritte* Abhandlung gibt die Antwort auf die Frage,
woher die ungeheure *Macht* des asketischen Ideals, des Priester-
Ideals, stammt, obwohl dasselbe das *schädliche* Ideal *par excellence*, ein Wille zum Ende, ein *décadence*-Ideal ist. Antwort:
nicht, weil Gott hinter den Priestern tätig ist, was wohl geglaubt

wird, sondern *faute de mieux* — weil es das einzige Ideal bisher war, weil es keinen Konkurrenten hatte. »Denn der Mensch will lieber noch das Nichts wollen als *nicht* wollen« ... Vor allem fehlte ein *Gegen-Ideal — bis auf Zarathustra.* — Man hat mich verstanden. Drei entscheidende Vorarbeiten eines Psychologen für eine Umwertung aller Werte. — Dies Buch enthält die erste Psychologie des Priesters.

GÖTZEN-DÄMMERUNG

Wie man mit dem Hammer philosophiert

1

Diese Schrift von noch nicht 150 Seiten, heiter und verhängnisvoll im Ton, ein Dämon, welcher lacht —, das Werk von so wenig
Tagen, daß ich Anstand nehme, ihre Zahl zu nennen, ist unter
Büchern überhaupt die Ausnahme: es gibt nichts Substanzrei-
cheres, Unabhängigeres, Umwerfenderes — Böseres. Will man sich
kurz einen Begriff davon geben, wie vor mir alles auf dem
Kopfe stand, so mache man den Anfang mit dieser Schrift. Das,
was *Götze* auf dem Titelblatt heißt, ist ganz einfach das, was
bisher Wahrheit genannt wurde. *Götzen-Dämmerung* — auf
deutsch: es geht zu Ende mit der alten Wahrheit ...

2

Es gibt keine Realität, keine »Idealität«, die in dieser Schrift nicht
berührt würde (— berührt: was für ein vorsichtiger Euphemis-
mus! ...). Nicht bloß die *ewigen* Götzen, auch die allerjüngsten,
folglich altersschwächsten. Die »modernen Ideen« zum Beispiel.
Ein großer Wind bläst zwischen den Bäumen, und überall fallen
Früchte nieder — Wahrheiten. Es ist die Verschwendung eines
allzureichen Herbstes darin: man stolpert über Wahrheiten, man
tritt selbst einige tot — es sind ihrer zu viele ... Was man aber
in die Hände bekommt, das ist nichts Fragwürdiges mehr, das
sind Entscheidungen. Ich erst habe den Maßstab für »Wahrheiten« in der Hand, ich *kann* erst entscheiden. Wie als ob in mir
ein *zweites Bewußtsein* gewachsen wäre, wie als ob sich in mir
»der Wille« ein Licht angezündet hätte über die *schiefe* Bahn,

auf der er bisher abwärts lief ... Die *schiefe* Bahn — man nannte sie den Weg zur »Wahrheit« ... Es ist zu Ende mit allem »dunklen Drang«, der *gute* Mensch gerade war sich am wenigsten des rechten Wegs bewußt ... Und allen Ernstes, niemand wußte vor mir den rechten Weg, den Weg *aufwärts*: erst von mir an gibt es wieder Hoffnungen, Aufgaben, vorzuschreibende Wege der Kultur — *ich bin deren froher Botschafter* ... Eben damit bin ich auch ein Schicksal. — —

3

Unmittelbar nach Beendigung des eben genannten Werks und ohne auch nur einen Tag zu verlieren, griff ich die ungeheure Aufgabe der *Umwertung* an, in einem souveränen Gefühl von Stolz, dem nichts gleichkommt, jeden Augenblick meiner Unsterblichkeit gewiß und Zeichen für Zeichen mit der Sicherheit eines Schicksals in eherne Tafeln grabend. Das Vorwort entstand am 3. September 1888: als ich morgens, nach dieser Niederschrift, ins Freie trat, fand ich den schönsten Tag vor mir, den das Ober-Engadin mir je gezeigt hat — durchsichtig, glühend in den Farben, alle Gegensätze, alle Mitten zwischen Eis und Süden in sich schließend. — Erst am 20. September verließ ich Sils-Maria, durch Überschwemmungen zurückgehalten, zuletzt bei weitem der einzige Gast dieses wunderbaren Orts, dem meine Dankbarkeit das Geschenk eines unsterblichen Namens machen will. Nach einer Reise mit Zwischenfällen, sogar mit einer Lebensgefahr im überschwemmten Como, das ich erst tief in der Nacht erreichte, kam ich am Nachmittag des 21. in Turin an, meinem *bewiesenen* Ort, meiner Residenz von nun an. Ich nahm die gleiche Wohnung wieder, die ich im Frühjahr innegehabt hatte, *via Carlo Alberto 6*, III, gegenüber dem mächtigen *palazzo Carignano*, in dem *Vittorio Emanuele* geboren ist, mit dem Blick auf die *piazza Carlo Alberto* und drüber hinaus aufs Hügelland. Ohne Zögern und ohne mich einen Augenblick abziehn zu lassen, ging ich wieder an die Arbeit: es war nur das letzte Viertel des Werks noch abzutun. Am 30. September großer Sieg; siebenter Tag; Müßiggang eines Gottes am Po entlang. Am gleichen Tage schrieb ich noch das *Vorwort* zur »Götzen-Dämmerung«, deren Druckbogen zu korrigieren meine Erholung im September gewesen war. — Ich habe nie einen solchen Herbst erlebt, auch nie etwas der Art auf Erden für möglich gehalten — ein Claude Lorrain ins Unendliche gedacht, jeder Tag von gleicher unbändiger Vollkommenheit. —

DER FALL WAGNER

Ein Musikanten-Problem

1

Um dieser Schrift gerecht zu werden, muß man am Schicksal der Musik wie an einer offenen Wunde leiden. — *Woran* ich leide, wenn ich am Schicksal der Musik leide? Daran, daß die Musik um ihren weltverklärenden, jasagenden Charakter gebracht worden ist, daß sie *décadence*-Musik und nicht mehr die Flöte des Dionysos ist... Gesetzt aber, daß man dergestalt die Sache der Musik wie seine *eigene* Sache, wie seine *eigene* Leidensgeschichte fühlt, so wird man diese Schrift voller Rücksichten und über die Maßen mild finden. In solchen Fällen heiter sein und sich gutmütig mit verspotten — *ridendo dicere s e v e r u m,* wo das *verum dicere* jede Härte rechtfertigen würde — ist die Humanität selbst. Wer zweifelt eigentlich daran, daß ich, als der alte Artillerist, der ich bin, es in der Hand habe, gegen Wagner mein *schweres* Geschütz aufzufahren? — Ich hielt alles Entscheidende in dieser Sache bei mir zurück — ich habe Wagner geliebt. — Zuletzt liegt ein Angriff auf einen feineren »Unbekannten«, den nicht leicht ein anderer errät, im Sinn und Wege meiner Aufgabe — o ich habe noch ganz andere »Unbekannte« aufzudecken, als einen Cagliostro der Musik — noch mehr freilich ein Angriff auf die in geistigen Dingen immer träger und instinktärmer, immer *ehrlicher* werdende deutsche Nation, die mit einem beneidenswerten Appetit fortfährt, sich von Gegensätzen zu nähren und »den Glauben« so gut wie die Wissenschaftlichkeit, die »christliche Liebe« so gut wie den Antisemitismus, den Willen zur Macht (zum »Reich«) so gut wie das *évangile des humbles* ohne Verdauungsbeschwerden hinunterschluckt... Dieser Mangel an Par-

tei zwischen Gegensätzen! Diese stomachische Neutralität und
»Selbstlosigkeit«! Dieser gerechte Sinn des deutschen *Gaumens,*
der allem gleiche Rechte gibt — der alles schmackhaft findet...
Ohne allen Zweifel, die Deutschen sind Idealisten... Als ich
das letzte Mal Deutschland besuchte, fand ich den deutschen Geschmack bemüht, Wagner und dem Trompeter von Säckingen
gleiche Rechte zuzugestehn; ich selber war Zeuge, wie man in
Leipzig, zu Ehren eines der echtesten und deutschesten Musiker,
im alten Sinne des Wortes deutsch, keines bloßen Reichsdeut-
schen, des Meister *Heinrich Schütz,* einen Liszt-Verein gründete,
mit dem Zweck der Pflege und Verbreitung *listiger* Kirchenmu-
sik... Ohne allen Zweifel, die Deutschen sind Idealisten...

2

Aber hier soll mich nichts hindern, grob zu werden und den
Deutschen ein paar harte Wahrheiten zu sagen: *wer tut es sonst?*
— Ich rede von ihrer Unzucht *in historicis.* Nicht nur, daß den
deutschen Historikern der *große Blick* für den Gang, für die
Werte der Kultur gänzlich abhanden gekommen ist, daß sie allesamt Hanswürste der Politik (oder der Kirche —) sind: dieser
große Blick ist selbst von ihnen *in Acht getan.* Man muß vorerst
»deutsch« sein, »Rasse« sein, dann kann man über alle Werte
und Unwerte *in historicis* entscheiden — man setzt sie fest...
»Deutsch« ist ein Argument, »Deutschland, Deutschland über
alles« ein Prinzip, die Germanen sind die »sittliche Weltordnung« in der Geschichte; im Verhältnis zum *imperium Romanum*
die Träger der Freiheit, im Verhältnis zum achtzehnten Jahrhundert die Wiederhersteller der Moral, des »kategorischen Impe-
rativs«... Es gibt eine reichsdeutsche Geschichtsschreibung, es
gibt, fürchte ich, selbst eine antisemitische, — es gibt eine *Hof-*
Geschichtsschreibung und Herr von Treitschke schämt sich nicht
... Jüngst machte ein Idioten-Urteil *in historicis,* ein Satz des
zum Glück verblichenen ästhetischen Schwaben Vischer, die Runde
durch die deutschen Zeitungen als eine »Wahrheit«, zu der jeder
Deutsche *ja sagen müsse*: »Die Renaissance *und* die Reformation,
beide zusammen machen erst ein Ganzes — die ästhetische Wieder-

geburt *und* die sittliche Wiedergeburt.« — Bei solchen Sätzen
geht es mit meiner Geduld zu Ende, und ich spüre Lust, ich fühle
es selbst als Pflicht, den Deutschen einmal zu sagen, *was* sie alles
schon auf dem Gewissen haben. *Alle großen Kultur-Verbrechen
von vier Jahrhunderten haben sie auf dem Gewissen!* ... Und
immer aus dem gleichen Grunde, aus ihrer innerlichsten *Feigheit*
vor der Realität, die auch die Feigheit vor der Wahrheit ist, aus
ihrer bei ihnen Instinkt gewordenen Unwahrhaftigkeit, aus
»Idealismus« ... Die Deutschen haben Europa um die Ernte, um
den Sinn der letzten *großen* Zeit, der Renaissance-Zeit, gebracht,
in einem Augenblicke, wo eine höhere Ordnung der Werte, wo
die vornehmen, die zum Leben jasagenden, die Zukunft-verbür-
genden Werte am Sitz der entgegengesetzten, der *Niedergangs-
Werte,* zum Sieg gelangt waren — *und bis in die Instinkte der
dort Sitzenden hinein!* Luther, dies Verhängnis von Mönch, hat
die Kirche, und, was tausendmal schlimmer ist, das Christentum
wiederhergestellt, im Augenblick, *wo es unterlag* ... Das Christentum, diese Religion gewordene *Verneinung des Willens zum
Leben!* ... Luther, ein unmöglicher Mönch, der, aus Gründen
seiner »Unmöglichkeit«, die Kirche angriff und sie — folglich! —
wiederherstellte ... Die Katholiken hätten Gründe, Lutherfeste
zu feiern, Lutherspiele zu dichten ... Luther — und die »sittliche
Wiedergeburt«! Zum Teufel mit aller Psychologie! — Ohne Zweifel, die Deutschen sind Idealisten. — Die Deutschen haben zwei-
mal, als eben mit ungeheurer Tapferkeit und Selbstüberwindung
eine rechtschaffne, eine unzweideutige, eine vollkommen wissenschaftliche Denkweise erreicht war, Schleichwege zum alten
»Ideal«, Versöhnungen zwischen Wahrheit und »Ideal«, im
Grunde Formeln für ein Recht auf Ablehnung der Wissenschaft,
für ein Recht auf *Lüge* zu finden gewußt. Leibniz und Kant —
diese zwei größten Hemmschuhe der intellektuellen Rechtschaffenheit Europas! — Die Deutschen haben endlich, als auf der
Brücke zwischen zwei *décadence*-Jahrhunderten eine *force majeure* von Genie und Wille sichtbar wurde, stark genug, aus
Europa eine Einheit, eine politische und *wirtschaftliche* Einheit,
zum Zweck der Erdregierung zu schaffen, mit ihren »Freiheits-
Kriegen« Europa um den Sinn, um das Wunder von Sinn in der

Existenz Napoleons gebracht — sie haben damit alles, was kam, was heute da ist, auf dem Gewissen, diese *kulturwidrigste* Krankheit und Unvernunft, die es gibt, den Nationalismus, diese *névrose nationale,* an der Europa krank ist, diese Verewigung der Kleinstaaterei Europas, der *kleinen* Politik: sie haben Europa selbst um seinen Sinn, um seine *Vernunft* — sie haben es in eine Sackgasse gebracht. — Weiß jemand außer mir einen Weg aus dieser Sackgasse? . . . Eine Aufgabe, groß genug, die Völker wieder zu *binden*? . . .

3

— Und zuletzt, warum sollte ich meinem Verdacht nicht Worte geben? Die Deutschen werden auch in meinem Falle wieder alles versuchen, um aus einem ungeheuren Schicksal eine Maus zu gebären. Sie haben sich bis jetzt an mir kompromittiert, ich zweifle, daß sie es in der Zukunft besser machen. — Ah was es mich verlangt, hier ein *schlechter* Prophet zu sein! . . . Meine natürlichen Leser und Hörer sind jetzt schon Russen, Skandinavier und Franzosen — werden sie es immer mehr sein? — Die Deutschen sind in die Geschichte der Erkenntnis mit lauter zweideutigen Namen eingeschrieben, sie haben immer nur »unbewußte« Falschmünzer hervorgebracht (— Fichte, Schelling, Schopenhauer, Hegel, Schleiermacher gebührt dies Wort so gut wie Kant und Leibniz; es sind alles bloße Schleiermacher —): sie sollen nie die Ehre haben, daß der erste *rechtschaffne* Geist in der Geschichte des Geistes, der Geist, in dem die Wahrheit zu Gericht kommt über die Falschmünzerei von vier Jahrtausenden, mit dem deutschen Geiste in eins gerechnet wird. Der »deutsche Geist« ist *meine* schlechte Luft: ich atme schwer in der Nähe dieser Instinkt gewordnen Unsauberkeit *in psychologicis,* die jedes Wort, jede Miene eines Deutschen verrät. Sie haben nie ein siebzehntes Jahrhundert harter Selbstprüfung durchgemacht wie die Franzosen — ein Larochefoucauld, ein Descartes sind hundertmal in Rechtschaffenheit den ersten Deutschen überlegen —, sie haben bis heute keinen Psychologen gehabt. Aber Psychologie ist beinahe der Maßstab der *Reinlichkeit* oder *Unreinlichkeit* einer Rasse . . .

Und wenn man nicht einmal reinlich ist, wie sollte man *Tiefe* haben? Man kommt beim Deutschen, beinahe wie beim Weibe, niemals auf den Grund, *er hat keinen*: das ist alles. Aber damit ist man noch nicht einmal flach. — Das, was in Deutschland »tief« heißt, ist genau diese Instinkt-Unsauberkeit gegen sich, von der ich eben rede: man *will* über sich nicht im klaren sein. Dürfte ich das Wort »deutsch« nicht als internationale Münze für *diese* psychologische Verkommenheit in Vorschlag bringen? — In diesem Augenblick zum Beispiel nennt es der deutsche Kaiser seine »christliche Pflicht«, die Sklaven in Afrika zu befreien: unter uns *andern* Europäern hieße das dann einfach »deutsch«... Haben die Deutschen auch nur ein Buch hervorgebracht, das Tiefe hätte? Selbst der Begriff dafür, was tief an einem Buch ist, geht ihnen ab. Ich habe Gelehrte kennen gelernt, die Kant für tief hielten; am preußischen Hofe, fürchte ich, hält man Herrn von Treitschke für tief. Und wenn ich Stendhal gelegentlich als tiefen Psychologen rühme, ist es mir mit deutschen Universitätsprofessoren begegnet, daß sie mich den Namen buchstabieren ließen ...

4

— Und warum sollte ich nicht bis ans Ende gehn? Ich liebe es, reinen Tisch zu machen. Es gehört selbst zu meinem Ehrgeiz, als Verächter der Deutschen *par excellence* zu gelten. Mein *Mißtrauen* gegen den deutschen Charakter habe ich schon mit sechsundzwanzig Jahren ausgedrückt (dritte Unzeitgemäße [Abschnitt 6] — die Deutschen sind für mich unmöglich. Wenn ich mir eine Art Mensch ausdenke, die allen meinen Instinkten zuwiderläuft, so wird immer ein Deutscher daraus. Das erste, worauf ich mir einen Menschen »nierenprüfe«, ist, ob er ein Gefühl für Distanz im Leibe hat, ob er überall Rang, Grad, Ordnung zwischen Mensch und Mensch sieht, ob er *distinguiert*: damit ist man *gentilhomme*; in jedem andren Fall gehört man rettungslos unter den weitherzigen, ach! so gutmütigen Begriff der *canaille*. Aber die Deutschen sind *canaille* — ach! sie sind so gutmütig... Man erniedrigt sich durch den Verkehr mit Deutschen: der Deutsche

stellt gleich ... Rechne ich meinen Verkehr mit einigen Künstlern, vor allem mit Richard Wagner ab, so habe ich keine gute
Stunde mit Deutschen verlebt ... Gesetzt, daß der tiefste Geist
aller Jahrtausende unter Deutschen erschiene, irgendeine Rette-
rin des Capitols würde wähnen, ihre sehr unschöne Seele käme
zum mindesten ebenso in Betracht ... Ich halte diese Rasse nicht
aus, mit der man immer in schlechter Gesellschaft ist, die keine
Finger für *nuances* hat — wehe mir! ich bin eine *nuance* —, die
keinen *esprit* in den Füßen hat und nicht einmal gehen kann ...
Die Deutschen haben zuletzt gar keine Füße, sie haben bloß
Beine ... Den Deutschen geht jeder Begriff davon ab, wie gemein
sie sind, aber das ist der Superlativ der Gemeinheit — sie *schämen*
sich nicht einmal, bloß Deutsche zu sein ... Sie reden über alles
mit, sie halten sich selbst für entscheidend, ich fürchte, sie haben
selbst über mich entschieden ... Mein ganzes Leben ist der Beweis
de rigueur für diese Sätze. Umsonst, daß ich in ihm nach einem
Zeichen von Takt, von *délicatesse* gegen mich suche. Von Juden
ja, noch nie von Deutschen. Meine Art will es, daß ich gegen
jedermann mild und wohlwollend bin — ich habe ein *Recht* dazu,
keine Unterschiede zu machen —: dies hindert nicht, daß ich die
Augen offen habe. Ich nehme niemanden aus, am wenigsten
meine Freunde, — ich hoffe zuletzt, daß dies meiner Humanität
gegen sie keinen Abbruch getan hat! Es gibt fünf, sechs Dinge,
aus denen ich mir immer eine Ehrensache gemacht habe. — Trotzdem bleibt wahr, daß ich fast jeden Brief, der mich seit Jahren
erreicht, als einen Zynismus empfinde: es liegt mehr Zynismus
im Wohlwollen gegen mich als in irgendwelchem Haß ... Ich
sage es jedem meiner Freunde ins Gesicht, daß er es nie der Mühe
für wert hielt, irgendeine meiner Schriften zu *studieren*: ich
errate aus den kleinsten Zeichen, daß sie nicht einmal wissen, was
drin steht. Was gar meinen Zarathustra anbetrifft, wer von meinen Freunden hätte mehr darin gesehn als eine unerlaubte, zum
Glück vollkommen gleichgültige Anmaßung? ... Zehn Jahre:
und niemand in Deutschland hat sich eine Gewissensschuld daraus
gemacht, meinen Namen gegen das absurde Stillschweigen zu
verteidigen, unter dem er vergraben lag: ein Ausländer, ein
Däne war es, der zuerst dazu genug Feinheit des Instinkts *und*

Mut hatte, der sich über meine angeblichen Freunde empörte ...
An welcher deutschen Universität wären heute Vorlesungen über
meine Philosophie möglich, wie sie letztes Frühjahr der damit
noch einmal mehr bewiesene Psycholog Dr. Georg Brandes in
Kopenhagen gehalten hat? — Ich selber habe nie an alledem
gelitten; das *Notwendige* verletzt mich nicht; *amor fati* ist meine
innerste Natur. Dies schließt aber nicht aus, daß ich die Ironie
liebe, sogar die welthistorische Ironie. Und so habe ich, zwei
Jahre ungefähr vor dem zerschmetternden Blitzschlag der *Um-*
wertung, der die Erde in Konvulsionen versetzen wird, den
»Fall Wagner« in die Welt geschickt: die Deutschen sollten sich
noch einmal unsterblich an mir vergreifen und *verewigen*! es ist
gerade noch Zeit dazu! — Ist das erreicht? — Zum Entzücken,
meine Herren Germanen! Ich mache Ihnen mein Kompliment ...

1

Ich kenne mein Los. Es wird sich einmal an meinen Namen die
Erinnerung an etwas Ungeheures anknüpfen — an eine Krisis,
wie es keine auf Erden gab, an die tiefste Gewissens-Kollision,
an eine Entscheidung, heraufbeschworen *gegen* alles, was bis
dahin geglaubt, gefordert, geheiligt worden war. Ich bin kein
Mensch, ich bin Dynamit. — Und mit alledem ist nichts in mir
von einem Religionsstifter — Religionen sind Pöbel-Affären, ich
habe nötig, mir die Hände nach der Berührung mit religiösen
Menschen zu waschen... Ich *will* keine »Gläubigen«, ich denke,
ich bin zu boshaft dazu, um an mich selbst zu glauben, ich rede
niemals zu Massen... Ich habe eine erschreckliche Angst davor,
daß man mich eines Tags *heilig* spricht: man wird erraten, weshalb ich dies Buch *vorher* herausgebe, es soll verhüten, daß man
Unfug mit mir treibt... Ich will kein Heiliger sein, lieber noch
ein Hanswurst... Vielleicht bin ich ein Hanswurst... Und
trotzdem oder vielmehr *nicht* trotzdem — denn es gab nichts Ver-
logneres bisher als Heilige — redet aus mir die Wahrheit. — Aber
meine Wahrheit ist *furchtbar*: denn man hieß bisher die *Lüge*
Wahrheit. — *Umwertung aller Werte*: das ist meine Formel für
einen Akt höchster Selbstbesinnung der Menschheit, der in mir
Fleisch und Genie geworden ist. Mein Los will, daß ich der erste
anständige Mensch sein muß, daß ich mich gegen die Verlogenheit von Jahrtausenden im Gegensatz weiß... Ich erst habe die
Wahrheit *entdeckt*, dadurch daß ich zuerst die Lüge als Lüge
empfand — *roch*... Mein Genie ist in meinen Nüstern... Ich
widerspreche, wie nie widersprochen worden ist, und bin trotzdem der Gegensatz eines neinsagenden Geistes. Ich bin ein *froher
Botschafter*, wie es keinen gab, ich kenne Aufgaben von einer

Höhe, daß der Begriff dafür bisher gefehlt hat; erst von mir
an gibt es wieder Hoffnungen. Mit alledem bin ich notwendig
auch der Mensch des Verhängnisses. Denn wenn die Wahrheit
mit der Lüge von Jahrtausenden in Kampf tritt, werden wir
Erschütterungen haben, einen Krampf von Erdbeben, eine Ver-
setzung von Berg und Tal, wie dergleichen nie geträumt worden
ist. Der Begriff Politik ist dann gänzlich in einen Geisterkrieg
aufgegangen, alle Machtgebilde der alten Gesellschaft sind in
die Luft gesprengt — sie ruhen allesamt auf der Lüge: es wird
Kriege geben, wie es noch keine auf Erden gegeben hat. Erst
von mir an gibt es auf Erden *große Politik*. —

2

Will man eine Formel für ein solches Schicksal, *das Mensch wird?*
— Sie steht in meinem Zarathustra.

> — *und wer ein Schöpfer sein will im Guten und Bösen, der
> muß ein Vernichter erst sein und Werte zerbrechen.*
> *Also gehört das höchste Böse zur höchsten Güte: diese aber
> ist die schöpferische.*

Ich bin bei weitem der furchtbarste Mensch, den es bisher gegeben hat; dies schließt nicht aus, daß ich der wohltätigste sein
werde. Ich kenne die Lust am *Vernichten* in einem Grade, die
meiner *Kraft* zum Vernichten gemäß ist, — in beidem gehorche
ich meiner dionysischen Natur, welche das Neintun nicht vom
Jasagen zu trennen weiß. Ich bin der erste *Immoralist*: damit bin
ich der *Vernichter par excellence*. —

3

Man hat mich nicht gefragt, man hätte mich fragen sollen, was
gerade in meinem Munde, im Munde des ersten Immoralisten
der Name *Zarathustra* bedeutet: denn was die ungeheure Einzigkeit jenes Persers in der Geschichte ausmacht, ist gerade dazu
das Gegenteil. Zarathustra hat zuerst im Kampf des Guten und

des Bösen das eigentliche Rad im Getriebe der Dinge gesehn — die Übersetzung der Moral ins Metaphysische, als Kraft, Ursache, Zweck an sich, ist *sein* Werk. Aber diese Frage wäre im Grunde bereits die Antwort. Zarathustra *schuf* diesen verhängnisvollsten Irrtum, die Moral: folglich muß er auch der erste sein, der ihn *erkennt*. Nicht nur, daß er hier länger und mehr Erfahrung hat als sonst ein Denker — die ganze Geschichte ist ja die Experimental-Widerlegung vom Satz der sogenannten »sittlichen Weltordnung« —: das Wichtigere ist, Zarathustra ist wahrhaftiger als sonst ein Denker. Seine Lehre, und sie allein, hat die Wahrhaftigkeit als oberste Tugend — das heißt den Gegensatz zur *Feigheit* des »Idealisten«, der vor der Realität die Flucht ergreift; Zarathustra hat mehr Tapferkeit im Leibe als alle Denker zusammengenommen. Wahrheit reden und *gut mit Pfeilen schießen,* das ist die persische Tugend. — Versteht man mich? ... Die Selbstüberwindung der Moral aus Wahrhaftigkeit, die Selbstüberwindung des Moralisten in seinen Gegensatz — *in mich* — das bedeutet in meinem Munde der Name Zarathustra.

4

Im Grunde sind es zwei Verneinungen, die mein Wort *Immoralist* in sich schließt. Ich verneine einmal einen Typus Mensch, der bisher als der höchste galt, die *Guten*, die *Wohlwollenden, Wohltätigen*; ich verneine andrerseits eine Art Moral, welche als Moral an sich in Geltung und Herrschaft gekommen ist — die *décadence*-Moral, handgreiflicher geredet, die *christliche* Moral. Es wäre erlaubt, den zweiten Widerspruch als den entscheidenderen anzusehn, da die Überschätzung der Güte und des Wohlwollens, ins große gerechnet, mir bereits als Folge der *décadence* gilt, als Schwäche-Symptom, als unverträglich mit einem aufsteigenden und jasagenden Leben: im Jasagen ist Verneinen *und Vernichten* Bedingung. — Ich bleibe zunächst bei der Psychologie des guten Menschen stehn. Um abzuschätzen, was ein Typus Mensch wert ist, muß man den Preis nachrechnen, den seine Erhaltung kostet — muß man seine Existenzbedingungen kennen. Die Existenz-Bedingung der Guten ist die *Lüge* —: anders aus-

gedrückt, das Nicht-sehn-*Wollen* um jeden Preis, wie im Grunde
die Realität beschaffen ist, nämlich *nicht* derart, um jederzeit
wohlwollende Instinkte herauszufordern, noch weniger derart,
um sich ein Eingreifen von kurzsichtigen gutmütigen Händen
jederzeit gefallen zu lassen. Die *Notstände* aller Art überhaupt
als Einwand, als etwas, das man *abschaffen* muß, betrachten,
ist die *niaiserie par excellence,* ins große gerechnet, ein wahres
Unheil in seinen Folgen, ein Schicksal von Dummheit —, beinahe
so dumm, als es der Wille wäre, das schlechte Wetter abzuschaf-
fen — aus Mitleiden etwa mit den armen Leuten ... In der großen Ökonomie des Ganzen sind die Furchtbarkeiten der Realität (in den Affekten, in den Begierden, im Willen zur Macht) in
einem unausrechenbaren Maße notwendiger als jene Form des
kleinen Glücks, die sogenannte »Güte«; man muß sogar nach-
sichtig sein, um der letzteren, da sie in der Instinkt-Verlogenheit
bedingt ist, überhaupt einen Platz zu gönnen. Ich werde einen
großen Anlaß haben, die über die Maßen unheimlichen Folgen
des *Optimismus,* dieser Ausgeburt der *homines optimi,* für die
ganze Geschichte zu beweisen. Zarathustra, der erste, der begriff, daß der Optimist ebenso *décadent* ist wie der Pessimist
und vielleicht schädlicher, sagt: *gute Menschen reden nie die*
Wahrheit. Falsche Küsten und Sicherheiten lehrten euch die
Guten; in Lügen der Guten wart ihr geboren und geborgen.
Alles ist in den Grund hinein verlogen und verbogen durch die
Guten. Die Welt ist zum Glück nicht auf Instinkte hin gebaut,
daß gerade bloß gutmütiges Herdengetier darin sein enges Glück
fände; zu fordern, daß alles »guter Mensch«, Herdentier, blau-
äugig, wohlwollend, »schöne Seele« — oder, wie Herr Herbert
Spencer es wünscht, altruistisch werden solle, hieße dem Dasein
seinen *großen* Charakter nehmen, hieße die Menschheit kastrie-
ren und auf eine armselige Chineserei herunterbringen. — *Und*
dies hat man versucht! ... Dies eben hieß man Moral ... In diesem Sinne nennt Zarathustra die Guten bald »die letzten Menschen«, bald den »Anfang vom Ende«; vor allem empfindet er
sie als die *schädlichste Art Mensch,* weil sie ebenso auf Kosten
der *Wahrheit* als auf Kosten der *Zukunft* ihre Existenz durchsetzen.

Die Guten — die können nicht *schaffen,* die sind immer der Anfang vom Ende —

— sie kreuzigen den, der *neue* Werte auf neue Tafeln schreibt, sie opfern *sich* die Zukunft, sie kreuzigen alle Menschen-Zukunft!

Die Guten — die waren immer der Anfang vom Ende...

Und was auch für Schaden die Welt-Verleumder tun mögen, *der Schaden der Guten ist der schädlichste Schaden.*

5

Zarathustra, der erste Psycholog der Guten, ist — folglich — ein Freund der Bösen. Wenn eine *décadence*-Art Mensch zum Rang der höchsten Art aufgestiegen ist, so konnte dies nur auf Kosten ihrer Gegensatz-Art geschehn, der starken und lebensgewissen Art Mensch. Wenn das Herdentier im Glanze der reinsten Tugend strahlt, so muß der Ausnahme-Mensch zum Bösen heruntergewertet sein. Wenn die Verlogenheit um jeden Preis das Wort »Wahrheit« für ihre Optik in Anspruch nimmt, so muß der eigentlich Wahrhaftige unter den schlimmsten Namen wiederzufinden sein. Zarathustra läßt hier keinen Zweifel: er sagt, die Erkenntnis der Guten, der »Besten« gerade sei es gewesen, was ihm Grausen vor dem Menschen überhaupt gemacht habe; aus *diesem* Widerwillen seien ihm die Flügel gewachsen, »fortzuschweben in ferne Zukünfte« — er verbirgt es nicht, daß *sein* Typus Mensch, ein relativ übermenschlicher Typus, gerade im Verhältnis zu den *Guten* übermenschlich ist, daß die Guten und Gerechten seinen Übermenschen *Teufel* nennen würden...

Ihr höchsten Menschen, denen mein Auge begegnete, das ist mein Zweifel an euch und mein heimliches Lachen: ich rate, ihr würdet meinen Übermenschen — Teufel heißen!

So fremd seid ihr dem Großen mit eurer Seele, daß euch der Übermensch *furchtbar* sein würde in seiner Güte...

An dieser Stelle und nirgendswo anders muß man den Ansatz machen, um zu begreifen, was Zarathustra will: diese Art

Mensch, die er konzipiert, konzipiert die Realität, *wie sie ist*:
sie ist stark genug dazu —, sie ist ihr nicht entfremdet, entrückt,
sie ist *sie selbst*, sie hat all deren Furchtbares und Fragwürdiges
auch noch in sich, *damit erst kann der Mensch Größe haben* . . .

6

— Aber ich habe auch noch in einem andren Sinne das Wort *Immoralist* zum Abzeichen, zum Ehrenzeichen für mich gewählt;
ich bin stolz darauf, dies Wort zu haben, das mich gegen die
ganze Menschheit abhebt. Niemand noch hat die *christliche* Moral
als *unter* sich gefühlt: dazu gehörte eine Höhe, ein Fernblick, eine
bisher ganz unerhörte psychologische Tiefe und Abgründlichkeit.
Die christliche Moral war bisher die Circe aller Denker — sie
standen in ihrem Dienst. — Wer ist vor mir eingestiegen in die
Höhlen, aus denen der Gifthauch dieser Art von Ideal — *der
Weltverleumdung!* — emporquillt? Wer hat auch nur zu ahnen
gewagt, *daß* es Höhlen sind? Wer war überhaupt vor mir unter
den Philosophen *Psycholog* und nicht vielmehr dessen Gegensatz »höherer Schwindler«, »Idealist«? Es gab vor mir noch gar
keine Psychologie. — Hier der Erste zu sein kann ein Fluch sein,
es ist jedenfalls ein Schicksal: *denn man verachtet auch als der
Erste* . . . Der *Ekel* am Menschen ist meine Gefahr . . .

7

Hat man mich verstanden? — Was mich abgrenzt, was mich beiseite stellt gegen den ganzen Rest der Menschheit, das ist, die
christliche Moral *entdeckt* zu haben. Deshalb war ich eines Worts
bedürftig, das den Sinn einer Herausforderung an jedermann
enthält. Hier nicht eher die Augen aufgemacht zu haben, gilt mir
als die größte Unsauberkeit, die die Menschheit auf dem Gewissen hat, als Instinkt gewordner Selbstbetrug, als grundsätzlicher
Wille, jedes Geschehen, jede Ursächlichkeit, jede Wirklichkeit
nicht zu sehen, als Falschmünzerei *in psychologicis* bis zum Verbrechen. Die Blindheit vor dem Christentum ist das *Verbrechen
par excellence* — das Verbrechen *am Leben* . . . Die Jahrtausende,

die Völker, die Ersten und die Letzten, die Philosophen und die alten Weiber — fünf, sechs Augenblicke der Geschichte abgerechnet, mich als siebenten — in diesem Punkte sind sie alle einander würdig. Der Christ war bisher *das* »moralische Wesen«, ein Kuriosum ohnegleichen — und, *als* »moralisches Wesen«, absurder, verlogner, eitler, leichtfertiger, *sich selber nachteiliger* als auch der größte Verächter der Menschheit es sich träumen lassen könnte. Die christliche Moral — die bösartigste Form des Willens zur Lüge, die eigentliche Circe der Menschheit: das, was sie *verdorben* hat. Es ist *nicht* der Irrtum als Irrtum, was mich bei diesem Anblick entsetzt, *nicht* der jahrtausendelange Mangel an »gutem Willen«, an Zucht, an Anstand, an Tapferkeit im Geistigen, der sich in seinem Sieg verrät — es ist der Mangel an Natur, es ist der vollkommen schauerliche Tatbestand, daß die *Widernatur* selbst als Moral die höchsten Ehren empfing und als Gesetz, als kategorischer Imperativ, über der Menschheit hängen blieb!... In diesem Maße sich vergreifen, *nicht* als einzelner, *nicht* als Volk, sondern als Menschheit!... Daß man die allerersten Instinkte des Lebens verachten lehrte; daß man eine »Seele«, einen »Geist« *erlog,* um den Leib zuschanden zu machen; daß man in der Voraussetzung des Lebens, in der Geschlechtlichkeit, etwas Unreines empfinden lehrt; daß man in der tiefsten Notwendigkeit zum Gedeihen, in der *strengen* Selbstsucht (— das Wort schon ist verleumderisch! —) das böse Prinzip sucht; daß man umgekehrt in den typischen Abzeichen des Niedergangs und der Instinkt-Widersprüchlichkeit, im »Selbstlosen«, im Verlust an Schwergewicht, in der »Entpersönlichung« und »Nächstenliebe« (— Nächsten*sucht!*) den *höheren* Wert, was sage ich! den *Wert an sich* sieht!... Wie! wäre die Menschheit selber in *décadence?* war sie es immer? — Was feststeht, ist, daß ihr nur Décadence-Werte als oberste Werte *gelehrt* worden sind. Die Entselbstungs-Moral ist die Niedergangs-Moral *par excellence,* die Tatsache »ich gehe zugrunde« in den Imperativ übersetzt: »ihr *sollt* alle zugrunde gehn« — und *nicht nur* in den Imperativ! ... Diese einzige Moral, die bisher gelehrt worden ist, die Entselbstungs-Moral, verrät einen Willen zum Ende, sie *verneint* im untersten Grunde das Leben. — Hier bliebe die Möglichkeit offen, daß nicht die Menschheit in Entartung sei, sondern nur jene parasitische Art Mensch, die des *Priesters,* die mit der Moral sich zu ihren Wert-Bestimmungen emporgelogen hat — die in der christlichen Moral ihr Mittel zur *Macht* erriet ... Und in der Tat, das ist *meine* Einsicht: die Lehrer, die Führer der Menschheit, Theologen insgesamt, waren insgesamt auch *décadents: daher* die Umwertung aller Werte ins Lebensfeindliche, *daher* die Moral ... *Definition der Moral:* Moral — die Idiosynkrasie von *décadents,* mit der Hinterabsicht, *sich am Leben zu rächen — und* mit Erfolg. Ich lege Wert auf *diese* Definition. —

<h1 style="text-align:center">8</h1>

— Hat man mich verstanden? — Ich habe eben kein Wort gesagt, das ich nicht schon vor fünf Jahren durch den Mund Zarathustras gesagt hätte. — Die *Entdeckung* der christlichen Moral ist ein Ereignis, das nicht seinesgleichen hat, eine wirkliche Katastrophe. Wer über sie aufklärt, ist eine *force majeure,* ein Schicksal — er bricht die Geschichte der Menschheit in zwei Stücke. Man lebt *vor* ihm, man lebt *nach* ihm ... Der Blitz der Wahrheit traf gerade das, was bisher am höchsten stand: wer begreift, *was* da vernichtet wurde, mag zusehn, ob er überhaupt noch etwas in den Händen hat. Alles, was bisher »Wahrheit« hieß, ist als die schädlichste, tückischste, unterirdischste Form der Lüge erkannt; der heilige Vorwand, die Menschheit zu »verbessern«, als die List, das Leben selbst *auszusaugen,* blutarm zu machen. Moral als *Vampyrismus* ... Wer die Moral entdeckt, hat den Unwert aller Werte mit entdeckt, an die man glaubt oder geglaubt hat; er sieht in den verehrtesten, in den selbst *heilig* gesprochnen Typen des Menschen nichts Ehrwürdiges mehr, er sieht die verhängnisvollste Art von Mißgeburten darin, verhängnisvoll, *weil sie faszinierten* ... Der Begriff »Gott« erfunden als Gegensatz-Begriff zum Leben — in ihm alles Schädliche, Vergiftende, Verleumderische, die ganze Todfeindschaft gegen das Leben in eine entsetzliche Einheit gebracht! Der Begriff »Jenseits«, »wahre Welt« erfunden, um die *einzige* Welt zu entwerten, die es gibt — um kein Ziel, keine Vernunft, keine Aufgabe für unsre Erden-

Realität übrigzubehalten! Der Begriff »Seele«, »Geist«, zuletzt gar noch »unsterbliche Seele«, erfunden, um den Leib zu verachten, um ihn krank — »heilig« — zu machen, um allen Dingen, die Ernst im Leben verdienen, den Fragen von Nahrung, Wohnung, geistiger Diät, Krankenbehandlung, Reinlichkeit, Wetter, einen schauerlichen Leichtsinn entgegenzubringen! Statt der Gesundheit das »Heil der Seele« — will sagen eine *folie circulaire* zwischen Bußkrampf und Erlösungs-Hysterie! Der Begriff »Sünde« erfunden samt dem zugehörigen Folter-Instrument, dem Begriff »freier Wille«, um die Instinkte zu verwirren, um das Mißtrauen gegen die Instinkte zur zweiten Natur zu machen! Im Begriff des »Selbstlosen«, des »Sich-selbst-Verleugnenden« das eigentliche *décadence*-Abzeichen, das *Gelockt*werden vom Schädlichen, das Seinen-Nutzen-nicht-mehr-finden-*Können*, die Selbst-Zerstörung zum Wertzeichen überhaupt gemacht, zur »Pflicht«, zur »Heiligkeit«, zum »Göttlichen« im Menschen! Endlich — es ist das Furchtbarste — im Begriff des *guten* Menschen die Partei alles Schwachen, Kranken, Mißratnen, An-sich-selber-Leidenden genommen, alles dessen, *was zugrunde gehn soll* —, das Gesetz der *Selektion* gekreuzt, ein Ideal aus dem Widerspruch gegen den stolzen und wohlgeratenen, gegen den jasagenden, gegen den zukunftsgewissen, zukunftverbürgenden Menschen gemacht — dieser heißt nunmehr der *Böse* ... Und das alles wurde geglaubt *als Moral! — Ecrasez l'infâme! —* —

9

— Hat man mich verstanden? — *Dionysos gegen den Gekreuzigten* ...

Dionysos-
Dithyramben

Nur Narr! Nur Dichter!

Bei abgehellter Luft,
wenn schon des Taus Tröstung
zur Erde niederquillt,
unsichtbar, auch ungehört
— denn zartes Schuhwerk trägt
der Tröster Tau gleich allen Trostmilden —
gedenkst du da, gedenkst du, heißes Herz,
wie einst du durstetest,
nach himmlischen Tränen und Taugeträufel
versengt und müde durstetest,
dieweil auf gelben Graspfaden
boshaft abendliche Sonnenblicke
durch schwarze Bäume um dich liefen,
blendende Sonnen-Glutblicke, schadenfrohe.

»Der *Wahrheit* Freier — du?« so höhnten sie —
»Nein! nur ein Dichter!
ein Tier, ein listiges, raubendes, schleichendes,
das lügen muß,
das wissentlich, willentlich lügen muß,
nach Beute lüstern,
bunt verlarvt,
sich selbst zur Larve,
sich selbst zur Beute,
das — der Wahrheit Freier? . . .

Nur Narr! nur Dichter!
Nur Buntes redend,
aus Narrenlarven bunt herausredend,
herumsteigend auf lügnerischen Wortbrücken,

auf Lügen-Regenbogen
zwischen falschen Himmeln
herumschweifend, herumschleichend —
nur Narr! *nur* Dichter! . . .

Das — der Wahrheit Freier? . . .
Nicht still, starr, glatt, kalt,
zum Bilde worden,
zur Gottes-Säule,
nicht aufgestellt vor Tempeln,
eines Gottes Türwart:
nein! feindselig solchen Tugend-Standbildern,
in jeder Wildnis heimischer als in Tempeln,
voll Katzen-Mutwillens
durch jedes Fenster springend
husch! in jeden Zufall,
jedem Urwalde zuschnüffelnd,
daß du in Urwäldern
unter buntzottigen Raubtieren
sündlich gesund und schön und bunt liefest,
mit lüsternen Lefzen,
selig-höhnisch, selig-höllisch, selig-blutgierig,
raubend, schleichend, *lügend* liefest . . .

Oder dem Adler gleich, der lange,
lange starr in Abgründe blickt,
in *seine* Abgründe . . .
— o wie sie sich hier hinab,
hinunter, hinein,
in immer tiefere Tiefen ringeln! —

Dann,
plötzlich,
geraden Flugs,
gezückten Zugs
auf *Lämmer* stoßen,
jach hinab, heißhungrig,

nach Lämmern lüstern,
gram allen Lamms-Seelen,
grimmig gram allem, was blickt
tugendhaft, schafmäßig, krauswollig,
dumm, mit Lammsmilch-Wohlwollen . . .

Also
adlerhaft, pantherhaft
sind des Dichters Sehnsüchte,
sind *deine* Sehnsüchte unter tausend Larven,
du Narr! du Dichter! . . .

Der du den Menschen schautest
so *Gott* als *Schaf* —,
den Gott *zerreißen* im Menschen
wie das Schaf im Menschen
und zerreißend *lachen* —
das, das ist deine Seligkeit,
eines Panthers und Adlers Seligkeit,
eines Dichters und Narren Seligkeit!« . . .

Bei abgehellter Luft,
wenn schon des Monds Sichel
grün zwischen Purpurröten
und neidisch hinschleicht,
— dem Tage feind,
mit jedem Schritte heimlich
an Rosen-Hängematten
hinsichelnd, bis sie sinken,
nachtabwärts blaß hinabsinken:
so sank ich selber einstmals
aus meinem Wahrheits-Wahnsinne,
aus meinen Tages-Sehnsüchten,
des Tages müde, krank vom Lichte,
— sank abwärts, abendwärts, schattenwärts,
von einer Wahrheit
verbrannt und durstig

— gedenkst du noch, gedenkst du, heißes Herz,
wie da du durstetest? —
daß ich verbannt sei
von aller Wahrheit!
Nur Narr! *Nur* Dichter! . . .

Die Wüste wächst: weh dem, der Wüsten birgt . . .

Ha!
Feierlich!
ein würdiger Anfang!
afrikanisch feierlich!
eines Löwen würdig
oder eines moralischen Brüllaffen . . .
— aber nichts für euch,
ihr allerliebsten Freundinnen,
zu deren Füßen mir,
einem Europäer unter Palmen,
zu sitzen vergönnt ist. Sela.

Wunderbar wahrlich!
Da sitze ich nun,
der Wüste nahe und bereits
so ferne wieder der Wüste,
auch in nichts noch verwüstet:
nämlich hinabgeschluckt
von dieser kleinen Oasis
— sie sperrte gerade gähnend
ihr liebliches Maul auf,
das wohlriechendste aller Mäulchen:
da fiel ich hinein,
hinab, hindurch — unter euch,
ihr allerliebsten Freundinnen! Sela.

Heil, Heil jenem Walfische,
wenn er also es seinem Gaste
wohlsein ließ! — ihr versteht
meine gelehrte Anspielung? . . .

Heil seinem Bauche,
wenn es also
ein so lieblicher Oasis-Bauch war,
gleich diesem: was ich aber in Zweifel ziehe.
Dafür komme ich aus Europa,
das zweifelsüchtiger ist als alle Eheweibchen.
Möge Gott es bessern!
Amen.

Da sitze ich nun,
in dieser kleinsten Oasis,
einer Dattel gleich,
braun, durchsüßt, goldschwürig,
lüstern nach einem runden Mädchen-Maule,
mehr aber noch nach mädchenhaften
eiskalten schneeweißen schneidigen
Beißzähnen: nach denen nämlich
lechzt das Herz allen heißen Datteln. Sela.

Den genannten Südfrüchten
ähnlich, allzuähnlich
liege ich hier, von kleinen
Flügelkäfern
umtänzelt und umspielt,
insgleichen von noch kleineren
törichteren boshafteren
Wünschen und Einfällen, —
umlagert von euch,
ihr stummen, ihr ahnungsvollen
Mädchen-Katzen
Dudu und Suleika
— *umsphinxt*, daß ich in ein Wort
viel Gefühle stopfe
(— vergebe mir Gott
diese Sprachsünde! . . .)
— sitze hier, die beste Luft schnüffelnd,
Paradieses-Luft wahrlich,

lichte leichte Luft, goldgestreifte,
so gute Luft nur je
vom Monde herabfiel,
sei es aus Zufall
oder geschah es aus Übermute?
wie die alten Dichter erzählen.
Ich Zweifler aber ziehe es in Zweifel,
dafür komme ich
aus Europa,
das zweifelsüchtiger ist als alle Eheweibchen.
Möge Gott es bessern!
Amen.

Diese schönste Luft atmend,
mit Nüstern geschwellt gleich Bechern,
ohne Zukunft, ohne Erinnerungen,
so sitze ich hier, ihr
allerliebsten Freundinnen,
und sehe der Palme zu,
wie sie, einer Tänzerin gleich,
sich biegt und schmiegt und in der Hüfte wiegt
— man tut es mit, sieht man lange zu ...
einer Tänzerin gleich, die, wie mir scheinen will,
zu lange schon, gefährlich lange
immer, immer nur auf *einem* Beinchen stand?
— da vergaß sie darob, wie mir scheinen will,
das *andre* Beinchen?
Vergebens wenigstens
suchte ich das vermißte
Zwillings-Kleinod
— nämlich das andre Beinchen —
in der heiligen Nähe
ihres allerliebsten, allerzierlichsten
Fächer- und Flatter- und Flitter-Röckchens.
Ja, wenn ihr mir, ihr schönen Freundinnen,
ganz glauben wollt:
sie hat es *verloren* ...

Hu! Hu! Hu! Hu! Huh! . . .
Es ist dahin,
auf ewig dahin,
das andre Beinchen!
O schade um dies liebliche andre Beinchen!
Wo — mag es wohl weilen und verlassen trauern,
dieses einsame Beinchen?
In Furcht vielleicht vor einem
grimmen gelben blondgelockten
Löwen-Untiere? oder gar schon
abgenagt, abgeknappert —
erbärmlich! wehe! wehe! abgeknabbert! Sela.

O weint mir nicht,
weiche Herzen!
Weint mir nicht, ihr
Dattel-Herzen! Milch-Busen!
Ihr Süßholz-Herz-
Beutelchen!
Sei ein Mann, Suleika! Mut! Mut!

Weine nicht mehr,
bleiche Dudu!
— Oder sollte vielleicht
etwas Stärkeres, Herz-Stärkendes
hier am Platze sein?
ein gesalbter Spruch?
ein feierlicher Zuspruch? . . .

Ha!
Herauf, Würde!
Blase, blase wieder,
Blasebalg der Tugend!
Ha!
Noch einmal brüllen,
moralisch brüllen,
als moralischer Löwe vor den Töchtern der Wüste brüllen!

— Denn Tugend-Geheul,
ihr allerliebsten Mädchen,
ist mehr als alles
Europäer-Inbrunst, Europäer-Heißhunger!
Und da stehe ich schon,
als Europäer,
ich kann nicht anders, Gott helfe mir!
Amen!

Die Wüste wächst: weh dem, der Wüsten birgt!
Stein knirscht an Stein, die Wüste schlingt und würgt.
Der ungeheure Tod blickt glühend braun
und *kaut* —, sein Leben ist sein Kaun...

Vergiß nicht, Mensch, den Wollust ausgeloht:
du — bist der Stein, die Wüste, bist der Tod...

Letzter Wille

So sterben,
wie ich ihn einst sterben sah —,
den Freund, der Blitze und Blicke
göttlich in meine dunkle Jugend warf:
— mutwillig und tief,
in der Schlacht ein Tänzer —,

unter Kriegern der Heiterste,
unter Siegern der Schwerste,
auf seinem Schicksal ein Schicksal stehend,
hart, nachdenklich, vordenklich —:
erzitternd darob, *daß* er siegte,
jauchzend darüber, daß er *sterbend* siegte —:
befehlend, indem er starb,
— und er befahl, daß man *vernichte* . . .

So sterben,
wie ich ihn einst sterben sah:
siegend, *vernichtend* . . .

Zwischen Raubvögeln

Wer hier hinab will,
wie schnell
schluckt den die Tiefe!
— Aber du, Zarathustra,
liebst den Abgrund noch,
tust der *Tanne* es gleich? —

Die schlägt Wurzeln, wo
der Fels selbst schaudernd
zur Tiefe blickt —,
die zögert an Abgründen,
wo alles rings
hinunter will:
zwischen der Ungeduld
wilden Gerölls, stürzenden Bachs
geduldig duldend, hart, schweigsam,
einsam . . .

Einsam!
Wer wagte es auch,
hier zu Gast zu sein,
dir Gast zu sein? . . .

Ein Raubvogel vielleicht,
der hängt sich wohl
dem standhaften Dulder
schadenfroh ins Haar,
mit irrem Gelächter,
einem Raubvogel-Gelächter . . .

Wozu so standhaft?
— höhnt er grausam:

man muß Flügel haben, wenn man den Abgrund liebt . . .
man muß nicht hängen bleiben,
wie du, Gehängter! —

O Zarathustra,
grausamster Nimrod!
Jüngst Jäger noch Gottes,
das Fangnetz aller Tugend,
der Pfeil des Bösen! —
Jetzt —
von dir selbst erjagt,
deine eigene Beute,
in dich selber eingebohrt . . .

Jetzt —
einsam mit dir,
zwiesam im eignen Wissen,
zwischen hundert Spiegeln
vor dir selber falsch,
zwischen hundert Erinnerungen
ungewiß,
an jeder Wunde müd,
an jedem Froste kalt,
in eignen Stricken gewürgt,
Selbstkenner!
Selbsthenker!

Was bandest du dich
mit dem Strick deiner Weisheit?
Was locktest du dich
ins Paradies der alten Schlange?
Was schlichst du dich ein
in *dich* — in *dich?* . . .

Ein Kranker nun,
der an Schlangengift krank ist;
ein Gefangner nun,

der das härteste Los zog:
im eignen Schachte
gebückt arbeitend,
in dich selber eingehöhlt,
dich selber angrabend,
unbehilflich,
steif,
ein Leichnam —,
von hundert Lasten übertürmt,
von dir überlastet,
ein *Wissender!*
ein *Selbsterkenner!*
der *weise* Zarathustra! . . .

Du suchtest die schwerste Last:
da fandest du *dich —,*
du wirfst dich nicht ab von dir . . .

Lauernd,
kauernd,
einer, der schon nicht mehr aufrecht steht!
Du verwächst mir noch mit deinem Grabe,
verwachsener Geist! . . .

Und jüngst noch so stolz,
auf allen Stelzen deines Stolzes!
Jüngst noch der Einsiedler ohne Gott,
der Zweisiedler mit dem Teufel,
der scharlachne Prinz jedes Übermuts! . . .

Jetzt —
zwischen zwei Nichtse
eingekrümmt,
ein Fragezeichen,
ein müdes Rätsel —
ein Rätsel für *Raubvögel* . . .

— sie werden dich schon »lösen«,
sie hungern schon nach deiner »Lösung«,
sie flattern schon um dich, ihr Rätsel,
um dich, Gehenkter! . . .
O Zarathustra! . . .
Selbstkenner! . . .
Selbsthenker! . . .

Das Feuerzeichen

Hier, wo zwischen Meeren die Insel wuchs,
ein Opferstein jäh hinaufgetürmt,
hier zündet sich unter schwarzem Himmel
Zarathustra seine Höhenfeuer an, —
Feuerzeichen für verschlagne Schiffer,
Fragezeichen für solche, die Antworten haben . . .

Diese Flamme mit weißgrauem Bauche
— in kalte Fernen züngelt ihre Gier,
nach immer reineren Höhen biegt sie den Hals —
eine Schlange gerad aufgerichtet vor Ungeduld:
dieses Zeichen stellte ich vor mich hin.

Meine Seele selber ist diese Flamme:
unersättlich nach neuen Fernen
lodert aufwärts ihre stille Glut.
Was floh Zarathustra vor Tier und Menschen?
Was entlief er jäh allem festen Lande?
Sechs Einsamkeiten kennt er schon —,
aber das Meer selbst war nicht genug ihm einsam,
die Insel ließ ihn steigen, auf dem Berg wurde er zur Flamme,
nach einer *siebenten* Einsamkeit
wirft er suchend jetzt die Angel über sein Haupt.

Verschlagne Schiffer! Trümmer alter Sterne!
Ihr Meere der Zukunft! Unausgeforschte Himmel!
nach allem Einsamen werfe ich jetzt die Angel:
gebt Antwort auf die Ungeduld der Flamme,
fangt mir, dem Fischer auf hohen Bergen,
meine siebente, *letzte* Einsamkeit! — —

Die Sonne sinkt

1

Nicht lange durstest du noch,
        verbranntes Herz!
Verheißung ist in der Luft,
aus unbekannten Mündern bläst mich's an,
        — die große Kühle kommt ...

Meine Sonne stand heiß über mir im Mittage:
seid mir gegrüßt, daß ihr kommt,
        ihr plötzlichen Winde,
ihr kühlen Geister des Nachmittags!

Die Luft geht fremd und rein.
Schielt nicht mit schiefem
        Verführerblick
die Nacht mich an? ...
Bleib stark, mein tapfres Herz!
Frag nicht: warum? —

2

Tag meines Lebens!
die Sonne sinkt.
Schon steht die glatte
        Flut vergüldet.
Warm atmet der Fels:
        schlief wohl zu Mittag
das Glück auf ihm seinen Mittagsschlaf? —
        In grünen Lichtern
spielt Glück noch der braune Abgrund herauf.

Tag meines Lebens!
gen Abend geht's!
Schon glüht dein Auge
        halbgebrochen,
schon quillt deines Taus
        Tränengeträufel,
schon läuft still über weiße Meere
deiner Liebe Purpur,
deine letzte zögernde Seligkeit.

3

Heiterkeit, güldene, komm!
        du des Todes
heimlichster, süßester Vorgenuß!
— Lief ich zu rasch meines Wegs?
Jetzt erst, wo der Fuß müde ward,
        holt dein Blick mich noch ein,
        holt dein *Glück* mich noch ein.

Rings nur Welle und Spiel.
        Was je schwer war,
sank in blaue Vergessenheit —
müßig steht nun mein Kahn.
Sturm und Fahrt — wie verlernt er das!
        Wunsch und Hoffen ertrank,
        glatt liegt Seele und Meer.

Siebente Einsamkeit!
        Nie empfand ich
näher mir süße Sicherheit,
wärmer der Sonne Blick.
— Glüht nicht das Eis meiner Gipfel noch?
        Silbern, leicht, ein Fisch
        schwimmt nun mein Nachen hinaus ...

Klage der Ariadne

Wer wärmt mich, wer liebt mich noch?
    Gebt heiße Hände!
    gebt Herzens-Kohlenbecken!
Hingestreckt, schaudernd,
Halbtotem gleich, dem man die Füße wärmt,
geschüttelt ach! von unbekannten Fiebern,
zitternd vor spitzen eisigen Frostpfeilen,
    von dir gejagt, Gedanke!
Unnennbarer! Verhüllter, Entsetzlicher!
    Du Jäger hinter Wolken!
Darniedergeblitzt von dir,
du höhnisch Auge, das mich aus Dunklem anblickt!
    So liege ich,
biege mich, winde mich, gequält
von allen ewigen Martern,
    getroffen
von dir, grausamster Jäger,
du unbekannter — *Gott* ...

Triff tiefer!
Triff einmal noch!
Zerstich, zerstich dies Herz!
Was soll dies Martern
mit zähnestumpfen Pfeilen?
Was blickst du wieder,
der Menschen-Qual nicht müde,
mit schadenfrohen Götter-Blitz-Augen?
Nicht töten willst du,
nur martern, martern?
Wozu — *mich* martern,

du schadenfroher unbekannter Gott?
Haha!
du schleichst heran
bei solcher Mitternacht? . . .
Was willst du?
Sprich!
Du drängst mich, drückst mich,
Ha, schon viel zu nahe!
Du hörst mich atmen,
du behorchst mein Herz,
du Eifersüchtiger!
— worauf doch eifersüchtig?
Weg! Weg!
wozu die Leiter?
willst du *hinein*,
ins Herz, einsteigen,
in meine heimlichsten
Gedanken einsteigen?
Schamloser! Unbekannter! Dieb!
Was willst du dir erstehlen?
Was willst du dir erhorchen?
Was willst du dir erfoltern,
du Folterer
du — Henker-Gott!
Oder soll ich, dem Hunde gleich,
vor dir mich wälzen?
Hingebend, begeistert außer mir
dir Liebe — zuwedeln?

Umsonst!
Stich weiter!
Grausamster Stachel!
Kein Hund — dein Wild nur bin ich,
grausamster Jäger!
deine stolzeste Gefangne,
du Räuber hinter Wolken . . .
Sprich endlich!

Du Blitz-Verhüllter! Unbekannter! sprich!
Was willst du, Wegelagerer, von — *mir*? . . .

Wie?
Lösegeld?
Was willst du Lösegelds?
Verlange viel — das rät mein Stolz!
und rede kurz — das rät mein andrer Stolz!
Haha!
Mich — willst du? mich?
mich — ganz? . . .

Haha!
Und marterst mich, Narr, der du bist,
zermarterst meinen Stolz?
Gib *Liebe* mir — wer wärmt mich noch?
wer liebt mich noch?
gib heiße Hände,
gib Herzens-Kohlenbecken,
gib mir, der Einsamsten,
die Eis, ach! siebenfaches Eis
nach Feinden selber,
nach Feinden schmachten lehrt,
gib, ja ergib,
grausamster Feind,
mir — *dich*! . . .

Davon!
Da floh er selber,
mein einziger Genoß,
mein großer Feind,
mein Unbekannter,
mein Henker-Gott! . . .

Nein!
komm zurück!
Mit allen deinen Martern!

All meine Tränen laufen
zu dir den Lauf
und meine letzte Herzensflamme
dir glüht sie auf.
O komm zurück,
mein unbekannter Gott! mein *Schmerz*!
    mein letztes Glück!...

Ein Blitz. Dionysos wird in smaragdener Schönheit sichtbar.

Dionysos:

Sei klug, Ariadne!...
Du hast kleine Ohren, du hast meine Ohren:
steck ein kluges Wort hinein! —
Muß man sich nicht erst hassen, wenn man sich lieben soll?...
Ich bin dein Labyrinth ...

Ruhm und Ewigkeit

1

Wie lange sitzest du schon
  auf deinem Mißgeschick?
Gib acht! du brütest mir noch
  ein Ei,
  ein Basilisken-Ei
aus deinem langen Jammer aus.

Was schleicht Zarathustra entlang dem Berge? —

Mißtrauisch, geschwürig, düster,
ein langer Lauerer —,
aber plötzlich, ein Blitz,
hell, furchtbar, ein Schlag
gen Himmel aus dem Abgrund:
— dem Berge selber schüttelt sich
das Eingeweide ...

Wo Haß und Blitzstrahl
Eins ward, ein *Fluch* —,
auf den Bergen haust jetzt Zarathustras Zorn,
eine Wetterwolke schleicht er seines Wegs.

Verkrieche sich, wer eine letzte Decke hat!
Ins Bett mit euch, ihr Zärtlinge!
Nun rollen Donner über die Gewölbe,
nun zittert, was Gebälk und Mauer ist,
nun zucken Blitze und schwefelgelbe Wahrheiten —
  Zarathustra *flucht* ...

2

Diese Münze, mit der
alle Welt bezahlt,
Ruhm —,
mit Handschuhen fasse ich diese Münze an,
mit Ekel trete ich sie *unter* mich.

Wer will bezahlt sein?
Die Käuflichen . . .
Wer *feil* steht, greift
mit fetten Händen
nach diesem Allerwelts-Blechklingklang-Ruhm!

— *Willst* du sie kaufen?
Sie sind alle käuflich.
Aber biete viel!
klingle mit vollem Beutel!
— du *stärkst* sie sonst,
du stärkst sonst ihre *Tugend* . . .

Sie sind alle tugendhaft.
Ruhm und Tugend — das reimt sich.
So lange die Welt lebt,
zahlt sie Tugend-Geplapper
mit Ruhm-Geklapper —,
die Welt *lebt* von diesem Lärm . . .

Vor allen Tugendhaften
will ich schuldig sein,
schuldig heißen mit jeder großen Schuld!
Vor allen Ruhms-Schalltrichtern
wird mein Ehrgeiz zum Wurm —,
unter solchen gelüstets mich,
der *Niedrigste* zu sein . . .

Diese Münze, mit der
alle Welt bezahlt,
Ruhm —,
mit Handschuhen fasse ich diese Münze an,
mit Ekel trete ich sie *unter* mich.

3

Still! —
Von großen Dingen — ich *sehe* Großes! —
soll man schweigen
oder groß reden:
rede groß, meine entzückte Weisheit!

Ich sehe hinauf —
dort rollen Lichtermeere:
o Nacht, o Schweigen, o totenstiller Lärm! . . .
Ich sehe ein Zeichen —,
aus fernsten Fernen
sinkt langsam funkelnd ein Sternbild gegen mich . . .

4

Höchstes Gestirn des Seins!
Ewiger Bildwerke Tafel!
Du kommst zu mir? —
Was keiner erschaut hat,
deine stumme Schönheit —
wie? sie flieht vor meinen Blicken nicht? —

Schild der Notwendigkeit!
Ewiger Bildwerke Tafel!
— aber du weißt es ja:
was alle hassen,
was allein *ich* liebe:
— daß *du ewig* bist!
daß du *notwendig* bist! —

meine Liebe entzündet
sich ewig nur an der Notwendigkeit.

Schild der Notwendigkeit!
Höchstes Gestirn des Seins!
— das kein Wunsch erreicht,
— das kein Nein befleckt,
ewiges Ja des Seins,
ewig bin ich dein Ja:
denn ich liebe dich, o Ewigkeit! — —

Von der Armut des Reichsten

Zehn Jahre dahin —,
kein Tropfen erreichte mich,
kein feuchter Wind, kein Tau der Liebe
— ein *regenloses* Land . . .
Nun bitte ich meine Weisheit,
nicht geizig zu werden in dieser Dürre:
ströme selber über, träufle selber Tau,
sei selber Regen der vergilbten Wildnis!

Einst hieß ich die Wolken
fortgehn von meinen Bergen, —
einst sprach ich »mehr Licht, ihr Dunklen!«
Heut locke ich sie, daß sie kommen:
macht Dunkel um mich mit euren Eutern!
— ich will euch melken,
ihr Kühe der Höhe!
Milchwarme Weisheit, süßen Tau der Liebe
ströme ich über das Land.

Fort, fort, ihr Wahrheiten,
die ihr düster blickt!
Nicht will ich auf meinen Bergen
herbe ungeduldige Wahrheiten sehn.
Vom Lächeln vergüldet
nahe mir heut die Wahrheit,
von der Sonne gesüßt, von der Liebe gebräunt, —
eine *reife* Wahrheit breche ich allein vom Baum.

Heut strecke ich die Hand aus
nach den Locken des Zufalls,

klug genug, den Zufall
einem Kinde gleich zu führen, zu überlisten.
Heut will ich gastfreundlich sein
gegen Unwillkommnes,
gegen das Schicksal selbst will ich nicht stachlicht sein,
— Zarathustra ist kein Igel.

Meine Seele,
unersättlich mit ihrer Zunge,
an alle guten und schlimmen Dinge hat sie schon geleckt,
in jede Tiefe taucht sie hinab.
Aber immer gleich dem Korke,
immer schwimmt sie wieder obenauf,
sie gaukelt wie Öl über braune Meere:
dieser Seele halber heißt man mich den Glücklichen.

Wer sind mir Vater und Mutter?
Ist nicht mir Vater Prinz Überfluß
und Mutter das stille Lachen?
Erzeugte nicht dieser beiden Ehebund
mich Rätseltier,
mich Lichtunhold,
mich Verschwender aller Weisheit, Zarathustra?

Krank heute vor Zärtlichkeit,
ein Tauwind,
sitzt Zarathustra wartend, wartend auf seinen Bergen, —
im eignen Safte
süß geworden und gekocht,
unterhalb seines Gipfels,
unterhalb seines Eises,
müde und selig,
ein Schaffender an seinem siebenten Tag.

— Still!
Eine Wahrheit wandelt über mir
einer Wolke gleich, —

mit unsichtbaren Blitzen trifft sie mich.
Auf breiten langsamen Treppen
steigt ihr Glück zu mir:
komm, komm, geliebte Wahrheit!

— Still!
Meine Wahrheit ist's! —
Aus zögernden Augen,
aus samtenen Schaudern
trifft mich ihr Blick,
lieblich, bös, ein Mädchenblick . . .
Sie erriet meines Glückes *Grund,*
sie erriet *mich* — ha! was sinnt sie aus? —
Purpurn lauert ein Drache
im Abgrunde ihres Mädchenblicks.

— Still! Meine Wahrheit *redet*! —

Wehe dir, Zarathustra!
Du siehst aus, wie einer,
der Gold verschluckt hat:
man wird dir noch den Bauch aufschlitzen! . . .
Zu reich bist du,
du Verderber vieler!
Zu viele machst *du* neidisch,
zu viele machst du arm . . .
Mir selber wirft dein Licht Schatten —,
es fröstelt mich: geh weg, du Reicher,
geh, Zarathustra, weg aus deiner Sonne! . . .

Du möchtest schenken, wegschenken deinen Überfluß,
aber du selber bist der Überflüssigste!
Sei klug, du Reicher!
Verschenke dich selber erst, o Zarathustra!

Zehn Jahre dahin —,
und kein Tropfen erreichte dich?

kein feuchter Wind? kein Tau der Liebe?
Aber wer *sollte* dich auch lieben,
du Überreicher?
Dein Glück macht rings trocken,
macht arm an Liebe
— ein *regenloses* Land . . .

Niemand dankt dir mehr.
Du aber dankst jedem,
der von dir nimmt:
daran erkenne ich dich,
du Überreicher,
du *Ärmster* aller Reichen!

Du opferst dich, dich *quält* dein Reichtum —,
du gibst dich ab,
du schonst dich nicht, du liebst dich nicht:
die große Qual zwingt dich allezeit,
die Qual *übervoller* Scheuern, *übervollen* Herzens —
aber niemand dankt dir mehr . . .

Du mußt *ärmer* werden,
weiser Unweiser!
willst du geliebt sein.
Man liebt nur die Leidenden,
man gibt Liebe nur dem Hungernden:
verschenke dich selbst erst, o Zarathustra!

— Ich bin deine Wahrheit . . .

Die in diesem Band gedruckten Schriften sind von Nietzsche gegen Ende des Jahres 1888 in Turin, wenige Wochen vor seinem geistigen Zusammenbruch (3. Januar 1889), abgeschlossen worden. Den *Ecce Homo* schrieb er zwischen dem 15. Oktober und 4. November, sandte ihn am 13. November zur Veröffentlichung und ließ bis zum Ende seiner Arbeitsfähigkeit noch Änderungswünsche folgen. Später wurde die Drucklegung auf Anraten des Freundes Franz Overbeck angehalten; die Schrift erschien 1908 in beschränkter Auflagenzahl und kam erst 1911 in einer allgemein zugänglichen Ausgabe heraus. *Der Antichrist* und die *Dionysos-Dithyramben,* ebenfalls Ende 1888 beendet, wurden von Nietzsche selbst nicht mehr zum Druck gegeben. Die Abrechnung mit dem Christentum erschien 1894, die Sammlung der Gedichte, die zwischen 1884 und 1888, teilweise im Zusammenhang mit dem *Zarathustra,* entstanden, wurde 1891 von Peter Gast ediert.

Von den drei Titeln dieses Bandes steht *Der Antichrist* noch in engster Verbindung mit den philosophischen Intentionen der vorausgehenden Schriften. Nietzsche wiederholt und verschärft hier die seit dem *Zarathustra* und der *Genealogie der Moral* bekannten Invektiven und Umwertungen. Die bevorzugten Angriffsziele waren bisher die herrschenden Wertvorstellungen der Philosophie, Moral und Politik; diesmal konzentriert er sich auf das Christentum. Es wird jedoch nicht – wie in der Aufklärung – vor das Tribunal der kritischen Vernunft gezogen; auch die Versuche von David Friedrich Strauß oder Ernest Renan, die Glaubensinhalte durch historische Fakten, Schlüsse und Beweise zu demontieren, werden von Nietzsche nicht fortgesetzt. Das Christentum ist für ihn nicht mehr Gegenstand rationaler Argumentation und Widerlegung, sondern psychologischer Analyse; er betrachtet es nicht als Diskussionspartner, nicht einmal als Gegner, sondern als Patienten, dessen Krankheitsbefund es unverhohlen zu dokumentieren gilt. Er lehnt es ab, nicht weil es den Exaktheitsansprüchen moderner Intellektualität nicht standhält, sondern weil es Ausdruck von Verarmung sei und fortfahre, die Lebenskraft des Menschen zu ruinieren. Er leugnet, sagt er, »Gott als Gott«, und sein Glaube würde noch geringer, selbst wenn man ihm diesen Gott der Christen bewiese, denn er negiert ihn nicht als eine Verirrung des Verstandes, sondern als Zerstörer dessen, was er »Leben« nennt.

Hiernach basiert Nietzsches Religionskritik auf dem Fundament seiner »Lebens«-philosophie, die zum Verständnis des *Antichrist* wenigstens im Ansatz zu umreißen ist: Nietzsches Denken läßt trotz der Divergenz und Widersprüchlichkeit seiner Urteile von Anfang an eine beharrliche Tendenz zum Zusammenhang, zur Ganzheit und Einheit erkennen. Bereits die Kulturkritik in seinen frühen Schriften, insbesondere der *Geburt der Tragödie* und der *Unzeitgemäßen Betrachtungen,* richtet sich gegen die Aufsplitterung in viele Einzelbegriffe und wissenschaftliche Disziplinen, gegen die Arbeitsteilung und das Fehlen einer geistigen Einheit Deutschlands, das in scharfem Kontrast zur eben erreichten nationalen Neugründung des deutschen Reiches stehe. Den in seiner Gegenwart vermißten Zusammenhang aller Erscheinungen, auch der widersprüchlichen und zerstörerischen, glaubt Nietzsche im griechischen Mythos verwirklicht. In sentimentalisch-sarkastischer Erinnerung blickt er auf dieses verlorene Paradies zurück, indem er Anaxagoras zitiert: »Im Anfang war alles beisammen: da kam der Verstand und schuf Ordnung.« Als Hauptinitiator dieser Entwicklung nennt Nietzsche Sokrates, der mit seiner Dialektik und Moral das mythische »Beisammen« systematisch zergliedert und zerstört habe. Vornehmlich im Umkreis seiner frühen Schriften thematisiert Nietzsche den Begriff des Mythos ausdrücklich, später spricht er nicht mehr nur über ihn, sondern er entwirft im Rahmen seiner Möglichkeiten selbst einen Mythos, von dem alle Werte und Wahrheiten erst ihre Legitimation erhalten. Dann überträgt er die in seiner Frühzeit erarbeiteten fundamentalen Kategorien des Mythologisch-Ästhetischen, das

Apollinische und Dionysische, von der Musik und der Tragödie
auf seinen Gesamtentwurf menschlichen Daseins. Oder umgekehrt: Schon in der *Geburt der Tragödie* projiziert er seinen
späteren Entwurf in den griechischen Mythos, der als archaisches
Sinnbild von Einheit und Ganzheit präfigurierende Bedeutung
für sein Denken in allen nachfolgenden Schriften hat.

Wenn auch Nietzsche in seinen Frühschriften den antiken
Mythos als verlorenen Garanten eines universalen Zusammen-
hangs aller Erscheinungen verherrlicht, so vermag er sich dennoch
nicht dem mythoszerstörenden Bann moderner Bewußtheit zu
entziehen; das gilt verstärkt für seine späteren Schriften. Dennoch gibt er auch hier inmitten aller Antagonismen das Bemühen
um ein umfassendes Ganzes nicht auf. Was aber verbirgt sich
hinter diesem übergreifenden Zusammenhang, der alle Fragen
nach dem Wahren, Guten und Schönen umfassen und entscheiden
soll, nachdem er sich nicht mehr allein im Bild des antiken Mythos
darstellt? Die Antwort scheint, zumindest terminologisch, leicht
zu fallen, da sich ein ständig beschworenes Wort aus Nietzsches
Schriften aufdrängt: Das »Leben« ist Grund und Zusammenhang, der alles Seiende bedingt und umgreift. Dennoch zeigt sich
die Nietzsche-Forschung ziemlich ratlos angesichts der Unbe-
stimmtheit dieses Begriffs, wenn überhaupt von »Begriff« und
nicht vielmehr von »Metapher« oder »Chiffre« die Rede sein
sollte. Auch die, vor allem im Nachlaß der achtziger Jahre, oft-
mals wiederholte Beteuerung, die Formel für das »Leben« sei
»Wille zur Macht«, hat keine bleibende Geltung, da sie durch
eine andere Idee von der »ewigen Wiederkunft des Gleichen«
konterkarriert wird; denn wie kann der »Wille zur Macht« den
Menschen über seine bisher gesetzten Grenzen hinausführen,
wenn das eherne Fatum des Kreises den Fortgang alles Gesche-
hens bestimmt? Aus solchen Aporien ergibt sich, daß jede spezi-
fizierende Deutung des intendierten Ganzen, d. h. des »Lebens«,
den Totalitätsanspruch dieses Prinzips einengt und dadurch dem
Widerspruch ausliefert. Die begriffliche Bestimmung des Ganzen
führt zum Verlust seiner Universalität. Zulässig ist daher allenfalls folgende Feststellung: Nietzsche kann das »Leben« nur begreifen als die durch fortschreitende Negation von Bestimmt-

heiten zu erstrebende und offen zu haltende Totalität. Dieser Begriff ist der vorerst einzige dem »Leben« angemessene, seiner Regellosigkeit und Widersprüchlichkeit standhaltende, und zwar nicht im Sinne der Hegelschen Versöhnung, sondern der Duldung der Gegensätze. Zur Totalität des »Lebens«, die Nietzsche in der *Geburt der Tragödie* noch in den Mythos der Griechen projiziert, gehören die radikale Offenheit, die Bejahung selbstzerstörerischer Antagonismen, auch noch des Nichts als eines komplementären Momentes der Totalität. Nicht das Erkennen und Anerkennen des Nichts, sondern dessen Verleugnung oder Ausstattung mit Sinn und Hoffnung durch Christentum und Moralität wird von Nietzsche als »Nihilismus« gebrandmarkt.

»Gesund« nennt er, was der Versuchung zur Eindeutigkeit und Harmonisierung widersteht, was die Sinnlosigkeit erträgt; »krank« findet er alles, was moralisiert und kritisiert. Die »décadence« ist für ihn die Folge des Zergliederns und Trennens und zugleich das Gift für den immer weiter fortschreitenden Zerfall in Partikularitäten, die dann je nach den Bedürfnissen der Kranken zu Werten und Unwerten sanktioniert, in Wirklichkeit aber als Erhaltungsbedingungen für ihre eigene Schwachheit usurpiert werden. Sokrates ist für Nietzsche der verderblichste Scheidekünstler mit seinen dialektischen Trennungen von Sein und Schein, von Gut und Böse, lauter Gegensätze, die er dem Christentum mit auf den Weg gegeben habe. Da auch die Nachfolger Jesu sich die Welt, und nicht nur sie, sondern sogar ihren Gott, nach den Herrschaftsgelüsten ihrer eigenen Schwachheit zurechtgelegt hätten, sei ihnen ein Gott des Ganzen unerträglich gewesen. Sie hätten ihn in Partikulares zerlegt, das Widerständige aus ihm entfernt und auf die Seite des Bösen, des Teufels, geschlagen. Somit hätten sie Gott zu einem guten Gott kastriert.

Es ist oft behauptet worden – vor allem von theologisierenden Nietzsche-Interpreten –, daß der Verfasser des *Antichrist* kein unerbittlicher Gegner Christi, sondern im Grunde ein »homo religiosus« sei, der lediglich an den historisch bedingten Erstarrungen des Glaubens Anstoß nehme. Dieser Versuch evangelischer Repatriierung Nietzsches ist verfehlt; denn dessen Kritik am

Christentum ist zu radikal, als daß sie durch Beseitigung einiger
Verirrungen zum Verstummen gebracht werden könnte. Er will
das Christentum nicht reformieren, nicht zurückführen auf eine
ursprüngliche, reinere und unverfälschte Form, sondern er will
es überwinden. Den Hebel, mit dem er es aus den Angeln zu
heben sucht, setzt er in der Zukunft, nicht in der Vergangenheit,
nicht beim Urchristentum, an. Die Alternative zum Christentum
des 19. Jahrhunderts sieht er weder in Luther noch in Jesus,
noch in Sokrates, sondern allenfalls als symbolisches Regulativ
im vorsokratischen Mythos der griechischen Antike, in der noch
alles »beisammen« war. Er will das Christentum nicht heilen,
sondern zu Grabe tragen, damit Platz geschaffen wird für eine
neue, nicht antichristliche, aber unchristliche Religion.

Doch auch die Bezeichnung des »Atheisten« trifft auf Nietzsche
nicht generell zu, denn er leugnet nicht jedweden Gott, sondern
verneint nur einen solchen, den er durch Partikularisierung und
Idealisierung pervertiert sieht. Indem er einen Gott sucht, der
die Totalität des Seienden und Möglichen umfaßt und nicht auf
die Belange degenerierter Bedingtheit reduziert wird, erstrebt er
eine neue Rechtfertigung Gottes, eine neue Theodizee, die das
Böse in der Welt nicht verleugnet oder umdeutet, sondern als
ebenso gottgewollt und gottgemäß ansieht wie das sogenannte
Gute. Wie Nietzsche im Namen des Übermenschen, der einen
Zustand jenseits von Gut und Böse erreichen soll, den alten Menschen überwinden will, so dient sein »Gott ist tot« der Verab-
schiedung eines altersschwachen Gottes zugunsten eines neuen.
Der *Antichrist* will Gott nicht grundsätzlich verleugnen, sondern
allererst freisetzen und steigern; er gibt dem Übermenschen
gleichsam den »Übergott« zum Ebenbild. Nietzsche bekämpft
nicht nur den Glauben an einen verfälschten Gott, sondern auch
diesen Gott selbst. Dabei liegt der eigentlich radikale Schritt
darin, daß er zwischen dem Glauben an Gott und Gott selbst
keinen Unterschied macht, denn Gott ist für ihn eine Projektion
von Erhaltungsbedürfnissen der Gläubigen. Sind diese krank,
so bringen sie nur einen kranken Gott zustande; sind sie gesund,
schaffen sie sich als Ausdruck und Stimulans ihrer eigenen Kraft
einen umfassenden Gott, wohltätig und zerstörerisch, gütig und

grausam, göttlich und teuflisch, einen Gott der ganzen Realität, der noch nicht von »décadents« zu einem Schrumpfgott deformiert worden ist. Der Übermensch setzt sich den neuen Gott zum Maß und Ziel und trachtet danach, es ihm gleich zu tun, mit ihm identisch zu werden.

Der *Antichrist* diagnostiziert aber nicht nur den Krankheitszustand einer schwachen Religion, sondern eines ganzen Zeitalters. Die Invektiven gegen das Christentum des 19. Jahrhunderts gelten nur dem gefährlichsten Stadium eines jahrtausendealten Verfallsprozesses. Einige seiner Stationen sind markiert durch Sokrates, Christus, Paulus, Luther, Kant, Schopenhauer, Wagner – die ganze Moderne. Heilung hätte kommen können von der Frühantike und der Renaissance; doch Christentum und Reformation haben – so Nietzsche – uns um das Erbe beider gebracht. Wie die Religion des 19. Jahrhunderts, so sieht er alle zeitgenössischen Erscheinungen von demselben Makel der Partikularität befallen, allem voran die idealistische Philosophie, die er systematisch und biographisch aus dem deutschen Pfarrhaus herleitet, wenn er den Philosophen als Weiterentwicklung des Priesters bezeichnet (»Tübinger Stift«). Beide verbinde die Unlust an der Realität sowie die Flucht vor ihr in Bereiche des bloß noch Imaginären. Einen Ausdruck der »décadence« erkennt Nietzsche weiterhin im Fortschrittsglauben, in den positivistischen Einzelwissenschaften, in Moral und Gesellschaftszustand, in der Ideologie des preußisch-christlichen Staates ebenso wie in Sozialismus und Anarchismus, die die Realität nach den Prinzipien ihrer herrschaftslüsternen Beschränktheit zurechtstutzten und ihre borniereten Einzelinteressen mit dem Anspruch auf Totalität proklamierten. Selbst noch in dem demokratischen Grundsatz »Gleiches Recht für alle« glaubt er Spuren des Christentums zu finden, das ebenfalls die Gleichheit aller Menschen vor den Augen Gottes verkünde und die niederdrückende und demütigende Menschenliebe an die Stelle des Selbstwertgefühls, des Kampfes und der Auseinandersetzung starker und freier Geister setze. Die christliche Diskreditierung des Leibes und der natürlichen Vorzüge sowie die Schändung des Menschen durch die ihm angeworfene Sünde führten auch in der Politik zu einer gleichmacherischen Verkennung der Vornehmen, d. h. der geistigsten und freiesten Menschen, als deren Repräsentanten er gerne Goethe nennt. Nietzsche vermag im Sozialismus nicht den Entwurf des neuen Menschen, sondern nur das Dahinvegetieren des alten, nämlich des christlichen, zu erblicken.

Kritik am Christentum wird für Nietzsche mehr und mehr zur umfassenden Kritik an seiner Gegenwart, und damit spitzt sie sich auch auf eine bestimmte Ausprägung der Religion zu, nämlich auf die zeitgenössische. Solange die Glaubenslüge noch nicht als solche erkannt gewesen sei, solange also das Christentum (z. B. im Mittelalter) als Mythos geherrscht habe, lasse sich der unschuldige, weil unbewußte Irrtum noch rechtfertigen. Nun aber, da die Unschuld angesichts moderner Intellektualität verloren sei, werde der Irrtum zur Lüge, die Krankheit zur Unanständigkeit, der christliche Mythos nur noch zu einem Folterinstrument in den Händen der Priester und Politiker. Wie wenig rational und wie instinktiv dagegen Nietzsche dieses Christentum verwirft, zeigen die immer wiederkehrenden Ausdrücke körperlichen Widerwillens: »unsauber«, »unreinlich«, »übelriechend«, »ekelhaft« usw. Am Ende interessierte ihn nicht einmal mehr die Diagnose der Krankheit; er registriert nur noch den Geruch der Verwesung.

Seinem »Pathos der Distanz« bleibt Nietzsche auch in *Ecce Homo* treu, wenn er sich vornimmt: »Ich widerlege die Ideale nicht, ich ziehe bloß Handschuhe vor ihnen an.« Das Buch knüpft im Titel mit dem Sterbenswort des Gekreuzigten an den *Antichrist* an, und dessen »Anti-« findet im letzten Satz der autobiographischen Schrift sein Pendant, wenn es heißt: »Dionysos gegen den Gekreuzigten.« Wieder geht es – wie im *Antichrist* – gegen alle Formen des Idealismus, die insgesamt als realitätsverleugnende, lügnerische, vor allem aber als »Lebens«-feindliche Götzen decouvriert und verspottet werden. Zarathustra, Nietzsches Lieblings- und Identifikationsfigur, genießt allergrößte Hochschätzung, doch nicht als Prophet und Heiliger, sondern als jemand, der die Propheten und sich selbst zum Narren macht, der nicht in der Pose des Märtyrers, sondern eher als Satyr aufzutreten wünscht. Nietzsche sieht in ihm nichts weniger als den Heilsbringer, nicht einmal den Begründer einer neuen Lehre, sondern er stellt ihn sich vor, wie er seine Schüler von sich fortschickt, weil sie ihn bereits gefunden, bevor sie sich selbst gesucht hätten. So grundsätzlich Zarathustra alle Ideale verneint, so entschieden verweigert er auch die Idealisierung seiner eigenen Person und »Lehre«. Er fordert vielmehr von denen, die nur an ihn glauben wollen, Skepsis, Widerspruch und Abkehr, weil er ebenso sich selbst immer wieder von sich abkehrt und erreichte Stationen verläßt, damit sie nicht zu Positionen werden. Nietzsches Ja gilt der Totalität des Daseins; allem Einzelnen und Partikulären aber setzt er bis zuletzt sein Nein entgegen. Wir sehen ihn immer nur überwinden, nicht aber erreichen oder gar bleiben. Auch die Konzeption des »Übermenschen« trägt weniger das Merkmal des »Über« im Sinne von »supra« als das des »hinüber« im Sinne von »trans«. So wie Nietzsche über die Werte und Wahrheiten hinaussteigt, so überwindet er ständig seinen eigenen Standpunkt und seine menschlich-allzumenschliche Sehnsucht nach dem rettenden Ufer. Zeugnis für dieses »hinüber« geben die zahlreichen Bilder der Überfahrt (Metaphern von Meer, Fluß und Schiff), deren Ankunft immer wieder zu einem neuen Aufbruch wird.

Was in *Ecce Homo* wie Egozentrismus, wie unfaßbarer Hochmut oder, bedingt durch den nahenden Zusammenbruch, wie wahnhafte Hybris erscheint, ist in Wirklichkeit Ausdruck radikalen Zweifels an sich selbst als einem möglichen Vor-bild des Übermenschen, sogar als einer mit sich selbst identischen Person. In keiner seiner Schriften bedenkt der Autor sich mit derartigen Superlativen, in keiner aber stellt er sich zugleich so grundsätzlich in Frage. Er beschwört zwar immer wieder seine auszeichnenden Eigenschaften der Gelassenheit und des Halkyonischen, doch trotz prätendierter Heiterkeit zittern in jedem Satz Schmerz und Verzweiflung nach. In *Ecce Homo* kommt stärker als im *Antichrist* noch einmal die Kehrseite von Nietzsches »amor fati« zum Vorschein. Gerade im Überschwang des Selbstwertbewußtseins zeigen sich nicht nur sein Kampfesmut gegen die »décadence«, sein Wille zur Überwindung, zum Übermenschen, sondern auch seine eigene Gefährdung und Heimsuchung durch die

Morbidität seines Jahrhunderts. Daher beteuert er wiederholt, noch weit entfernt vom Eintritt ins gelobte Land zu sein, und er analysiert seinen Doppelcharakter, seine Zwischenexistenz zwischen »décadence« und deren Überwindung, zwischen Krankheit und Gesundheit. Die Tatsache, daß er beides sei, stark und morbid, setze ihn allererst in die Lage, die Abrechnung mit dem Alten und die Proklamation des Neuen, Zerstörung und Entwurf gleichermaßen zu leisten. Dabei weiß er zu schätzen, was er seiner eigenen Krankheit an wertvollen Einsichten verdankt: das Erkennen und Anerkennen diätetischer Lebensbedingungen, und zwar physiologischer (Ernährung, Klima, Bewegung usw.) wie geistiger (Bücher, Musik usw.) Natur. Die Anteiligkeit materieller Momente am Zustandekommen schöpferischer Tätigkeit dient ihm als willkommene Waffe für seinen antiidealistischen Feldzug. Diesem gilt auch der gleichsam paradierende Aufmarsch seiner Schriften, an denen er die Wiederkunft der gleichbleibenden Tendenzen hervorhebt: die Demontage von Idealen, die als Ausdruck und Vehikel von »décadence« entlarvt werden; der Kampf gegen die Zersplitterung in Singularitäten und für die große Gesundheit, in dem Sinne, daß »alle Gegensätze zu einer neuen Einheit gebunden werden«, daß also in einem quasi remythisierten Zustande alles wieder »beisammen« sein wird.

Doch auch die Einheit von Krankheit und Gesundheit ist bei Nietzsche erst das Ziel eines noch zu überwindenden Antagonismus, denn er weiß sehr wohl, daß ein neuer Mythos, etwa der des Übermenschen, schwerlich mit der Bewußtheit der Moderne vereinbar ist, daß die irreversible Intellektualisierung ein »wenn ihr nicht werdet wie die Kinder« nicht zuläßt. Die quälende Gewißheit, daß mythische Erneuerung ebenso unmöglich wie notwendig ist, führt zu dem fundamentalen Widerspruch in Nietzsches Denken: Je ferner und fremder der Mythos der Moderne ist, umso dringender bedarf sie seiner, und umso vergeblicher ist dennoch die Bemühung, Mythos und Moderne zu vereinen. Nietzsche hat an dieser Wunde gelitten wie kaum ein anderer; er hat aber nicht nur an ihr gelitten, er hat sie darüber hinaus mit ätzender Erkenntnisschärfe tiefer und schmerzhafter gemacht, damit die Mit- und Nachwelt aufschreit und wenigstens aus der

Dumpfheit des Denkens, aus der erstarrenden Selbstsicherheit operationalisierten Lebens, wenn auch unter Qualen, erwacht. Von hier aus erhält *Ecce homo* einen weiteren Sinn: Es ist der Schmerzensseufzer eines kranken Märtyrers, der er als Prophet der großen Gesundheit gerade nicht sein will. Das Schlußwort »Dionysos gegen den Gekreuzigten« soll als Programm besagen: Sieg der Einheit der Gegensätze und ihrer Bejahung über die ausschließende Einsinnigkeit, über die Trennungen in Gut und Böse, d. h. Überwindung der Partikularität durch Totalität, der »décadence« durch das »Leben«. Doch zur erstrebten Prädominanz des einen über das andere kontrastiert realiter der ungelöste Widerspruch mythischer Sehnsucht und Modernität, von Dionysos und Christus. Indem Nietzsche den einen zugunsten des anderen zu überwinden trachtet, wird er selbst zum Schmerzensmann und trägt beide, den alten und den neuen Gott, zwieträchtig in sich selbst. Das kommt schließlich in der antagonistischen Duplizität seiner Unterschriften zum Ausdruck, wenn er in seinen allerletzten Briefen den Schlußsatz des *Ecce homo* gleichsam zerlegt: An Cosima Wagner signiert er mit »Dionysos«, an Peter Gast und Georg Brandes mit »Der Gekreuzigte«.

Dem Gott, der den Gekreuzigten überwinden soll, sind auch die *Dionysos-Dithyramben* gewidmet. »Dithyrambus« ist in der griechischen Antike ein Beiname des Weingottes Dionysos und bezeichnet darüber hinaus eine Lyrik, die in ekstatischer Sprache und Musik dessen Taten und Leiden verherrlicht. Die Form dieser Gedichte, die Aristoteles mit dem Anfang der Tragödie in Zusammenhang bringt, ist unregelmäßig und variabel in Metrum und Strophenbau. Arion (um 600 v. Chr.) gilt als der Begründer des Dithyrambus; Pindar, Simonides und Bakchylides machten ihn als Kunstform berühmt. Seit 500 v. Chr. setzt die Verweltlichung der ursprünglich kultischen Dichtart ein; parallel dazu verläuft die Auflösung der Strophenform und des gedanklich kohärenten Inhalts bis zur Aufhebung zumindest herkömmlicher Sinnzusammenhänge. Beispiele aus der neuzeitlichen Literatur bieten Goethe *(Wandrers Sturmlied)*, Hölderlin und Nietzsche mit seinen neun *Dionysos-Dithyramben,* von denen er drei im

vierten Teil des *Zarathustra* veröffentlichte und für den Druck
der Gedichtsammlung noch einmal (1888) überarbeitete. Es handelt sich um *Nur Narr! Nur Dichter!*, *Unter Töchtern der Wüste*
und *Klage der Ariadne*.

Die Qualität von Nietzsches lyrischen Produkten wird ver-
schieden beurteilt. Die einen sehen in ihnen die größte Leistung
des Autors und wollen sie noch gewürdigt wissen, wenn alle anderen Schriften längst vergessen seien. Die anderen halten die
Gedichte für nur halbwegs lyrisierte Prosa, in der das Redneri-
sche das Poetische überwuchere. Das gilt vielleicht für große
Partien des *Zarathustra* und seiner Lieder, nicht aber für alle
Dithyramben, am wenigsten für *Nur Narr! Nur Dichter!* und
Die Sonne sinkt. Hier tritt das Rhetorische zurück, und obwohl
die Sprache der des *Zarathustra* gleicht, so fehlt doch der oft
penetrant parodierende Anklang an die Bibel. Wenn aber einmal Motive der Schrift entnommen werden, dann nicht den
synoptischen Büchern, sondern dem *Hohen Lied* und der *Apo-
kalypse* (z. B. *Siebente Einsamkeit: Apok.* 8, 1 ff.). Nicht der
Predigt- und Gleichnisstil, sondern die geheimnisvollen Bilder
und Symbole des Alten und Neuen Testamentes haben die Dithyramben beeinflußt. Die Nietzsche-Forschung hat auf weitere
Quellen hingewiesen: auf das altindische Heldengedicht *Maha-
bharata*, auf Klopstock und Novalis, auf *Hyperions Schicksalslied*
von Hölderlin, auf Wagners germanisierende Elemente, bei
Nietzsche nachwirkend in den überaus häufigen Alliterationen,
und immer wieder auf die Romantik mit ihrer Vorliebe für den
freien Rhythmus als Ausdruck Grenzen aufhebender, zum Universalen progredierender Tendenzen. Dabei wird der regel-
mäßige Takt des Metrums dem skandierenden Verstande, der
Rhythmus dem formelauflösenden, aber formgebenden Leben
zugeordnet. Die Dithyramben durchbrechen die hergebrachten
lyrischen Schemata durch ungleiche Zeilenlänge, unregelmäßiges
Staccato, Springen von Bild zu Bild, Auflösung der Syntax und
scheinbar willkürliche Betonung. Formbindend sind dagegen allein das Gewicht der Wörter, ihre Bedeutungen und Klänge sowie die kognitiven und expressiven Intentionen und deren Dar-
stellungsmittel (Wortstellung, Wiederholung, Metaphorik usw.).

Bis zu den *Dionysos-Dithyramben* sind Einsamkeit und Trauer die herrschenden Themen in Nietzsches Gedichten. Das Wortfeld enthält fast nur Ausdrücke negativer Inhalts- und Gefühlsqualitäten (»fliehen«, »verlieren«, »stumm«, »kalt« usw.), und die Nachtseiten prägen die Bildlichkeit (»Mitternacht«, »schlafen«, »Mohn«, »Traum« usw.). Außer den beiden Strophen *Venedig*, zu denen fast allen Kritikern das Wort »impressionistisch« eingefallen ist, bewahren die frühen Gedichte noch eine gewisse Regelmäßigkeit in Reim und Metrum. In den *Dionysos-Dithyramben* dagegen hört man nicht nur die dunklen Töne der Melancholie, sondern auch die schrillen Laute des Übermuts. Das lyrische Subjekt bewegt sich immer in höchsten Höhen und tiefsten Tiefen, zwischen Gipfel und Abgrund, Eis und Glut, Meer und Wüste, stets in Randzonen, immer in Extremen. Hierzu passen die Motive des Tückischen, Lauernden, Gewalttätigen, vor allem die Raubtiere (Panther und Adler). Die extreme Spannweite der Motive entspricht den Antithesen im Denken und Erleben: Schmerz über die Zertrümmerung alter Tafeln und Lust an neuen Freiheiten, Flucht vor dem Wissen und Fest der Erkenntnis, südlich-exotische Unbedenklichkeit und europäische Zweifelsucht, beglückender Triumph und zermürbende Verzweiflung. Ausdruck der zusammengezwungenen Gegensätze sind in *Nur Narr! Nur Dichter!* Wendungen wie: »selig-höhnisch, selig-höllisch, selig-blutgierig.«

Es ist bemerkt worden, daß sich Nietzsches Gedichte mehr an den Verstand als an das Herz wenden, daß sie keine Gefühle, sondern Gedanken erwecken. Es ist weiterhin zu bestätigen, daß viele Wörter aus dem »Sinnbezirk des Intellektuellen« (»Zweifel«, »Wahrheit«, »Lüge« usw.) nicht in das übliche Bild vom Lyrischen passen. Doch gerade von der vermeintlichen Sprache der Rationalität gehen ungemein sinnliche Reize aus, deren suggestive Mittel weniger in den Wortbedeutungen liegen als in der Musikalität ihres Einsatzes (Töne, Rhythmen, Wiederholungen usw.). Wörter, die sich gemeinhin als Begriffe an den Verstand wenden, werden hier gar nicht ernst genommen in ihrer festen Bedeutung und verlieren gleichsam ihre semantische Identität. »Lüge« beispielsweise kann schädlich, aber auch heilsam, lebenssteigernd, dann wieder abstoßend und ekelerregend sein. Wie wenig es um Verständnisvermittlung eines fixierten Sachverhaltes geht, zeigen Wortfügungen, die den Hörer nicht informieren, sondern bezaubern wollen (»Katzen-Mutwillen«). Begriffe sind nur Material, mit dem der Autor spielt; er dreht sie nach seinem Belieben um, bis sie in einen Taumel geraten und sich weit von dem Verstand entfernen. Das komplizierte Verhältnis von Intellekt und Sinnlichkeit wird abermals sichtbar, wenn abstrakte Begriffe durch grelle Farben zum Leuchten und Schillern gebracht werden (»grüne Wahrheiten«, »schwefelgelbe Wahrheiten«, »blaue Vergessenheit«), so daß ihre funkelnden Oberflächen wirksamer werden als ihr vermeintlich semantischer Kern. Nietzsches philosophische Intention auf Umkehrung und Umwertung führt nicht nur zu einer Turbulenz von Sinnlichem und Geistigem, sondern auch zu provokativen sprachlichen Entgegensetzungen und Neubildungen (»Einsiedler« – »Zweisiedler«; »nachdenklich« – »vordenklich«) sowie zu parodistisch veränderten Zitaten (z. B. »Oder dem Adler gleich« nach Goethes »Dem Geier gleich«).

Trotz ihrer Funktionen im Kontext des *Zarathustra* haben die Dithyramben von ihm abweichende, eigene Merkmale. Sie sprechen kein Gegenüber an, sondern sind Rede einer einsamen Seele mit sich selbst. Daß manche Gedichte dennoch Rhetorisches zu enthalten scheinen, liegt an der häufigen Verwendung der Frage- und Befehlsform sowie der Personalpronomina der ersten und zweiten Person. Doch das lyrische Subjekt wendet sich nicht wie Zarathustra an Hörer und Schüler, sondern identifiziert sein zerrissenes Bewußtsein und Dasein mit wechselnden, rollenähnlichen Teilprojektionen seines Ichs. Wie Nietzsche in *Ecce Homo* nicht Dionysos *gegen* den Gekreuzigten, sondern Dionysos *und* der Gekreuzigte ist, so erscheint er auch in den *Dithyramben* gemartert wie Christus und ekstatisch wie der Gott der Antike. Dient im *Zarathustra* alles der Lehre und dem umwertenden Spiel, so gilt hier alles dem turbulenten Tanz der Wahrheiten und der Expression dessen, der mitten in den befreienden, aber auch zerreißenden Wirbel gerät. Die urtümlichen Formen der Klage (»weh dem, . . .«) stehen unmittelbar neben denen des Segnens, und ein unbändiges Lachen will die Schmerzensschreie übertönen. Doch aus diesem Trotz spricht nicht die Kraft eines Prometheus, der »meine Erde« sagen kann, sondern nur der verzweifelte Hohn eines gestürzten Engels, der dem alten Gott nicht gleichen wollte und dem neuen nicht gleichen konnte.

Peter Pütz

1844 15. Oktober: Friedrich Nietzsche als Sohn des Pfarrers Karl Ludwig Nietzsche in Röcken bei Lützen (preußische Provinz Sachsen) geboren.

1849 30. Juli: Tod von Nietzsches Vater.

1850 Die Familie übersiedelt nach Naumburg.

1858 Oktober: Nietzsche tritt in das Gymnasium Schulpforta bei Naumburg ein, dessen Schüler er bis 1864 ist.

1864 Oktober: Nietzsche beginnt an der Universität Bonn das Studium der Theologie und Klassischen Philologie.

1865 Oktober: Nietzsche setzt das Philologiestudium in Leipzig fort. Er entdeckt Schopenhauer.

1866 Beginn der Freundschaft mit Erwin Rohde.

1868 8. November: Nietzsche macht in Leipzig die persönliche Bekanntschaft Richard Wagners.

1869 Februar: Nietzsche wird als außerordentlicher Professor der Klassischen Philologie an die Universität Basel berufen.

17. Mai: Erster Besuch Nietzsches bei Wagner in Tribschen bei Luzern.

28. Mai: Antrittsrede an der Universität Basel: *Homer und die Klassische Philologie.*

Beginn der Arbeit an der *Geburt der Tragödie* (veröffentlicht im Januar 1872).

1870 März: Nietzsche wird zum ordentlichen Professor ernannt.

August: Nietzsche nimmt als freiwilliger Krankenpfleger am deutsch-französischen Krieg teil; er erkrankt an Ruhr und Rachendiphtheritis.

Oktober: Nietzsche kehrt nach Basel zurück. Erste Begegnung mit dem Theologen Franz Overbeck.

1872 Februar/März: Basler Vorträge *Über die Zukunft unserer Bildungsanstalten* (aus dem Nachlaß veröffentlicht).
22. Mai: Grundsteinlegung des Bayreuther Festspielhauses; Nietzsche in Bayreuth.

1873 *Unzeitgemäße Betrachtungen. Erstes Stück: David Strauß, der Bekenner und Schriftsteller.*
Die Philosophie im tragischen Zeitalter der Griechen (Fragment, aus dem Nachlaß veröffentlicht).

1874 *Unzeitgemäße Betrachtungen. Zweites Stück: Vom Nutzen und Nachteil der Historie für das Leben – Drittes Stück: Schopenhauer als Erzieher.*

1875 Oktober: Nietzsche macht die Bekanntschaft des Musikers Peter Gast (Heinrich Köselitz).

1876 *Unzeitgemäße Betrachtungen. Viertes Stück: Richard Wagner in Bayreuth.*
August: Erste Bayreuther Festspiele, an denen Nietzsche teilnimmt.
September: Nietzsche wird mit dem Psychologen Paul Rée näher bekannt.
Oktober: Nietzsche erhält von der Universität Basel einen Urlaub zur Herstellung seiner Gesundheit. Er verbringt den Winter 1876/77 mit Rée und Malwida von Meysenbug in Sorrent. Dort sieht er Wagner zum letztenmal.

1878 *Menschliches, Allzumenschliches. Erster Teil.*

1879 Nietzsche erkrankt schwer und gibt sein Lehramt an der Universität Basel auf.

1880 *Der Wanderer und sein Schatten. Menschliches, Allzumenschliches. Zweiter Teil.*
März–Juni: Erster Aufenthalt Nietzsches in Venedig.
Ab November: Erster Winter in Genua.

1881 *Morgenröte.*
Erster Sommer in Sils-Maria.

1882 *Die fröhliche Wissenschaft.*
März: Sizilianische Reise.
April: Nietzsche lernt Lou von Salomé kennen.
Ab November: Winter in Rapallo.

1883 *Also sprach Zarathustra. Erster und zweiter Teil.*
Ab Dezember: Erster Winter in Nizza.

1884 *Also sprach Zarathustra. Dritter Teil.*
August: Heinrich von Stein besucht Nietzsche in Sils-Maria.

1885 *Also sprach Zarathustra. Vierter Teil.*

1886 *Jenseits von Gut und Böse.*

1887 *Genealogie der Moral.*

1888 April: Nietzsche hält sich zum erstenmal in Turin auf. Georg Brandes hält an der Universität Kopenhagen Vorlesungen über Nietzsche.
Mai–August: *Der Fall Wagner.* – Abschluß der *Dionysos-Dithyramben* (veröffentlicht 1891).
September: *Der Antichrist* (veröffentlicht 1894).
Oktober/November: *Ecce Homo* (veröffentlicht 1908).
Dezember: *Nietzsche contra Wagner* (veröffentlicht 1895).

1889 Januar: Geistiger Zusammenbruch Nietzsches in Turin. Aufnahme des Kranken in der Psychiatrischen Klinik der Universität Jena.
Götzendämmerung.

1890 Mai: Frau Nietzsche nimmt ihren Sohn zu sich nach Naumburg.

1897 20. April: Tod der Mutter.
Nietzsche übersiedelt zu seiner Schwester Elisabeth nach Weimar.

1900 25. August: Nietzsche stirbt in Weimar.

11 *Hyperboreer:* im Altertum Name eines sagenhaften Volkes im äu-ßersten Norden, »jenseits des Boreas«, des kalten Nordwindes.
largeur: Weite.

12 *virtù:* Tüchtigkeit, Fähigkeit.

17 *peccatum originale:* Erbsünde.
»Tübinger Stift«: das Seminar der evangelisch-theologischen Fakul-tät der Universität Tübingen.

20 *Tschandala:* Tschandal, in Indien Bezeichnung für die unreinen Gewerbe (Totengräber usw.), früher Name einer niederen Hindu-kaste; im übertragenen Sinne (Tschandala) so viel wie »unehren-hafter, verachteter Mensch«.

21 *machina:* Maschine.

23 *ardeurs:* Eifer, Leidenschaft.

24 *Renan:* Ernest Renan (1823–1892), französischer Schriftsteller und Orientalist; Hauptwerk: *Histoire des origines du christianisme (Die Entstehung des Christentums),* 1863–1883.
par excellence: schlechthin.

25 *sub specie Spinozae:* unter dem Blickwinkel Spinozas.
ultimatum: Letztes.
maximum: Höchstes.
creator spiritus: schöpferischer Geist.

32 *non plus ultra:* hier: nicht zu übertreffende Leistung.

37 *Strauß:* David Friedrich Strauß (1808–1874), Philosoph und Theo-loge. In seinem Werk *Das Leben Jesu, kritisch bearbeitet* (1835/36) gab er die Geschichtlichkeit der Evangelienberichte preis und be-trachtete sie als Ergebnis unbewußter Mythenbildung.

38 *in psychologicis:* in psychologischen Dingen.

39 *habitus:* Anlage.

40 *proprium:* Eigenart.

41 *»le grand maître en ironie«:* der große Meister der Ironie.
esprit: Geist.
impérieux: gebieterisch.

53 *niaiserie:* Albernheit.

55 *ultima ratio:* letztes Mittel.

59 *Petronius:* römischer Schriftsteller (gest. 66 n. Chr.); Verfasser des Schelmenromans *Satyricon.*

60 *Cesare Borgia:* Herzog der Romagna (1475–1507), ein skrupel-loser, ehrgeiziger Condottiere, das Urbild des *Fürsten* von Ma-chiavelli.

61 *deus, qualem Paulus creavit, dei negatio:* Gott, wie ihn Paulus schuf, ist die Verneinung Gottes.
in praxi: tatsächlich.

66 *in majorem dei honorem:* zur größeren Ehre Gottes.
folie circulaire: manisch-depressives Irresein.

67 *in hoc signo:* in diesem Zeichen.
superbia: Stolz.

68 *Ephexis:* Fähigkeit, Fertigkeit.

71 *Carlylismus:* Thomas Carlyle (1795–1881), englischer Schriftsteller; führte einen erbitterten Kampf gegen den Materialismus seiner Zeit, der ihm den Untergang des Abendlandes bedeutete. Die Wurzeln seiner Haltung lagen im schottischen Puritanismus und im deutschen Idealismus.
Saint-Simon: Claude Henry de Rouvroy, Graf von Saint-Simon (1760–1825), französischer Sozialkritiker.

73 *Manu:* im Hinduismus mythischer Stammvater der Menschheit. Er gilt als Urheber des Gesetzbuches Manawadharmaschastra, das wohl zu Beginn unserer Zeitrechnung aus älteren Texten zusammengetragen wurde.

74 *immaculata conceptio:* unbefleckte Empfängnis.

75 *in infinitum:* bis ins Unendliche, unaufhörlich.

76 *Pulchrum est paucorum hominum:* Das Schöne ist Besitz nur weniger Menschen.

79 *aere perennius:* dauerhafter als Erz.
sub specie aeterni: auf ewige Dauer berechnet.

80 *unio mystica:* mystische Einheit.

85 *rancunes:* Gehässigkeit, Groll.
humanitas: Menschlichkeit.

86 *dies nefastus:* Unglückstag.

87 *Ecce Homo:* »Sehet, welch ein Mensch!« Ausruf des Pilatus, mit dem er den gegeißelten und dornengekrönten Jesus den Juden vorstellte (Johannes 19,5); hier von Nietzsche ironisch auf sich selbst bezogen.

90 *Nitimur in v e t i t u m :* Wir streben nach dem Verbotenen.

91 *diesen halkyonischen Ton:* diesen Ton der Heiterkeit, der Seelenruhe.

95 *nuances:* Abstufungen, Übergänge.

96 *Als summa summarum:* Im ganzen.

97 *liberum veto:* Einspruchsrecht.

99 *Heinrich von Stein:* Heinrich Freiherr von Stein (1857–1887), Erzieher im Hause Richard Wagners.
Dühringschen: Eugen Dühring (1833–1921), Philosoph und Nationalökonom.

104 *de rigueur:* von größter Schärfe.

108 *alla tedesca:* nach deutscher Art.

109 *Vamitas:* Eitelkeit.
   In vino veritas: Im Wein liegt Wahrheit.
110 *table d'hôte:* gemeinsame Gästetafel.
   vigor: Kraft.
111 *in physiologicis:* in Fragen der Physiologie.
112 *sui generis:* von eigener Art.
113 *meine Laertiana:* Gemeint sind die 1868/69 veröffentlichten Dio-
   genes-Laertios-Studien Nietzsches.
   »largeur du coeur«: Großherzigkeit.
   Paul Bourget: Erzähler (1852–1935).
   Pierre Loti: Erzähler (1850–1923), Vertreter des Exotismus.
   Gyp: Pseudonym der Schriftstellerin Gabrielle Gräfin de Martel de
   Janville (1850–1932).
   Meilhac: Henri Meilhac (1831–1897), Dramatiker.
   Anatole France: Erzähler und Kritiker (1844–1924); erhielt 1921
   den Nobelpreis für Literatur.
   Jules Lemaître: Erzähler und Dramatiker (1853–1914).
114 *Taine:* Hippolyte Taine (1828–1893), Kritiker und Historiker.
   ex ungue Napoleonem: an der Klaue erkennt man Napoleon.
   species: Gattung, Art.
   Prosper Mérimée: Erzähler (1803–1870).
115 *Hans von Bülow:* Pianist und Dirigent (1830–1894), in erster Ehe
   mit Cosima Liszt verheiratet, die ihn um Richard Wagners willen
   verließ.
   Lord Bacon: Sir Francis Bacon (1561–1626), englischer Staatsmann
   und Philosoph.
116 *et hoc genus omne:* und diese ganze Sippschaft.
   délicatesse: Feingefühl, Fingerspitzengefühl.
   mise en scene: Inszenierung, Regie.
   Seite 147 ff.: Siehe »Jenseits von Gut und Böse« (Goldmann Klassiker, Band 7530), diese Seiten.
117 *fond:* Grundzug.
118 *Pietro Gasti:* Peter Gast (Pseudonym von Heinrich Köselitz [1854
   bis 1918], Schriftsteller und Komponist; Schüler und Freund Nietzsches.
121 *nosce te ipsum:* erkenne dich selbst.
122 *Ritschl:* Friedrich Wilhelm Ritschl (1806–1876), klassischer Philolog.
124 *amor fati:* Liebe zum Schicksal.
126 *non legor, non legar:* ich werde nicht gelesen, ich werde nicht gelesen werden.
   Widmann: Joseph Viktor Widmann (1842–1911), Schriftsteller;
   seit 1880 Feuilletonleiter der Berner Zeitung *Der Bund.*
   Karl Spitteler: Dichter und Redakteur (1845–1924).
127 *Journal des Débats:* Pariser Abendzeitung.

128 *»toutes mes audaces et finesses«:* alle meine Kühn- und Feinheiten.
142 *eines ... satisfait:* eines ... Zufriedengestellten.
   Ewald: Heinrich Ewald (1803–1875), Orientalist und Alttestamentler in Göttingen.
   Bruno Bauer: Theologe und politischer Publizist (1809–1882).
   Treitschke: Heinrich von Treitschke (1834–1896).
   Baader: Franz von Baader (1765–1841).
143 *Karl Hillebrand:* Historiker und Publizist (1829–1884).
   »libres penseurs«: Freigeister.
147 *Brendel:* Franz Brendel (1811–1868), Musikschriftsteller, trat für Wagner und Liszt ein.
   Nohl: Ludwig Nohl (1831–1885), Musikwissenschaftler.
   Pohl: Richard Pohl (1826–1896), Musikschriftsteller, mit Liszt befreundet.
151 *Dr. Paul Rée:* 1849–1901. Sein Werk *Der Ursprung der moralischen Empfindungen* (1877) machte auf Nietzsche, mit dem er eine Zeitlang befreundet war, großen Eindruck.
   lisez: lies.
158 *Lou von Salomé:* Schriftstellerin (1861–1937), schrieb Romane, Erzählungen und Studien.
164 *Veda:* die heiligen Schriften der Brahmanen.
171 *gentilhomme:* Edelmann.
172 *petits faits:* Kleinigkeiten.
   régime: Regelung, Lebensweise.
173 *tempo feroce:* wildes Tempo.
174 *faute de mieux:* in Ermangelung eines Besseren.
176 *Vittorio Emanuele:* Viktor Emanuel II., erster König von Italien.
177 *Claude Lorrain:* französischer Landschaftsmaler (1600–1682).
178 *ridendo dicere severum:* lachend das Bittere sagen.
   verum dicere: die Wahrheit sagen.
   Cagliostro: Alexander Graf von Cagliostro (1743–1795), italienischer Abenteurer.
   évangile des humbles: Evangelium der kleinen Leute.
179 *Trompeter von Säckingen:* Held des seinerzeit außerordentlich volkstümlichen gleichnamigen lyrisch-epischen Gedichts von Josef Victor von Scheffel (1826–1886).
   in historicis: in Fragen der Geschichtswissenschaft.
   Vischer: Friedrich Theodor Vischer (1807–1887), Dichter und Ästhetiker.
180 *force majeure:* höhere Gewalt.
181 *névrose nationale:* nationale Neurose.
182 *canaille:* Hundepack, Pöbel.
184 *Dr. Georg Brandes:* dänischer Kritiker und Literarhistoriker (1842–1927).

188 *homines optimi:* ganz und gar gute Menschen.
    Herbert Spencer: englischer Philosoph (1820–1903).
193 *Ecrasez l'infâme!:* Vernichtet die Schändliche! (Voltaire).
201 *Sela:* eine musikalische Angabe in den hebräischen Psalmen, wohl
    Aufforderung zu einem jubelnden Zwischenruf der Gemeinde.

BIBLIOGRAPHISCHE HINWEISE

BIBLIOGRAPHIEN UND HILFSMITTEL

Herbert W. Reichert/Karl Schlechta: International Nietzsche Bibliography, compiled and edited. Chapel Hill/NC/USA: University of North Carolina 1960, revised and expanded 1968; fortgesetzt bis 1971 in: Nietzsche-Studien 2, 1973, S. 320–339. [Nennt über 5000 Titel in 28 Sprachen, innerhalb der Landessprachen alphabetisch geordnet.]

Richard Oehler: Nietzsche-Register. Alphabet.-systemat. Übersicht zu Nietzsches Werken nach Begriffen, Kernsätzen und Namen. Leipzig: A. Kröner 1926; Neudruck als Bd. 12 der »Sämtlichen Werke« [s. u.], Stuttgart: A. Kröner 1965

Karl Schlechta: Nietzsche-Index zu den »Werken in 3 Bänden«. München: Carl Hanser 1965

Nietzsche-Studien. Internationales Jahrbuch für die Nietzsche-Forschung. Hrsg. von Mazzino Montinari, Wolfgang Müller-Lauter und Heinz Wenzel. Berlin: Walther de Gruyter 1972 ff. [Band 1 ff.]

GESAMTAUSGABEN

Großoktavausgabe: Gesamtausgabe in 19 Bänden. Leipzig: C. G. Naumann 1894 ff. [Bd. 1–8 von Nietzsche selbst veröffentlichte Schriften; Bd. 9–16: Nachlaß; Bd. 17–19: Philologica]; 2. Aufl. 1901–1913. – 1926 erschien ein 20. Bd.: Nietzsche-Register, von Richard Oehler

Musarion-Ausgabe: Werke in 23 Bänden. Hrsg. von Richard Oehler, Max Oehler und Friedr. Chr. Würzbach. München: Musarion-Verlag 1920–1929

Kröner-Ausgabe: Werke in 12 Bänden. Hrsg. von Alfred Baeumler. Leipzig [später Stuttgart]: A. Kröner Verlag 1930 ff.

Historisch-kritische Gesamtausgabe der Werke und Briefe. Von der Stiftung Nietzsche-Archiv veranstaltet. München: C. H. Beck 1933 ff. [Abgeschlossen nur 5 Bände: Werke bis zur ersten Basler Zeit 1868/69 und 4 Bände Briefe: bis 1877.]

Werke in 3 Bänden. Hrsg. von Karl Schlechta. München: Carl Hanser 1956, ⁶1969. – Als Taschenbuchausgabe bei Ullstein (5 Bände, Nr. 2907–2911)

Sämtliche Werke in 12 Bänden. Neudruck der Kröner-Ausgabe [s. o.].
Stuttgart: A. Kröner Verlag 1965. [Bd. 12 bringt das Nietzsche-
Register von Richard Oehler, s. o.]

Nietzsches Werke. Kritische Gesamtausgabe. Hrsg.: Giorgo Colli und
Mazzino Montinari. Berlin: de Gruyter 1967 ff. [Bisher sind in
20 Bänden fast alle wichtigen Schriften und nachgelassenen Fragmente
erschienen. Die von Nietzsche selbst veröffentlichten Werke und die
Nachlaßfragmente werden in streng chronologischer Reihenfolge ge-
druckt; das gilt auch für den Nachlaß vom Herbst 1887 bis Januar 1889,
der früher fälschlich unter dem Titel »Der Wille zur Macht« publiziert
wurde.]

Sämtliche Werke. Kritische Studienausgabe in 15 Bänden. Hrsg. von
Giorgio Colli und Mazzino Montinari. München 1980

BRIEFE

Friedrich Nietzsches gesammelte Briefe. 5 Bände. Berlin: Schuster &
Loeffler 1900 ff.; 2. Aufl. Leipzig: Insel-Verlag 1903 ff.

Nietzsche: Briefwechsel. Kritische Gesamtausgabe. Hrsg. von Giorgio
Colli und Mazzino Montinari. Berlin: Walther de Gruyter 1975 ff.
[Bisher sind 14 Bände der Briefe von, an und über Nietzsche erschienen.]

Briefwechsel mit Franz Overbeck. Hrsg. von Richard Oehler und Carl
Albrecht Bernoulli. Leipzig: Insel-Verlag 1916

Briefwechsel mit Erwin Rohde. Hrsg. von Elisabeth Förster-Nietzsche
und Fritz Schöll. Ebda. ³1923

Friedrich Nietzsche, Paul Rée, Lou von Salomé. Dokumente ihrer Begegnung. Hrsg. von Ernst Pfeiffer. Frankfurt: Insel-Verlag 1970

Briefe an Peter Gast. Hrsg. von Peter Gast. Leipzig: Insel-Verlag ³1924

Peter Gasts Briefe an Nietzsche. 2 Bände. München: Verlag der
Nietzsche-Gesellschaft 1923/24

Briefe an Mutter und Schwester. Hrsg. von Elisabeth Förster-Nietzsche.
Leipzig: Insel-Verlag ⁴1929

Karl Strecker: Nietzsche und Strindberg. Mit ihrem Briefwechsel. München: Georg Müller 1921

Der kranke Nietzsche. Briefe seiner Mutter an Franz Overbeck. Hrsg.
von Erich F. Podach. Wien: Bermann-Fischer 1937

Nietzsche. Sein Leben in Selbstzeugnissen, Briefen und Berichten. München: Goldmann 1966

GESAMTDARSTELLUNGEN UND EINFÜHRUNGEN

Charles Andler: Nietzsche, sa vie et sa pensée. 6 Bände. Paris 1920–1931

Lou Andreas-Salomé: Friedrich Nietzsche in seinen Werken (1894).
Dresden 1924

Alfred Bäumler: Nietzsche der Philosoph und Politiker. ³1937

Ernst Bertram: Nietzsche – Versuch einer Mythologie. Bonn ⁸1965

Maria Bindschedler: Nietzsche und die poetische Lüge. Berlin [2]1966

M. Cacciari: Krisis. Saggio sulla crisis del pensiero negativo da Nietzsche a Wittgenstein. Milano 1976

Giorgio Colli: Nach Nietzsche, Frankfurt 1980

Giorgio Colli: Distanz und Pathos. Einleitungen zu Nietzsches Werken. Frankfurt 1982

Arthur Danto: Nietzsche as Philosopher. New York [2]1971

Gilles Deleuze: Nietzsche und die Philosophie. München 1976

Jaques Derrida: Nietzsches Otobiographie oder Politik des Eigennamens. In: Fugen. Deutsch-Französisches Jahrbuch für Text-Analytik I, 1980, Seite 64–98 [übersetzt von Friedrich A. Kittler]

Johann Figl: Interpretation als philosophisches System. Friedrich Nietzsches universale Theorie der Auslegung im späten Nachlaß. Berlin und New York 1982

Eugen Fink: Nietzsches Philosophie. Stuttgart [3]1973

Elisabeth Förster-Nietzsche und Henri Lichtenberger: Nietzsche und sein Werk. Dresden 1929

Ivo Frenzel: Friedrich Nietzsche in Selbstzeugnissen und Bilddokumenten. Reinbek [12]1977

S. Friedländer: Nietzsche. Eine intellektuelle Biographie. Berlin 1911

Bernhard Greiner: Friedrich Nietzsche: Versuch und Versuchung in seinen Aphorismen. München 1972

Reinhold Grimm (Hrsg.): Karl Marx und Friedrich Nietzsche. Acht Beiträge. Königstein 1978

D. Halévy: Nietzsche. Paris 1944

Eckhard Heftrich: Nietzsches Philosophie. Identität von Welt und Nichts. Frankfurt 1962

Martin Heidegger: Nietzsche. 2 Bände. Pfullingen [3]1976

Peter Heller: Von den ersten und letzten Dingen. Studien und Kommentar zu einer Aphorismenreihe von Friedrich Nietzsche. Berlin und New York 1972

Bruno Hillebrand (Hrsg.): Nietzsche und die deutsche Literatur. 2 Bände. Tübingen und München 1978

Josef Hofmiller: Nietzsche. Lübeck 1953

Reginald J. Hollingdale: Nietzsche. The man and his philosophy. London [2]1973

Max Horkheimer/Theodor W. Adorno: Juliette oder Aufklärung und Moral. In: Dialektik der Aufklärung. Frankfurt [3]1976

Paul Kurt Janz: Friedrich Nietzsche. 3 Bände. München und Wien 1978/79

Karl Jaspers: Nietzsche. Berlin [4]1974

Manfred Kaempfert: Säkularisation und neue Heiligkeit. Religiöse und religionsbezogene Sprache bei Friedrich Nietzsche. Berlin 1971

Walter A. Kaufmann: Nietzsche: Philosopher, Psychologist, Antichrist. New York [4]1974

Ludwig Klages: Stettiner Nietzsche-Vorträge. Stettin 1928

Peter Köster: Der sterbliche Gott. Nietzsches Entwurf übermenschlicher Größe. Meisenheim am Glan 1972

Elrud Kunne-Ibsch: Die Stellung Nietzsches in der Entwicklung der modernen Literaturwissenschaft. Assen 1972

Janko Lavrin: Nietzsche. A biographical introduction. London 1971

Theodor Lessing: Nietzsche. Berlin 1925

Karl Löwith: Nietzsches Philosophie der ewigen Wiederkehr des Gleichen. Stuttgart ²1956

Karl Löwith: Friedrich Nietzsche. Vorspiel einer Philosophie der Zukunft. Frankfurt 1959

R. Lombardi: Nietzsche. Roma 1945

Georg Lukács: Nietzsche als Begründer des Irrationalismus der imperialistischen Periode. In: Die Zerstörung der Vernunft. Neuwied ²1974

Ferruccio Masini: Lo scriba del caos. Interpretazione di Nietzsche. Bologna 1978

Mazzino Montinari: Che cosa ha »veramente« detto Nietzsche. Roma 1975

Mazzino Montinari: Nietzsche lesen. Berlin und New York 1982

Georges Morel: Nietzsche. 3 Teile. Paris 1970/71

Wolfgang Müller-Lauter: Nietzsche. Seine Philosophie der Gegensätze und die Gegensätze seiner Philosophie. Berlin und New York 1971

Rudolf Pannwitz: Einführung in Nietzsche. München 1920

Malcolm Pasley (Hrsg.): Nietzsche. Imagery and Thought. A Collection of Essays. London 1978

Erich F. Podach: Friedrich Nietzsches Werke des Zusammenbruchs. Heidelberg 1961

Peter Pütz: Friedrich Nietzsche. Stuttgart ²1975

Raoul Richter: Friedrich Nietzsche, sein Leben und sein Werk. Leipzig 1922

A. Riehl: Nietzsche, der Künstler und der Denker. Stuttgart 1923

Heinz Röttges: Nietzsche und die Dialektik der Aufklärung. Untersuchungen zum Problem einer humanistischen Ethik. Berlin und New York 1972

Werner Ross: Der ängstliche Adler. Friedrich Nietzsches Leben. Stuttgart 1980

Jörg Salaquarda (Hrsg.): Nietzsche. Darmstadt 1980

Karl Schlechta: Nietzsches großer Mittag. Frankfurt 1954

Karl Schlechta: Nietzsche-Chronik. München 1975

Joseph Peter Stern: A study of Nietzsche. London 1978. Deutsche Übersetzung: Die Moralität der äußersten Anstrengung. Köln 1982

Karl-Heinz Volkmann-Schluck: Leben und Denken. Interpretationen zur Philosophie Nietzsches. Frankfurt 1968

Hans M. Wolf: Friedrich Nietzsche. Der Weg zum Nichts. Bern 1956

Einzeluntersuchungen sind in den Einführungen von Ivo Frenzel (s. o.) und insbesondere von Peter Pütz (s. o.) verzeichnet.